CES 2022
DEEP
REVIEW

CES 2022 딥리뷰

Beyond the Everyday

CES 2022 DEEP REVIEW

CES 2022 딥리뷰

손재권, 최형욱, 강성지, 정구민, 이용덕, 주영섭 지음

Part 5.

스페이스테크

: 영역파괴와 확장을 주도해온 CES가 선정한 메가트렌드

이용덕

Part 6.

푸드테크

: 이미 정해진 미래, 지속가능을 위한 선택

이용덕

Part 7.

ESG와 비즈니스모델 혁명

: 초변화, 대전환 시대에서의 생존 전략

주영섭

혁신의 현장 CES 2022에서 미래를 목격하다

　자동차기업이 자동차 대신 로봇과 메타버스를 보여주며 메타모빌리티 MetaMobility라는 미래 비전을 만드는 테크놀로지 기업임을 천명하였다. 가전 제품을 생산하던 기업은 전기자동차를 전시하며 올해 상반기에 전기차 자회사를 설립해 자동차시장에 진출한다고 발표했다. 프로레슬링 방송사가 프로레슬러들의 사진, 영상등을 NFT Non-Fungible Token로 판매한다고 밝히며 스포츠테크 Sports Tech의 출발을 알렸다. 그리고 우주 시대의 본격 서막을 알리는 스페이스테크 Space Tech의 상징인 우주선이 CES가 열리는 센트럴 광장에 전시되었다. 코로나19 팬데믹이 시작되기 전인 CES 2020과 비교했을 때 지난 2년의 변화는 실로 놀라울 따름이다. 심지어 팬데믹으로 온 인류가 바이러스의 확산과 통제의 몸살을 앓는 동안에도 말이다. 혁신의 바람은 이렇게 모든 영역을 무너트리고 아이디어와 테크놀로지의 융합으로 재탄생하고 있다.

　혁신은 한순간에 이루어지는 기적이 아니다. 당연히 땀 흘린 노력과 도전의 위대한 결과임이 틀림없다. 그런데 왜 혁신은 모두가 하지 못하는 걸까? 우리는 어쩌면 혁신을 기적의 결과인 것처럼 너무 크게 생각하여 감히 엄두를 내지 못하고 있는지도 모른다. 그렇다면 혁신은 무엇일까? 혁신은 서로 머리를 맞대고 새로운 아이디어를 끌어내 개발하고 실용화하는 모든 과정을 말한다. 혁신은 단순히 한순간에 보여줄 수 있는 결과물이 아니다. 혁신은 끊임없는 도전을 통해 보여줄 수 있는 변화의 과정이다.

CES^{Consumer Electronics Show}가 중요한 이유는 바로 여기에 있다. CES에서는 전 세계의 수많은 기업이 혁신을 향해 도전해 나가는 과정을 볼 수 있기 때문이다. 혁신의 주인공들이 땀 흘린 노력의 결과를 통해 우리는 미래를 볼 수 있다. 그것도 매년 말이다.

CES가 중요한 또 다른 이유는 CES 자체도 혁신의 선봉장이 되어 전 세계 기술을 리드하는 최고의 전시회로 탈바꿈하고 있기 때문이다. CES 는 2000년대 초반까지 미국 라스베이거스에서 열리는 가전제품 전시회에 불과했다. 2010년 이후 ICT^{Information and Communication Technology}와 AI^{Artificial Intelligence} 시대가 열리면서 기술 트렌드를 읽고 과감한 투자와 변화를 시도한 결과 이 시대 최고의 기술전시회가 되었다. 2022년 CES는 AI부터 메타버스와 NFT 그리고 스페이스테크까지 그 어느 전시회에서도 보여주지 못할, 전 산업에 걸친 혁신의 미래를 우리에게 보여주고 있다.

그래서 우리는 혁신의 현장 CES에서 바라본 미래를 우리 기업인들에게 어떻게 잘 전달하여 미래를 계획하고 도전하는 데 도움을 줄 수 있을까 고민하게 되었다. 그래서 실리콘밸리 소재 혁신 미디어기업 '더밀크^{The Miilk}' 와 함께 뜻있는 각 분야의 전문가들로 팀을 꾸려 CES를 취재하고 분석해 기업인들과 창업가들에게 현장의 소식과 인사이트를 전달하게 된 것이 출발점이었다. 전 중소기업청장을 지낸 주영섭 서울대학교 특임교수를 필두로 더밀크 손재권 대표, 미래기술전략가이며 이노베이션 카탈리스트인 퓨쳐디자이너스 최형욱 대표, 모빌리티 전문가인 국민대학교 정구민 교수, 디지털 헬스 스타트업인 웰트 강성지 대표, 그리고 전 엔비디아 사장으로 현재 서강대학교 초빙교수와 바로AI 대표인 필자까지 6명이 모여 CES 어벤져스팀이 탄생하게 되었다.

《CES 2022 딥리뷰》는 단순히 CES 2022의 상황과 참여기업 그리고 기술트렌드를 모은 책이 아니다. CES 바깥에서 일어나고 있는 기술의 발전, 산업지형의 변화, 그리고 전 세계 플레이어들의 비즈니스 현황과 미래 전략까지 함께 연계해 분석한 책이다. 《CES 2022 딥리뷰》는 이를 위해 CES 현장을 깊숙이 들여다보고 그 이면을 분석했다. 그리고 그중 가장 주목받은 분야를 선정해 6명의 전문가가 아래와 같이 기술하였다.

- **CES 2022 오버뷰:** CES 2022의 전체 기술 트렌드를 살펴보고 이 기술들의 시사점과 시장 및 업계의 변화 방향을 제시했다.
- **메타버스와 NFT:** CES 2022에 처음 등장한 메타버스와 NFT 기술을 선보인 기업들을 심층 분석하였고, 메타버스 인프라인 VR·AR·MR 헤드셋, 반도체 등의 현황까지 언급하며 메타버스산업의 방향을 제안했다.
- **헬스케어:** 팬데믹의 영향으로 CES 2022에서 가장 많은 하이라이트를 받은 분야인 헬스케어기업 외에도 슬립테크·스포츠테크까지 분석하였고, 포스트 코로나 시대의 헬스케어산업의 변화와 전망을 살펴보았다.
- **모빌리티:** 모빌리티 전 분야와 타 산업에서의 현황까지 심도 있게 분석하였고 미래의 모빌리티 패러다임의 변화와 시사점까지 폭넓게 기술하였다.
- **스페이스테크와 푸드테크:** CES에 새롭게 떠오른 스페이스테크와

푸드테크 분야의 참가기업 동향과 실리콘밸리 유수 기업들의 개발 현황과 미래 비전을 기술하였다. 특히 푸드테크 분야에서는 한국 스타트업들의 상황도 함께 살펴보았다.

- **ESG와 비즈니스모델 혁명:** CES 2022 기술을 바탕으로 현재 변화하는 대내외적 환경과 팬데믹 그리고 ESG경영 등이 미치는 영향을 심도 있게 분석하여 비즈니스모델의 융복합 사례를 기술하였고 정책혁신 방향까지 제시했다.

CES가 끝나자마자 CES에 선보인 기술 리뷰로부터 시작해 비즈니스환경·시장동향·세계현황·시사점·전략 제안까지 짧은 시간 안에 정리하는 것은 보통 어려운 일이 아니었다. 물론 CES가 열리기 전부터 준비는 시작했지만, 6명의 원고를 통일하는 일은 더더욱 힘든 작업이었다. 단기간에 이 작업을 끝내기 위해 혼신의 힘을 다한 6명의 저자에게 감사드린다.

끝으로 21세기 최고의 혁신가이자 기업가인 일론 머스크의 말을 전한다.

"사업의 시작과 성장은 제품 판매만큼이나 그 뒤에 있는 사람들의 혁신·추진력·결단력이 좌우한다."

새로운 시장 파괴자가 되길 바라는 대한민국 모든 기업인에게 이 책을 바친다.

2022년 2월
이용덕

PART 1

CES 2022 오버뷰

경계가
무너지고
주류와 틈새가
뒤집히다

손재권

고려대학교 졸업 후 《전자신문》 IT산업부, 《문화일보》 사회부 기자를 거쳐 《매일경제》 산업부 기자와 실리콘밸리 특파원으로 일했다. 삼성전자, LG전자, SK하이닉스, KT 등 국내 기업은 물론이고 구글, 애플, 메타, 퀄컴, 마이크로소프트 등 글로벌 기업 간에 벌어지는 혁신의 전쟁과 최신 트렌드의 흐름을 생생하게 목격했다. 실리콘밸리 전문 온라인 미디어 더밀크를 창업, CEO로 일하고 있다.

○　　　"와우, 이것이 바로 미래다!^{Wow, This is the future!}"

2022년 1월 5일, 미국 라스베이거스 컨벤션센터에서 개최된 CES 2022의 센트럴플라자. BMW 부스 앞에서 한 관람객이 탄성을 내질렀다. 그의 앞에는 외장 색깔이 시시각각 변하는 자동차가 전시되어 있었다. 그 차량은 BMW의 순수 전기 SUV인 iX 시리즈로 전자잉크^{e-ink} 기술을 적용한 모델이었다. 특수안료가 든 수백만 개의 마이크로캡슐로 자동차 외장을 래핑한 것인데 눈앞에서 자동차의 색이 변하니 무척 신기했다.

BMW의 한 관계자는 앞에 선 관람객에게 "아마존 킨들에 들어가는 전자잉크 기술을 활용했습니다. 전자잉크 기술을 차량에 어떻게 적용했는지는 비밀입니다. 이 차의 상용화 여부는 아직 미지수지만, 큰 관심을 받고 있습니다"라고 귀띔했다.

혁신제품을 눈으로 직접 보고 관람객이 "이것이 바로 미래다" 하고 탄성을 내지르는 장면, 그런 생생한 목소리를 현장에서 들어본 것도 꽤 오랜만이었다. 이런 탄성이 이렇게 소중하게 느껴질 것이라고는 과거에 생각하지 못했다. 세계 최대 기술전시회인 CES가 지난 2020년에 이어 2년 만에 오프라인 전시를 했기 때문이다. 물론 집에서도 혹은 다양한 미디어 매체를 통해서도 CES 2022를 접할 수 있지만, 현장에서 직접 보는 것만큼의 감동과 생생함을 경험할 수는 없는 일이다.

CES 2022가 개최되기까지 우여곡절이 많았다. 코로나19 팬데믹도 3년 차에 접어드는 상황에 오미크론 변이가 걷잡을 수 없이 확산되면서 마이크로소

전자잉크 기술로 외형이 변하게 만든 BMW의 자동차. 〔출처: 손재권〕

프트·메타·아마존·구글·웨이모·GM·메르세데스-벤츠·인텔 등 다수의 글로
벌기업이 개최 직전 참가 포기를 선언하기도 했다. CES를 주관하는 미국소
비자기술협회^{Consumer Technology Association, CTA}는 CES 2022에 2,300여 개의 기
업과 4만여 명의 관람객이 참가했다고 밝혔다. 2020년(참가 기업 4,400여 개, 관
람객 17만여 명)에 비하면 기업은 절반 수준, 관람객은 25% 수준으로 줄어든
수치다.

그중에서도 특히 한국은 500여 개의 기업이 참가해 미국에 이어 두 번째 규
모를 기록했다. 현장에서도 한국기업과 기업인이 많아서 '라스베이거스의
한국 전자전'이란 평도 받았다. 반면 중국은 지난 2020년 1,200여 개 기업이
참여한 데에서 온라인으로 개최된 2021년에는 199개, 2022년에는 159개
기업만 참가해 규모가 크게 줄었다. 물론 CES 2022는 팬데믹 중 개최되었기
때문에 지난 2020년과 직접 비교하기에는 무리가 있다. 특히 미중 기술패권

경쟁이 격화되고 중국이 정부 차원에서 자국 기업의 미국 진출을 공개적으로 막고 있기에 팬데믹이 끝나더라도 CES가 2020년 수준의 규모로 회복하기에는 2~3년 정도 더 걸릴 것으로 보인다.

CES 2022를 과거와 규모 면에서 비교하기에는 무리가 있지만, 게리 샤피로 Gary Shapiro CTA 회장 겸 CEO와 카렌 춥카 Karen Chupka CES 담당 수석부회장의 소감을 들어보면 CES 2022의 의미와 시사점을 유추할 수 있다. 샤피로 회장은 "혁신이 현실로 한 걸음 더 가까이 다가온 한 주였다. CES 2022에는 산업을 재구상하고 헬스케어·농업·지속가능성 등 세계적 문제를 해결하는 기술이 집합했다"고 했다. 또 "2022년 CES 전시장에서는 대면 상호작용의 기쁨을 느낄 수 있었고, 미래를 다시 정의하고 세상을 더 나은 곳으로 바꾸어갈 혁신제품을 오감으로 체험할 수 있었다"는 소감도 전했다.

카렌 춥카 역시 "2년 만에 거의 처음으로 전 세계 업계가 서로 협업하고, 파트너십을 구축하고, 계약을 성사시키고, 경제를 진전시키기 위해 한자리에 모였다. CES 2022가 이를 통해 전 세계 비즈니스를 진척시키는 데 기여했다고 믿는다"며 "대면이 어려웠던 2년을 보낸 뒤, 우리 업계가 CES 2022에서 한데 모여 최신 혁신을 생생히 경험할 수 있었음에 감회가 크다"고 밝혔다.

"보는 것이 믿는 것이다 Seeing is believing"라는 말이 있다. 혁신과 변화는 확신과 믿음에서부터 시작한다. 아직 팬데믹이 끝나지 않았고 오미크론 변이가 기승을 부리는 상황에서 오프라인 전시와 네트워킹은 그 어느 때보다 소중하게 느껴졌다. 이 때문에 2022년 1월 5일부터 8일까지 라스베이거스에서

CES 2022 전시장 입구의 조형물. (출처: 손재권)

개최된 CES 2022는 역대 최고의 혁신 이벤트였다고 해도 과언이 아닐 것이다. 팬데믹 상황에서도 얼마나 많은 제품과 서비스가 탄생했는지, 얼마나 빠르게 혁신하고 있는지 확인했기 때문이다.

모든 영역을 휩쓸고 있는 불확실성의 세계

지난 2000년대를 규정한 사건은 2001년 9·11 테러다. 그리고 2010년대는 2008~2009년 리먼브라더스 사태에 이은 글로벌 금융위기를 들 수 있다. 2010년대는 금융위기로 인해 각국, 각 기업의 시스템이 전반적으로 재정비되기도 했다. 그와 동시에 모바일혁명이 시작되었다. 애플의 아이폰과 구글의 안드로이드 운영체제가 함께 모바일 혁명을 주도하면서 기술이 일상을 지배하기 시작한 것이다. 그렇다면 2020년대는 무엇으로 정의하게 될까? 단연코 코로나19 팬데믹이 될 것이다. 아마도 향후 10년을 정의하는 키워드가 될 것이다. 이와 함께 5G와 클라우드, AI가 사회적 기반이 되면서 전 분야에서 디지털 전환이 가속화돼 일상을 바꿔놓고 있다.

여기에 미중 갈등까지 더해지면서 공급망 붕괴와 인플레이션이 동시에 일어나 누구도 미래를 예측하기 어려운 상황이다. 또 기후변화로 인한 리스크 증가, Z세대의 등장 같은 주력 소비군 변화도 기업이 대비해야 할 변화의 바람 중 하나다. 이에 각 기업은 자신들의 비즈니스를 재정의해야만 살아남을 수 있는 상황이 되었다. 2022년 이후의 세계를 가장 확실하게 설명하는 단어는 한마디로 '불확실성^{uncertainty}'이다.

2022년 이후에는 이러한 변화의 바람들이 거시경제 변화·지정학적 변동·세대교체·기후변화·기술의 기하급수적 발전을 만나 토네이도로 변할 것이고, 혁신의 토네이도가 모든 영역을 휩쓸게 될 것이다. 과학적 의미에서 토네이도는 좁고 강력한 저기압 주위에 부는, 쉽게 말해 자연에서 발생할 수 있는 가장 강한 바람이다. 중요한 것은 토네이도의 발생과 경로를 아직도 정확히 예측할 수 없다는 점이다.

비즈니스에서 토네이도는 '시장을 휩쓰는 단계'를 말하는 은유적 표현이다. 제프리 무어의 《토네이도 마케팅》에 따르면 세상에 없던 기술과 서비스가 소비자에게 판매되기까지 이를 시장에 소개하고 접근하며 수익을 극대화시키는 전략·전술로 토네이도를 언급한다. 혁신적 기술이나 서비스는 기존

시장과 다른, 새롭게 창조된 불연속적 혁신일 가능성이 높기 때문에 기존 제품이나 서비스와는 다른 단계의 시장 변화를 거친다. 여기에서 등장하는 토네이도는 수요폭발을 뜻한다.

이처럼 불확실성과 함께 시작한 2022년 현재 상황을 가장 잘 표현한 자연 현상이자 비즈니스 언어가 바로 '토네이도'라고 생각한다. 정치·경제·사회·문화 등 각 영역에서 불어닥친 토네이도에 당할 것인지, 아니면 토네이도를 타고 날아간 《오즈의 마법사》의 도로시처럼 미지의 신대륙을 발견할 것인지 선택의 현실 앞에 놓여 있다.

당신은 더 이상 과거의 소비자가 아니다

이런 변화의 폭풍이 시작된 진원지는 어디일까? 바로 소비자다. 2022년 이후 테크 중심의 세계가 어떻게 바뀔지 누구도 쉽게 예측할 수 없지만, 핵심 키워드는 소비자다. 우리는 코로나19 이후 상당 시간을 가정에서 보내고 있다. 가정에서 긴 시간을 보내고 모든 일과 삶을 영위하다 보니 소비자의 정의도 달라졌다. CTA는 이 점을 포착하고 'CES 2022에서 주목해야 할 테크 트렌드CES 2022 Tech Trends to Watch'라는 디지털 키노트를 발표했다.

2022년 이후 테크기기와 서비스를 소비하는 소비자의 수준이 한 단계 올라갔다. 집에 머무는 시간이 길어진 소비자는 스마트TV·홈 비디오 게임콘솔·4K TV·블루투스 무선이어폰 등 최신 가전기기의 소비를 급격히 늘렸다. 테크기기를 구매하는 것에 머무르지 않고 구독형 콘텐츠 서비스도 가입했다. 넷플릭스^{Netflix}나 아마존 프라임^{Amazon Prime} 또는 디즈니 플러스^{Disney+} 등 스트리밍 서비스 가입 붐이 일어났고, 러닝머신이나 가정용 자전거를 구입해 집에서 운동코칭 서비스를 받는 게 보편화되었다.

실제로 소비자의 첨단 테크기기 수요도 크게 늘었는데, 글로벌 시장조사기관인 GfK에 따르면 지난 2021년 1분기 테크산업의 글로벌 매출이 30% 증가한 것으로 나타났다. 이 흐름은 계속 이어져 2분기 22% 증가, 3분기 5% 증가로 나타났다. 팬데믹이 계속되었던 2021년에도 테크산업의 성장률은 9.6%에 달했다. CTA는 미국 테크산업의 소매시장이 2021년 4,910억 달러(약 590조 원) 규모에서 2022년에는 5,050억 달러(약 606조 원)까지 성장할 것이라고 전망하고 있다.

또한 스트리밍·실내운동기기를 이용한 서비스·음식배달 등 새로운 서비스 이용도 늘어났다. CTA 자료에 따르면 2021년 스트리밍 서비스에 새로 가입한 고객 비중은 미국은 47%, 유럽은 52%에 달했다. 실내운동기기를 새로 구입한 고객도 미국은 54%, 유럽은 40%였다. 음식배달을 새로 이용한 고객도 미국은 53%, 유럽은 47%였다. 이처럼 팬데믹 기간에 소비자는 새로운 서비스를 지속해서 이용하는 패턴을 보였다.

팬데믹 이후 달라진 것이 또 있다. 소비자들이 이른바 가성비 좋은 제품보다 프리미엄 제품을 찾는다는 점이다. 과거에는 더 저렴한 제품을 찾기 위해 검색했지만, 이제는 자신의 가치에 맞는 베스트 제품을 찾기 위해 검색한다. 실제로 소비자들은 팬데믹 기간에 프리미엄 브랜드에 더 많이 지갑을 열었다. GfK 자료에 따르면 전체 소비 가운데 프리미엄 브랜드의 비중이 증가했는데, 실제로 2021년 기준으로 보면 전년 대비 프리미엄 브랜드 소비가 40%, 일반 브랜드 소비가 10% 증가했다.

이처럼 CES 2022는 혁신의 토네이도가 불어닥치는 현장이었다. 산업 간 경계가 무너진 것을 눈으로 목격할 수 있었고, 기술의 세대교체가 이루어졌으며 환경Environmental·사회적 책임Social·지배구조Governance를 뜻하는 ESG가 전면에 등장했다. 눈으로 본 것과 보지 못한 것 그리고 경험한 것과 그렇지 않은 것의 차이는 매우 크다. 뒤로 돌아갈 수 없는 혁신의 토네이도 앞에 비즈니스도, 개인도 안주하면 파괴당하는 세상이 왔다. 반대로 혁신에 적극적으로 대처한다면 오히려 시장파괴자가 되어 새로운 기회를 만들어낼 수 있다.

첫 장에서는 이번 CES 2022의 전반을 아우르는 5가지 키워드를 정리했다. 첫 번째는 업계의 종말과 경계의 붕괴, 두 번째는 소비자 환경 쇼, 세 번째는 지능형 홈, 네 번째는 전통기업의 디지털 변환, 마지막 다섯 번째는 AI와 NFT가 주도하는 미디어의 변신이다.

키워드 1:

업계의 종말,
경계의 붕괴

○　　　온도변화를 인식한 화분이 스스로 이동해 광합성을 시작한다. 외출 준비를 시작한 백발의 여성이 스마트폰 화면을 터치하자 지팡이가 담긴 바구니가 다가오고, 지팡이를 짚고 일어선 후 의자 모양의 1인 모빌리티에 오른다.

이것은 현대자동차가 그리는 미래 모습이다. 화분·바구니·1인 모빌리티는 각기 형태는 다르지만, 작동 원리는 같다. 모든 사물에 레이저 기반 센서인 라이다^{LiDAR}와 바퀴를 달아 자유롭게 이동할 수 있도록 만든 것이다. 센서·AI를 활용하고 바퀴가 스스로 회전할 수 있게 만들어주는 인휠^{in-wheel} 모터에 스티어링·서스펜션·브레이크 시스템이 적용됐다. 현대차는 이 바퀴 모양의 일체형 모듈에 플러그 앤드 드라이브^{Plug and Drive, PnD}란 이름을 붙였다.

CES 2022 프레스 컨퍼런스에서 현대차가 발표한 내용은 이것이 전부다. 자동차기업임에도 자동차는 단 1대도 발표하지 않았다. 대신 메타모빌리티 개념을 설명하고 모빌리티 및 테크기업이 되겠다고 선언했다.

2022년은 비즈니스 분야에서 완전한 전환이 본격화되는 해라고 전망된다. 핵심 비즈니스모델이 구독으로 바뀌고 MZ세대가 주력 소비군으로 부상함에 따라 디지털 경험 제공과 고객관리가 어느 때보다 중요해졌다. 또 산업의 가치사슬은 재빠르게 소프트웨어와 콘텐츠로 옮겨가고 있다.

과거 한국에서는 업業의 개념을 파악하는 것이 개인과 기업의 중요한 경쟁력이었다. 하지만 이제는 업 자체의 정의가 바뀌고 있다. 핵심 비즈니스 밸류와 고객만 남고 모두 바뀐 것이다. 실리콘밸리에 있는 혁신기업에는

CES 프레스 컨퍼런스 무대에 등장한 정의선 회장. (출처: 현대자동차)

더 이상 업계, 즉 '업의 경계'라는 것이 의미가 없다. 또한 업계에 연연하지 않음으로써 성공적으로 업의 재정의를 이뤄내기도 했다. 업이 사라지고 바뀌고 있으니 당연히 업계도 존재할 수 없다. 업계란 그 영역에 있는 회사와 직원들에게는 보호막이자 안전장치일 수 있지만, 결국 그 보호막 안에서 안주하다가는 바깥에 있는 사람들에게 먹잇감이 될 뿐이다.

　이번 CES 2022는 이러한 변화의 모습을 똑똑히 보여주는 무대가 되었다. 실제로 전기차·자율주행 등 자동차에 기반한 기술이 로보틱스·농기계 등 타 산업과 접목되거나 활용되어 새로운 형태의 기능을 선보였다. 현대차 등은 모빌리티 디바이스가 데이터 기반의 연결성과 AI를 통해 고도화되고 있다는 것을 보여주었고 소프트웨어 플랫폼의 역할이 중요하다는 것을 강조했다. 또 소프트웨어와 하드웨어를 분리하고 중앙집중화된 아키텍처를 추가해 더 복잡한 기능을 더 빠르고 효율적으로 처리하도록 했다. 한마디로 자동차기업이 아닌 테크기업으로의 변신을 본격화한 것이다.

자동차기업의 탈 자동차화

CES 2022에 등장한 자동차기업 중 현대차가 가장 주목받은 이유는 메타모빌리티를 비전으로 내세우면서 로보틱스로 확장된 이동 경험을 메타버스와 접목했기 때문이다. 로봇과 메타버스는 디지털트윈Digital Twin이라는 연결고리를 갖는다. 디지털트윈이란 가상환경에 현실 속 사물의 쌍둥이를 만들고 현실에서 발생할 수 있는 상황을 시뮬레이션하는 기술이다. 로봇으로 인터넷 모빌리티Mobility of Things, MoT가 구현되면 메타버스 같은 가상환경에서도 현실을 통제할 수 있다. 가상공간에 스마트팩토리를 구축한 후 가상환경에서 공장기기를 조작하면 실제 공장에서도 로봇을 움직일 수 있다. 공장설비의 위치를 바꾸거나 사물을 옮길 때 직접 현장을 방문하지 않고 디지털로 작업할 수 있는 셈이다.

여기에 인간, 외부환경과 상호작용할 수 있는 지능형로봇까지 더하면 더욱 다채로운 상상이 가능하다. 현대차가 인수한 보스턴다이내믹스Boston Dynamics의 스팟Spot·아틀라스Atlas 같은 로봇을 우주에 보낸 후 메타버스 환경에서 로봇이 겪는 경험을 인간이 공유하는 영화 같은 상상도 실현 불가능한 것은 아니다.

자동차기업의 테크기업화를 보여주는 대표적인 사례는 단연 테슬라다. 테슬라는 자동차기업이 아니라 그 자체로 산업의 이름이 되고 있다. 특히 테슬라는 실시간 소프트웨어 업데이트**Firmware Over the Air, FOTA**를 통해 새로운 기능을 부품 등 하드웨어 교체 없이 업그레이드할 수 있는 기술을 제공한다. 이 기술 덕분에 테슬라는 기존 완성차 회사와 완전히 차별화되면서도 동종 기업군인 GM·포드**Ford**·도요타**Toyota** 등이 아닌 테크기업의 멀티플★

을 인정받을 수 있게 됐다.

소프트웨어 기업은 자본투입이 적고 이윤극대화가 비교적 용이하다. 게다가 플랫폼까지 갖춘다면 어떤 공격도 막아낼 수 있다. 테슬라는 전기차 제조기업이지만 제조·유통을 자동화하고 자동차를 플랫폼화했기 때문에 미국 시가총액 10위 안에 들어갈 수 있었다. 또한 테슬라는 자사 모델을 운용하는 소비자의 실시간 운행정보를 수집해 완전 자율주행 구현을 위한 기초 빅데이터로 활용하고 있다.

2021년 8월, 테슬라는 AI 슈퍼컴퓨터 도조**Dojo**와 도조의 성능을 극대화하기 위해 자체 개발한 AI 반도체 D1을 선보였다. 이는 자동차용 반도체 설계능력도 세계 최고수준이라는 것을 과시한 것이고 후발 완성차 플랫폼 기업에 비해 수년을 앞선 결과였다. 도조는 2022년부터 본격 가동되며 테슬라의 자율주행 성능을 높이기 위해 수집된 도로정보를 학습할 예정이다. 도조 시스템의 일부가 되는 D1은 7nm 제조공정에서 생산되며 362테라플롭스**teraflops**★★의 처리능력을 가지고 있다.

현대차 외에도 GM·벤츠·도요타 등은 모두 자체 칩 개발뿐만 아니라 테슬라처럼 소프트웨어 내재화를 추진하고 있는데 이는 점차 자동차기업이 플랫폼기업이 되면서 궁극적으로 테크기업이 될 것임을 의미한다.

자동차 제조에 뛰어든 소니가 선보인 전기차 비전-S. (출처: 손재권)

소니는 왜 자동차 제조에 뛰어들까

반면 IT기업 소니^{Sony}는 CES 2022에서 SUV 전기차를 선보이며 자동차 시장 진출을 공식화했다. 사실 소니는 2020년 CES에서 처음으로 자체 기술로 제작하고 디자인한 전기차를 선보인 바 있다. 당시 소니는 "양산용 차는 아니다"라고 선을 긋기도 했다. 이렇게 멋진 시제품을 전시해놓고 자동차시장에 진출하지 않겠다?

물론 마음에 없는 소리를 한 것이다. 일본에 이미 도요타·혼다·닛산 등 글로벌 톱 완성차기업이 존재하는 데다 업계 보호의 의미로 그렇게 반응했을 것이다. 그리고 동종업계가 아니면 배척하는 문화가 강하기 때문에 눈치를 본 것으로도 생각된다. 하지만 코로나19 팬데믹 이후에는 업의 경계가 사라졌고 일본 자동차기업의 기세도 꺾이는 추세여서 자동차산업 진출로 새로운 성장동력을 찾겠다는 의도로 풀이된다.

요시다 켄이치로 소니그룹 회장 겸 CEO는 1월 5일 오후에 진행된 기자 간담회에서 "사람들의 감성을 자극하는 새로운 가치를 창출하기 위해 노력하고 있다"고 밝히며 전기차 SUV와 차세대 가상현실^{VR} 게임기를 포함한 다양한 최신 기술을 선보였다. 소니는 '창의적 엔터테인먼트 기업'을 지향하며 모빌리티를 재정의해 2022년 1~2분기에 소니 모빌리티$^{Sony\ Mobility}$를 설립해 시장에 본격적으로 진출하겠다고 선언했다.

소니의 SUV 비전-S 02$^{Vision\text{-}S\ 02}$는 7인승으로 5G 네트워크 연결이 가능하며 차량 내·외부에 40개의 센서를 달았다. 여기에는 3차원 공간을 정확하게 감지하는 고감도·고해상도·넓은 동적 범위를 갖는 CMOS 이미지 센서$^{CMOS\ Image\ Sensor,\ CIS}$와 라이다 센서가 포함되며 주변 환경을 실시간으로 인식하는 것이 특징이다.

소니는 안전과 엔터테인먼트를 차별화 포인트로 내세웠다. 360° 리얼리티 오디오와 게임을 포함한 다양한 엔터테인먼트 경험을 제공하겠다는 것이다. 전면 파노라마 화면으로 고화질 영화는 물론이고 플레이스테이션^{PlayStation}을 원격으로 연결해 게임까지 가능하게 만들 계획이다. 소니 모빌리티는 안전성·적응성·엔터테인먼트에 중점을 둔 기술을 개발하는 동시에 사람들에게 더욱 가까이 다가가기 위한 모빌리티로의 진화를 목표로 하고 있다고 밝혔다.

소니는 CIS시장 1위 업체로 전장용 CIS에서도 점유율을 5%대까지 끌어올렸다. 덴소^{Denso}와 협업을 통해 도요타에도 CIS를 공급하고 있다. 또한 소니의 강점인 소니 뮤직, 소니 픽쳐스 등 콘텐츠사업과 어떤 시너지를 창출할 것인지도 관전 포인트다. 과연 콘텐츠와 반도체의 협업이 어떻게 완성될지 지켜볼 일이다.

'경계를 허무는 혁신기업', 더욱 돋보이다

CES 2022에는 구글·마이크로소프트·메타 등 빅테크기업이 참여하지 않았다. 하지만 그 덕분에 경계를 허무는 혁신기업이 더욱 더 주목받을 수 있었다.

산타모니카에 위치한 전기스쿠터 공유 스타트업 버드**Bird**는 CES 전시장에 인터랙티브 부스를 열어 전 세계 350여 도시에 공급된 버드의 전기스쿠터가 탄소저감과 환경보호에 얼마나 긍정적인 효과를 가져왔는지 보여주었다.

피스커**Fisker**는 LA 남서부 맨해튼비치에 본사를 둔 전기차 기업이다. 피스커는 3만 7,499달러(약 4,500만 원)부터 시작하는 새로운 전기 SUV 뉴오션**New Ocean**을 공개했다. 이 자동차는 라이다 센서와 다수의 카메라를 설치해 전후방의 자동차와 운전자를 식별할 수 있다. 특히 자동차 천장에 태양광 패널을 탑재했고 내부에는 17인치 모니터를 설치했다.

이 회사의 창업자이자 CEO인 헨릭 피스커**Henrik Fisker**는 CES 2022 세미나 '레디. 셋. 차지! 전화된, 지속가능한 내일**Ready. Set. Charge! An Electrified, Sustainable Tomorrow'**에서 기존 자동차기업이 가진 정형화된 질서를 바꾸겠다고 말했다. 피스커는 "이제 소비자들은 3만~3만 5,000달러에 전기차를 살 수 있게 됐다. 이는 혁명적인 일"이라며 "자동차 판매도 인터넷으로 이뤄

피스커의 전기SUV 뉴오션. (출처: 손재권)

지는 디지털 카 컴퍼니를 설립해 유통비용과 부품교체 비용을 대폭 줄일 수 있을 것"이라고 말하기도 했다.

LA에서 가장 큰 NFT기업 중 하나인 블록파티^{Blockparty}는 CES에서 경계를 허무는 새로운 앱 출시를 알렸다. 이 앱을 통해 콘텐츠 제작자들은 NFT를 실물 상품과 연결하고 물리적 상품을 토큰으로 손쉽게 제조할 수 있다. 미디어와 운동을 결합한 스포츠테크도 경계를 허무는 영역 중 하나였다. 미국 올림픽 중계 주관 방송사인 NBC유니버설은 방송과 기술이 결합하는 다양한 현장을 보여주었다. 자전거를 타며 경치 좋은 외부 영상을 볼 수 있

미디어와 운동을 결합한 서비스를 선보인 스포츠테크의 부스. [출처: 손재권]

는 사이클과 친구들과 동영상 소셜서비스를 함께 즐기면서 배를 탈 수 있는 운동기구도 선보였다.

이처럼 이번 CES 2022에서는 업종 간 경계를 붕괴시키는 사례가 다수 소개되었다. 기업들은 앞으로 이러한 일이 더욱 흔히 일어나게 될 것을 직감했다.

○　　　CES는 '소비자 가전 쇼^{Consumer Electronics Show}'의 약자로 지금은 고유명사처럼 쓰이고 있다. 세계 최대 규모의 테크 및 IT 전시회인 CES는 2021년부터 ESG를 주요 주제로 내세우면서 ESG에 대한 인식을 새로운 수준으로 끌어올렸다는 평가를 받았다.

CES 2021에서는 ESG가 미국 기업의 핵심 어젠다로 떠올랐다는 것을 인식시켰고 1년 후인 CES 2022에서는 ESG가 일회성 이벤트나 기업의 사회적 가치 창출^{Creating Shared Value, CSV}을 부각시키는 차원을 뛰어넘어 핵심 경영전략으로 부상했음을 보여주었다. 처음으로 CES가 '소비자 환경 쇼^{Consumer Environment Show}'처럼 인식된 것이다. 특히 그동안 ESG 실천이 부족하다는 인식과 함께 '기후악당'으로까지 평가받던 한국의 기업들이 CES 2022의 ESG 트렌드를 선도했다는 점이 주목할 만했다.

삼성전자의 서프라이즈는 가전제품이 아닌 파타고니아

삼성전자는 CES에서 매년 큰 주목을 받아온 회사다. 삼성전자는 CES를 TV·냉장고·세탁기·디스플레이 등 새로운 혁신제품을 선보이는 장으로 활용했다. CTA 역시 매년 '서프라이즈 제품'을 내놓는 삼성을 기조연설 기업으로 대우하며 기업 간 혁신 경쟁을 부추겼다.

2022년에도 삼성전자 한종희 부회장이 기조연설자로 나섰다. 1월 4일,

기조연설자로 나선 삼성전자 한종희 부회장. (출처: 삼성전자)

베네시안 컨벤션센터 팔라조 볼룸에서 '미래를 위한 동행'을 주제로 기조연설을 진행한 한 부회장은 전체 연설 중 20분을 '지속가능한 미래를 위한 삼성전자의 친환경 활동'에 할애했다. 한 부회장은 2025년까지 TV 등 디스플레이 제품과 스마트폰 충전기의 대기전력을 제로에 가까운 수준으로 만들겠다는 목표도 발표했다.

이번 삼성전자의 발표 중 사람들을 가장 놀라게 한 것은 TV나 냉장고 등의 신제품도, 마이크로소프트 등 테크기업 CEO의 등장도 아니었다. 바로 의류 브랜드 파타고니아Patagonia와의 협업 발표였다. 삼성전자는 이 자리에서 "파타고니아와 협업해 세탁 시 발생하는 미세플라스틱 감소기술을 개발하겠다"고 밝혔다. 삼성전자는 미세플라스틱 발생을 최소화하면서 옷을 안전하게 세탁할 수 있는 새로운 세탁기를 설계하고 있는데 이 과정에서 최고의 친환경 브랜드로 손꼽히는 파타고니아와 협업한다는 것이다.

삼성전자는 이미 다양한 친환경 세탁기술을 개발해왔다. 다량의 물거품을 발생시켜 저온에서도 깨끗하게 세탁할 수 있는 에코버블이나 AI 센서로 세탁물의 무게와 오염 정도를 측정해 세제의 양을 조절하는 AI워시를 선보이기도 했다. 이러한 기술은 물과 에너지를 절약하고 세제 사용도 줄여준다. 삼성전자는 "삼성과 파타고니아의 협력은 해양오염의 흐름을 바꾸는 데 도움이 될 수 있다"며 그 의미를 밝혔다.

삼성전자가 CES 전면에 친환경을 내세운 것은 이번이 처음이다. 한 부회장은 "소비자가 지속가능성을 갖춘 제품을 사용하면 더 나은 미래를 만드는 데 동참할 수 있다"고 언급했다. 이를 '지속가능한 일상Everyday Sustainability'이라고 명명하며 지속가능한 일상을 만들기 위해 삼성전자가 진행 중인 노력과 향후 계획을 소개했다. 그 일환으로 개발에서 유통·사용·폐기에 이르기까지 제품의 라이프사이클 전반에서 지속가능성을 구현하는 데 집중하겠다고 선언했다. 실제로 삼성전자는 TV·스마트폰 등 주요 제품에 대해 영국의 친환경 인증기관인 카본 트러스트Carbon Trust로부터 제품 전체 라이프사이클에서 탄소저감 인증을 받았다. 그리고 스마트기기 전반에 쓰이는 반도체 중 2021년 탄소저감 인증을 받은 메모리 반도체 5종의 경우 생산과정에서 탄소배출량을 70만 톤가량 줄이는 데 기여했다고 소개했다.

삼성전자는 탄소배출을 줄이기 위해 양자점발광다이오드QLED·갤럭시 버즈2·패밀리허브 같은 인기제품에 재활용 소재를 사용했다. 또한 2022년에 TV 등 디스플레이 제품은 재활용 플라스틱을 전년 대비 30배 이상 많이 활용해 생산할 계획이다. 그리고 2025년까지 모든 모바일기기와 가전제품 생산 과정에 재활용 소재를 사용할 예정이다.

제품 포장도 친환경 요소를 강화한다고 발표했다. 삼성전자는 2021년에 생산한 TV 전 제품의 포장 박스에 재활용 소재를 사용했다. 2022년에는 스티로폼과 홀더 등 포장 부속에도 재활용 소재를 일괄적으로 적용할 계획이다. 포장 박스를 생활소품으로 업사이클링할 수 있는 에코 패키지도 확대한다. 이는 TV뿐만 아니라 청소기·비스포크 큐커·공기청정기 등 가전제품에 적용된다. 삼성전자는 제품 폐기 단계에서도 친환경 노력을 기울여 2009년 이래 세계 각국에서 500만 톤에 이르는 전자 폐기물을 처리했다고 밝혔다.

또한 친환경 솔라셀 리모컨은 2022년 TV 신제품과 생활가전 제품군에 확대 적용하기로 했다. 친환경 리모컨을 적용하는 제품의 판매량과 사용기간을 감안하면 2억 개가 넘는 건전지를 줄일 수 있다고 밝혔다. 건전지 2억 개는 1줄로 세우면 라스베이거스에서 한국까지 닿는 수량이다. 솔라셀 리모컨은 기존 태양광충전뿐 아니라 와이파이 공유기 등의 무선 주파수를 이용해 충전하는 기능도 추가해 햇빛이 없는 밤에도 충전이 가능하다. 한 부회장은 "지속가능한 사회를 구현하기 위해서는 업종을 초월한 협력이 필요하다"고 강조하며 이를 위해 솔라셀 리모컨 등 친환경기술을 누구나 활용할 수 있도록 개방하겠다고 밝혔다.

2030년까지 탄소배출량 50% 감축 선언한 LG전자

LG전자는 이번 CES에 부스는 열었으나 실물 제품과 서비스를 내놓지 않아서 존재감이 크게 떨어졌다. LG전자가 제품과 서비스를 선보이지 않고 인력도 파견하지 않은 사실에 대해 현장에서는 이런저런 논란이 있었던 것도 사실이다. 그럼에도 '모두의 더 나은 일상**A Better Life for All**'이라는 주제로 진행된 프레스 컨퍼런스는 다른 측면에서 주목받을 만했다. 바로 2030년까지 탄소배출량을 2017년 배출량의 50% 수준으로 감축하겠다고 밝히는 등 전향적이고 적극적인 모습을 보여주었기 때문이다.

탄소배출량과 흡수량을 동일하게 만들어 순배출량을 0으로 만드는 넷제로**Net-Zero**에는 못 미치지만, 그동안 환경문제에 다소 둔감했던 한국 기업들이 글로벌 스탠다드에 맞추려는 노력을 보이기 시작했다는 점에서 주목할 만하다. 특히 소비자 중심 전시회인 CES에서 기업들이 전향적 모습을 보여주었다는 점은 시사하는 바가 크다. 이런 변화는 바로 소비자 트렌드가 친환경제품, 친환경기업을 선호하는 쪽으로 바뀌고 있음을 기업들이 감지하기 시작했다는 증거로 해석됐다.

LG전자는 자사의 유기발광다이오드**OLED** TV가 백라이트를 사용하지 않는 친환경제품이라고 강조했고, 재활용 플라스틱·폐지·골판지로 만든 포장재를 소개하기도 했다. 사회적 기여 측면에서는 점자 표시를 가전제품 조작부에 적용해 시각장애인의 접근성을 높였다는 점을 강조했다. 또한 2030년까지 폐가전 누적 회수량을 기존 450만 톤에서 800만 톤으로 늘리고 2030년까지 총 60만 톤의 재활용 플라스틱을 사용하겠다는 목표를 밝히기도 했다.

곳곳의 QR코드를 통해 AR·VR로 제품을 체험할 수 있도록 시도한 LG전자의 부스. (출처: 손재권)

탄소중립이 하이테크라고 선언한 SK

SK는 CES 2022에 인상적으로 데뷔한 기업으로 꼽힌다. SK그룹 계열사가 CES에 처음 등장한 것은 아니다. 하지만 SK는 이번에 처음으로 그룹 공동관을 꾸렸다. 이렇게 대표 계열사가 하나의 테마로 등장한 것은 이번이 처음인데, 특히 SK의 경우 제품이나 신기술 전시에 나선 다른 기업과 달리 '탄소감축을 통한 지속가능한 미래'라는 메시지를 전달하는 데 주력했다.

SK가 부스에 SK온의 NCM9 배터리·SK에코플랜트의 넷제로시티·SK텔레콤의 이프랜드·SK하이닉스의 사피온 같은 테크제품을 전시하기는 했지만, CES에 참가한 2,200여 기업 중 자사의 제품과 기술이 아닌 기업의 비전만을 내세운 곳은 SK가 유일했다. 전시한 제품도 SK 계열사가 보유한 기술이 어떤 방식으로 탄소감축에 기여하는지 설명하기 위함이었다.

모든 벽면이 숲으로 변한 SK 부스의 디지털 아트. (출처: 손재권)

특히 나무로 둘러싸인 그린 포레스트 파빌리온은 많은 관람객의 발길을 끌어모았다. 전시관의 하이라이트였던 '생명의 나무'를 둘러싼 4개 벽면에 울창한 숲 영상을 내보내며 모든 곳이 녹색으로 변하는 디지털 아트를 선보여 관람객을 놀라게 했다. SK그룹은 이번 전시를 통해 ESG를 향한 기업의 비전과 미션을 그룹 전체뿐 아니라 협력사 차원으로도 확대하고자 했다는 후문이다. 일단 관람객에게는 'ESG에 대한 진심'을 충분히 전달했다는 평가를 받았다.

ESG를 전면에 내세운 보쉬

보쉬Bosch는 지난 2021년에 이어 2022년에도 프레스 컨퍼런스에서 회사가 가진 ESG에 대한 사명을 집중적으로 언급했다. ESG는 보쉬의 핵심 제품전략이자 PR의 가장 중요한 화두였다. 보쉬는 지난 2015년 인수한 클라이마텍Climatec과 관련된 프로젝트를 소개했다. 클라이마텍은 냉난방시스템 기업으로 지난 2019년부터 캐나다 온타리오주와 함께 스마트시티 프로젝트인 스마트 온타리오 프로젝트Smart Ontario Project를 진행했다. 이 프로젝트는 빌딩자동화·스마트라이팅 등을 통해 연간 10%까지 탄소배출량 감축을 목표로 한다. 또한 저탄소 친환경 모빌리티사업도 소개했다. 클라우디아 와스코Claudia Wasko 북미 전기자전거 시스템 총괄매니저가 직접 보쉬의 전기자전거를 시연하고 소개했다. 이 자전거는 친환경적일 뿐만 아니라 스마트폰과 연결해 여러 기능을 활용할 수 있다. 보쉬는 전기자전거를 자사 부스에서 가장 많은 사람이 볼 수 있도록 선보였다.

보쉬는 전 세계 400개 지점에서 기후중립화Climate Neutral를 달성하겠다는 목표를 2020년에 이미 달성했고 2030년까지 전체 가치사슬에서 탄소배출량을 15% 줄이겠다는 고강도 목표를 제시했다.

자율주행으로 농업의 해답을 제시한 존 디어

미국의 농기구 전문기업 디어 앤드 컴퍼니Deere & Company는 여러 가지 의미에서 CES 2022의 주인공이었다. 농업용장비라는 전통산업에 자율주행과 IoT를 적용해 첨단 테크기업으로 거듭나고 있음을 보여주었기 때문이다. 농업은 환경이슈에 가장 민감한 산업이 되면서 ESG 내러티브에 포함됐다. 디애나 코바Deanna Kovar 존 디어John Deere 부사장은 CES 2022 프레스

존 디어의 자율주행 트렉터. [출처: 강성지]

컨퍼런스에서 "기술은 농부가 문제를 헤쳐나갈 수 있도록 도와주는 답이다"라며 "완전 자율주행 트랙터는 농부들에게 대규모 작업을 관리할 수 있는 유연성을 제공한다"고 설명했다.

오늘날 농업은 큰 위기를 겪고 있다. 세계 인구는 2050년까지 80억 명에서 100억 명으로 증가할 것으로 전망되는데 이는 글로벌 식량 수요가 50% 증가하게 됨을 의미한다. 현재 농부의 평균연령은 55세에 달하지만 기후위기로 예측할 수 없는 날씨 속에서도 하루 약 12시간 이상을 밭에서 일하고 있다. 게다가 농촌에서 도시로 인구이동이 계속되다 보니 인력 확보도 어렵다. 농부들은 이런 악조건 속에서도 같은 면적의 토지를 사용해 전 세계를 먹일 만큼 충분한 식량을 재배해야 하는 문제에 직면했다. 그런 의미에서 자율주행기술은 농업혁명을 가능하게 하는 변혁적인 기술임이 틀림없다.

농업은 24시간 작업이 필요한 일이다. 토양을 준비하고 영양을 공급하기 위해 직접 농기계를 운전해야 하는 일을 자율주행으로 대체해 시간과 노동을 절감할 수 있다. 코바 부사장은 "자율주행은 단순히 농장의 편의가 아닌 현재와 미래를 위한 필수기술이다"라고 덧붙였다. 농업은 곧 환경의 문제이자 생존의 문제이므로 이를 기술로 해결해야 한다는 존 디어의 비전에 많은 관람객이 공감했다.

지금까지 소개한 기업 외에 CES 2022 전후로 탈탄소 이니셔티브를 제시한 기업은 다음과 같다.

아마존

글로벌 옵티미즘Global Optimism과 함께 공동설립한 더 클라이미트 플레지The Climate Pledge를 통해 2040년까지 탄소배출량 제로 달성을 목표로 움직이고 있다.

AT&T

2035년까지 글로벌사업 전반에 걸쳐 탄소중립을 약속했으며 그 목표를 달성하기 위한 구체적 실천방안을 제시했다.

델

2030년까지 지속가능성을 위한 문샷moonshot 목표를 선언했다. 이는 자원의 재활용과 재생 가능성을 고객이 구매하는 모든 제품과 제품의 패키징을 적용하는 것을 핵심으로 하고 있다.

메타

데이터센터에서 사무실에 이르기까지 전 세계의 사무실 운영에서 온실가스 배출량을 줄이고 100% 태양광 에너지 사용에 대한 목표에 집중하고 있다.

구글

순다르 피차이^{Sundar Pichai} 구글 CEO는 탄소배출권 구매로 탄소배출을 감축했다고 발표했다. 2030년까지 5GW의 탄소중립형 에너지 발전을 달성하겠다고 밝혔다.

GM

2040년까지 자사의 제품과 운영에 탄소중립화를 달성하겠다고 발표했다. 또한 '1.5°를 위한 비즈니스 기후 행동^{Business Ambition Pledge for 1.5°C}' 캠페인 참여를 서약하기도 했다.

IBM

2030년까지 탄소중립화 계획을 발표하면서 단기적으로 90%의 에너지를 신재생에너지를 사용하겠다는 등의 계획을 발표했다.

인텔

생산공정의 지속가능성 향상에 집중하고 있다. 구체적으로는 100% 신

프랑스 스타트업 프레타 푸세**Prêt à Pousser**가 선보인 실내용 식물재배기. (출처: 손재권)

재생에너지 사용, 매립쓰레기 감소를 선언했다.

마이크로소프트

2030년까지 탄소배출량을 0 이하로 만드는 것에서 더 나아가 2050년까지 기업 설립 이후 배출된 모든 탄소를 제거하겠다는 과감한 목표를 발표했다.

블랙록의 연례서한이 말하는 것

세계 최대의 자산운용사 블랙록**BlackRock**은 매년 1월 초 투자기업의 CEO 들에게 연례서한을 보낸다. 2022년 1월 18일에도 연례서한을 발표했는데 블랙록 창업자이자 CEO인 래리 핑크**Larry Fink**는 올해도 '자본주의의 힘**The**

Power of Capitalism'이라는 제목의 서한에서 ESG를 강조했다.

이 서한은 2022년에도 ESG가 각 기업의 주요 화두가 될 것임을 시사한다. 래리 핑크는 이번 서한에서 블랙록이 투자한 기업의 CEO들에게 "지속가능한 장기 수익창출을 위한 전략과 행동을 하라"고 강조했고 "단기 실적주의를 극복해야 ESG 투자 및 경영이 성공할 수 있고, 그래야만 자본주의 체제의 위기를 극복할 수 있다고 믿는다"고 말했다. 그는 "블랙록의 고객 대부분은 은퇴자금을 마련하기 위해 장기투자를 한다. 투자기간이 수십 년 이상일 수 있다. 기업은 주주에게 장기적 가치를 제공하기 위해, 그리고 모든 이해관계자를 위해 가치를 창출해야 한다"고 강조했다.

래리 핑크는 이번 서한에 대해 "블랙록이 지속가능성에 초점을 맞추는 것은 우리가 환경론자이기 때문이 아니라 자본가이기 때문이다"라고 말했다. 또 "(기업은) 고객들에 대한 신의성실 의무가 있기 때문에 지속가능성이 중요하다"고도 강조했다. 지구를 살리기 위한 투자가 풍요로운 마음 때문이 아니라 "투자수익 극대화라는 자본주의 본연의 가치 때문"이라는 판단이다. 그는 기업에게 "도도새★와 불사조 중 어떤 존재가 될 것인가?"라며 "넷제로 세계로의 전환은 모든 기업과 산업에 변화를 가져올 것이며, 이는 곧 우리 모두에게 위기이자 기회다"라고 밝혔다.

★ 16세기 초 발견된 후 17세기 말경 멸종된 조류로 천적이 존재하지 않아 날개가 퇴화해 날 수 없었다.

래리 핑크의 이야기는 이번 CES 2022에서 세계 유수의 기업들이 보여준 ESG 약속과 일치하는 부분이 많다. 그런 점에서 ESG는 이미 거의 모든 기업이 집중하고 있는 생존전략이 되었다.

집의 재정의,
가전의 확장

○　　　코로나19 팬데믹으로 가장 크게 바뀐 것이 무엇일까? 바로 집이
라는 공간의 개념이다. 물론 인류가 탄생한 이후 집이 중요하지 않았던 시
기는 단 한 번도 없었다. 삶의 중심이자 가장 많은 시간을 보내는 장소이기
때문이다. 하지만 팬데믹 이후 집은 '사는^{Living} 곳'에서 '살면서 일하는 곳'
으로 개념이 바뀌면서 재택근무 트렌드는 뉴노멀이 되었다.

미국에서는 2022년 1월 첫째 주에 사무실로 출근한 회사가 많지 않았
다. 워싱턴 D.C.·뉴욕·시카고·LA 등 미국 10대 비즈니스 지역에서 근무하
는 직원 중 28% 정도만 1월 첫째 주에 사무실로 출근했다는 조사결과가
나왔을 정도다. 특히 실리콘밸리 기업은 2022년 1월부터 출근을 재개하려
고 했으나 대부분 3월로 미뤘다. 그리고 트위터^{Twitter}나 로빈후드^{Robinhood}처
럼 영구적인 재택근무 도입을 발표한 회사도 증가했다. 2021년 말 기준으
로 미국의 전문직 종사자 중 18%가 원격근무를 했고 2022년에는 25%에
근접할 것이라는 조사결과도 있었다.

재택근무가 팬데믹 이후에도 지속될 수밖에 없는 이유는 노동자의 생각
이 바뀌고 있기 때문이다. 미국 여론조사기관 모닝컨설트^{Morning Consult}의 조
사에 따르면 원격근무자 중 55%가 회사가 사무실 출근을 강제할 경우 퇴
사를 고려할 것이라고 답했다. 미국 인사관리협회^{SHRM}는 재택근무와 출근
을 혼합한 하이브리드 근무의 증가세가 뚜렷하다며 월요일부터 금요일까
지, 오전 9시부터 오후 5시까지 일하는 시대는 끝났다고 평가했다.

하이센스의 스마트 미팅룸 솔루션. (출처: 더밀크)

   심지어 영상회의 서비스를 제공하는 줌^{Zoom}은 임직원 4,400명을 상대로
전면출근·원격근무·출근과 원격근무를 병행하는 하이브리드 근무 중 하
나를 택하게 했는데 단 1%만 전면출근을 택했다고 밝혔다. IT부서나 비품
관리부서 등 출근이 필수인 인력까지 포함하면 미래에는 직원 중 2%만 전
면출근을 할 것이라는 게 줌의 전망이다.

   에릭 위안^{Eric Yuan} 줌 CEO는 "오늘날 근무는 더 이상 장소를 뜻하지 않는
다. 협업하는 공간으로서의 근무가 새롭게 정의될 것이다"라고 말했다. 그
는 "일하는 장소를 선택하지 못하게 하면 그만두겠다는 직원이 39%로, 특
히 MZ세대는 이 비중이 49%까지 올라간다"면서 "기업들은 이제 직원들
이 근무를 대하는 태도가 변하고 있음을 분명히 알아야 한다"고 강조했다.

스마트홈은 옛말, 이젠 인텔리전스홈으로

이제 집은 삶의 공간이자 직장이고, 모임의 공간으로 변신하고 있다. 이에 따라 각 가정에서 사용하는 디바이스, 즉 가전의 개념도 크게 바뀌고 있다. 한때 가전이 인터넷과 결합되면서 스마트홈이 유행했고, CES에서도 주요 테마로 등장한 적이 있다. 하지만 팬데믹으로 인해 집에서 머무는 시간이 늘어나면서 집이 스마트홈을 뛰어넘는 인텔리전스홈Intelligent Home, 즉 지능형 홈으로 옮겨가고 있다.

CES 2022에서 열린 스마트홈 컨퍼런스 '탄력적 스마트홈 구축Building a Resilient Smart Home'에서는 스마트홈 산업의 핵심과제와 앞으로의 발전 트렌드가 다양하게 논의됐다. 미셸 클라인Mitchell Klein 지웨이브 얼라이언스Z-wave Alliance 최고디렉터는 "단순한 명령과 통제가 아니라 개인의 욕구를 예측하는 것이 스마트홈의 핵심"이라고 말했다. 또한 하임 아미Haim Amir 에센스Essence CEO는 "고객은 단지 세탁실에 불이 자동으로 켜져도 만족한다. 꼭 모든 사람에게 정교한 기술이 필요한 것은 아니다. 스마트홈의 핵심은 다양한 사람들의 요구를 만족시키는 데 있다"고 말했다. 아머는 "우리는 스마트홈보다 스마트리빙Smart Living이라고 불리길 더 좋아한다"면서 "결국 가장 마지막에 모든 것의 사용법을 배우고 바꾸는 것은 사람이기 때문"이라고 덧붙였다.

멜리사 안드레스코Melissa Andresko 루트론 일렉트로닉스Lutron Electronics 최고 브랜드앰버서더도 "스마트한 집이 아니라 내 집에서 스마트하게 살고 싶은 것이 핵심"이라고 지적했다. 즉, 사람들이 스마트홈에 원하는 것은 실제로 어떤 물리적인 집에 사느냐보다 살고 싶은 생활양식에 맞춰 살 수 있는 가라는 것이다. 이처럼 미래의 집은 거주자의 습관과 생활양식에 따라 기기들이 학습하고 조정하고 스스로 변신하는 지능형 공간이 될 것이다.

스마트홈에서 중요한 것은 바로 보안과 헬스케어다. CES 2022에서도 이러한 트렌드가 그대로 반영됐다. 하임 아머는 "차세대 스마트홈에서 가장 중요한 역할은 첫 번째가 보안이고 두 번째가 건강관리"라고 강조했다. 사람들은 집에서 편리하고 안전하게 살고 싶어 한다. 그러기 위해서는 보안이 가장 중요하다. 보안 카메라를 설치하면 마음의 평화가 조금 생기겠지만 그것만으로는 부족하다.

실제로 침입자가 나타났을 때는 어떻게 할 것인가? 일반적으로 보안 알람이 울리면 경찰이 도착하기까지 최소 2분에서 길게는 2시간까지 기다려야 한다. 에센스의 마이쉴드**My Shield**라는 보안관리시스템은 침입자를 조기에 감지하고 실시간 영상·음성통신을 통해 위협을 평가하는 기술로 CES 2022 최고혁신상을 받았다. 이 시스템은 침입자로 판단되면 30초 내에 매연 확산기가 건물을 연기로 가득 채우도록 한다. 이 연기는 인체에 무해하지만 방향을 알 수 없을 정도로 많이 방출되면서 침입자가 도망가도록 유도한다. 이것이 스마트홈의 보안기능이다.

휴가를 떠나거나 밤에 외출할 때는 스마트어웨이**Smart Away**라는 앱을 사용해 집 안 곳곳에 불을 켜서 사람이 있는 것처럼 보이게 할 수도 있다. 대신 앱 사용자의 외출시간 정보나 생활패턴 정보가 제조사에 공유된다. 이제는 대중도 서비스를 받는 대신 개인의 데이터를 대가로 교환해야 한다는 사실을 어느 정도 인지하고 있는 듯하다.

보쉬는 인간의 삶을 편하게 만드는 또 다른 기술 키워드로 연결과 지능, 즉 AI와 IoT 간의 통신을 제시하며 두 키워드를 결합한 'AIoT'라는 개

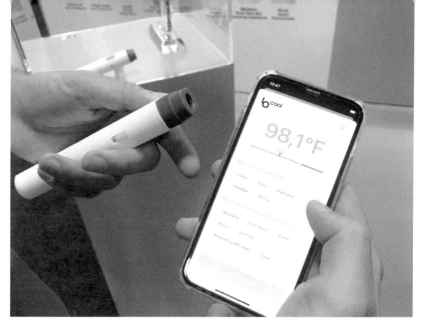

보쉬가 선보인 헬스케어 제품인 오디오 AI. (출처: 더밀크)

넘을 제시했다. 클라우드와 통신기술로 연결된 AI가 스마트홈에서 환경과 상황에 맞춰 작동하며 문제를 해결하는 것이다. 보쉬는 그중 하나로 스마트냉장고를 선보였다. 냉장고 안의 재료가 무엇인지 파악하고 그것으로 만들 수 있는 요리 레시피를 제안한다. 냉장고 속 음식재료를 더욱 효율적으로 관리하고, 그에 맞춰 요리도 할 수 있기 때문에 음식물 쓰레기를 줄이는 데도 간접적으로 기여할 수 있다.

보쉬는 AI를 이용한 헬스케어 제품도 선보였다. 오디오 AI[Audio AI]는 심장박동이나 호흡할 때 나는 소리를 듣고 건강상태를 체크해주는 AI시스템이다. 비영리 의료네트워크인 알레게니 헬스 네트워크[Allegheny Health Network]의 조셉 아라크리[Joseph Aracri] 박사는 이 기기가 질환을 조기에 발견하는 것은 물론이고 특히 아이들의 건강상태를 파악하는 데 도움이 될 것이라며 기대감을 밝혔다.

보쉬는 ESG 기조에 AIoT 기술을 결합한 실바넷^{Silvanet}도 소개했다. 실바 넷은 최초로 AI가 탑재된 산불감지 센서로 인터넷에 연결된 AI가 산불위 험을 미리 감지하고 예방하는 데 도움을 준다. 산불은 연간 탄소배출량의 무려 20%를 차지하기 때문에 환경보호에 직접적으로 도움이 된다는 것이 보쉬의 설명이다.

이제 로봇은 기술이 아니라 가전이다

CES에서 로봇이 등장하는 것은 더 이상 새롭지 않다. 그동안 산업용로봇 에서부터 식당로봇, 애완용로봇까지 다양하게 등장했다. 다만 CES 2022에 서는 로봇이 이제 스마트홈을 구성하는 '가전'으로 정착하고 있음을 증명 했다.

삼성전자는 사람을 따라다니며 비서 역할을 하는 라이프 컴패니언(삶의 동반자) 로봇인 삼성 봇 아이^{Samsung Bot i}를 공개했다. 삼성 봇 아이는 바로 옆 에서 임무를 수행할 뿐 아니라 멀리 떨어진 곳에서도 원격조종할 수 있는 텔레프레전스^{Telepresence} 기능이 탑재됐다. 봇 아이와 함께 전시된 가사보조 로봇 삼성 봇 핸디^{Samsung Bot Handy}는 사용자의 영상회의를 준비하거나 저녁 식사를 식탁에 차려주는 모습을 보여주었다. 삼성전자는 독자 기술 기반 의 AI 아바타로 로봇과 사용자를 연결하고 IoT 가전을 제어하는 등 사용 자 맞춤형 퓨처홈을 선보이기도 했다.

2021년 10월, 아마존이 가정용 AI로봇 아스트로^{Astro}를 내놓은 것도 이 같은 트렌드를 반영한 것이다. 아스트로는 크기 약 60cm, 무게 9.35kg로

삼성전자의 퓨쳐홈 전시 부스. [출처: 삼성전자]

집 안을 실시간으로 모니터링하고 커뮤니케이션과 사생활 보호 등 다양한 작업을 수행한다. 리튬이온 배터리를 장착하고 있으며 약 2kg의 화물을 실을 수 있는 적재공간도 있어서 짐을 옮길 때 사용할 수도 있다. 아스트로는 아마존의 스마트홈 구상을 실현할 기기로 비상한 관심을 모았다.

그뿐 아니라 아스트로에는 음성인식 비서인 알렉사Alexa가 탑재되어 음성명령에 따라 여러 가지 명령을 수행할 수 있다. AI 기반의 비주얼 ID 기능을 통해 가족 구성원의 얼굴을 기억하고 위치측정 및 지도화Simultaneous Localization and Mapping, SLAM 기술로 집 안을 스스로 이동한다. 외출했을 때 집 안에 이상이 생기면 모니터링 기능을 통해 바로 알려주고, 사생활 보호까지 가능하다. 그 외에도 혈압계·반려견 카메라·컵홀더 등 다양한 부가기능을 갖춰 혈압에 이상이 없는지 체크하고 반려견에게 간식을 줄 수도 한다. 사용자의 음성명령을 알아듣고 음료수를 가져다주거나 약 1m까지 연장되는 잠망경 카메라로 집 안 구석구석을 촬영해 보여줄 수도 있다. 그야

말로 스마트홈을 구현하는 데 최적화된 로봇인 셈이다. 아스트로는 CES 2022에서 선보인 삼성 봇 아이와 함께 '가전으로서의 로봇'의 첨병 역할을 할 것으로 예상된다.

미래의 집에는 부엌이 없다

MZ세대는 냉장고에 음식 대신 화장품과 마스크팩을 넣어두고 가스레인지 대신 전자레인지를 더 자주 사용한다. 바쁜 현대인은 과연 얼마나 자주, 오래 주방을 사용할까? 마트에서 사온 식재료를 냉장고에 넣어놓고 그것을 꺼내고, 씻고, 다듬어 요리하는 이 모든 과정을 간소화해주는 자동화 솔루션이 있다면 어떨까? 이처럼 편리한 솔루션이 있다면 아마도 10년 뒤에는 주방을 대체할 것이다. CES 2022에서도 '2030년의 주방: 음식과 요리는 미래에 어떻게 바뀔 것인가The Kitchen 2030: How Food & Cooking Will Change in the Future'라는 컨퍼런스가 열렸다. 최도철 삼성전자 수석 부사장은 "집값이 매우 비싼 홍콩에는 주방이 없는 집이 있다"면서 미래에는 주방이 사라질 수 있음을 암시했다.

주방로봇기업 수비Suvie의 로빈 리스Robin Liss CEO는 "배달원이 지역 농장이나 알래스카 어장의 싱싱한 식자재를 외부의 문과 연결된 냉장고로 배달해준다. 그러면 우리는 바로 냉장고의 안쪽 문을 열어서 식자재를 받고 자동화 요리도구에 넣는다. 그 도구는 개인의 요리 스타일에 맞게 재료를 준비하고 손질해 취향에 따라 조리한다"고 미래 모습을 묘사했다. "외부의 문과 연결된 냉장고"는 택배보관함에 온도 장치를 결합한 냉장 및 보온 라커 생산 기업인 프레시포털Fresh Portal의 솔루션과 유사하다. 자동화 조리도구도 활용하면 요리 시간을 훨씬 단축할 수 있다. 리스는 "더 이상 요리는 성가신 집안일이 아닌, 누구나 재미를 느끼는 취미가 될 수 있다"고 부연했다.

이제 소비자들은 생존을 위해서가 아니라 의식적으로 먹는다. 더 맛있는 음식을 찾아 식도락 여행을 떠나고, 각자의 건강상태에 맞춰 영양을 섭취하기 위해 성분을 세세하게 따진다. 바쁜 일상 속에서 요리에 긴 시간을 쓸 수 없기 때문에 편의성을 중요하게 여긴다. 자동 조리기구 올리버Oliver를 생산하는 엘스 랩스Else Labs의 칼리드 아부자숨Khalid Aboujassoum CEO는 요리 자동화 솔루션이 "맛·편의성·건강을 고려해야 한다"고 말했다.

소위 성인병이라고 부르는 생활습관병을 앓는 현대인이 증가하고 있는 만큼 섭식에 관한 관심도는 높아지는 추세다. 각자의 건강상태에 맞는 요리를 만들기 위한 자동화 솔루션의 관건은 개인화다. 사용자의 건강상태 모니터링 기능이나 필요한 영양성분을 분석하고 제안하는 기능을 활용해 사용자 요구에 맞춘 음식을 만들 수 있다. 이 때문에 미래의 주방은 데이터가 중요해진다. 사용자가 요리할 때 어떤 레시피를 참고하는지, 어떤 재료를 많이 사용하는지 등의 다양한 데이터를 수집하고, 모든 경험을 디지털화해야 개인화된 음식을 추천하고 조리할 수 있기 때문이다.

가전과 결합되는 헬스케어

건강관리는 헬스케어에만 국한된 것으로 생각하기 쉽다. 물론 스마트홈이 헬스케어의 기능까지 대체하겠다는 뜻은 아니다. 하지만 전 지구적인 고령화 현상과 관련해 헬스케어는 스마트홈의 한 축이 될 것이다. 예를 들어 알츠하이머 노인이 밤에 보호자 없이 외출하는 사고를 방지하기 위해 평소 외출 시간이 아닐 때(가령 새벽 1시부터 5시까지) 출입문이 열리지 않도록 제어할 수도 있다. 노인 인구가 늘어남에 따라 자신이 오래 살아온 집을 떠나고 싶지 않은 이들의 안전과 건강관리 그리고 보호자를 위한 스마트홈의 역할은 커질 수밖에 없다.

안마의자 전문기업 바디프랜드[Bodyfriend]는 센트럴홀에서 제품을 전시했다. 이는 헬스케어 영역으로의 본격적 진입을 알리는 의미로 로봇 형태의 안마의자 팬텀 로보[Phantom Rovo]를 선보였다. 팬텀 로보는 착용하는 안마의자라는 콘셉트로 양쪽 다리 부분이 독립적으로 구동되는 것이 특징이다. 두 발을 동시에 넣고 왼발과 오른발의 구분 없이 동일한 마사지 패턴을 제공하는 기존 안마의자와 달리 로보모드로 상황에 따라 양쪽 다리에 서로 다른 움직임과 마사지를 구현할 수 있다. 다리 부분이 분리되는 인체공학적 원리를 적용해 기존에 없던 새로운 방식의 마사지를 제공하는 것이다. 거기다 스트레칭 효과까지 볼 수 있다고 한다.

바디프랜드는 이 제품을 시작으로 재활치료 영역으로 확장을 꾀하겠다는 계획이다. 개별구동이 가능하다는 제품의 특성을 살려 더욱 섬세한 마사지를 구현하고, 더 나아가 재활치료를 위한 의료기기 제품으로 진화시키겠다는 것이다. 고가의 기기인 안마의자를 영역을 뛰어넘어 헬스케어 및 재활기구로서 포지셔닝해 프리미엄 이미지를 선점한다는 계획이다.

경쟁사끼리도 손잡고 상호운용성을 해결한다

스마트홈의 구현을 위해서는 다양한 하위 시스템이 필요하다. 하위 시스템을 구축뿐만 아니라 스마트홈 안에서 어떤 일이 일어나고 있는지 정확히 파악하려면 수많은 통신 단계가 원활하게 이루어지는 것도 중요하다. 여러 하위 시스템이 서로 대화할 수 있어야 한다는 뜻이다.

모든 제품을 함께 사용하면서도 원활하게 작동되도록 하려면 어떻게 해야 할까? 이에 관한 많은 논의가 이어지고 있다. 먼저 스마트홈을 구현하기 위해 소비자가 복잡한 방법론을 배울 필요가 없어야 한다. 이것이 바로 상호운용성이 필요한 이유다. 많은 기업이 이 문제 해결을 위해 고민해왔다. 그래서 기업들은 여러 가격대와 단일 애플리케이션, 혹은 다양한 애플리케이션을 포괄할 수 있는 수용적이고 통합적 솔루션을 제공하는 추세다. 그것이 고객이 원하는 스마트홈의 미래이기 때문이다.

삼성전자가 CES 2022에서 가전제품 간 연결성을 강화하기 위해 글로벌 가전업체들과 손잡고 HCA**Home Connectivity Alliance**를 발족한 것은 이러한 고민을 해결하기 위한 행동이다. 삼성전자를 비롯해 GE·하이얼**Haier**·일렉트로룩스**Electrolux**·아르첼릭**Arcelik**·트레인**Trane** 등 유명 업체들이 연합해 가전제품에 최적화된 IoT 표준을 정립하고자 하고 있다. 경쟁사들이 서로 손을 잡는 것 자체가 이례적인 일이기도 한데 궁극적인 목표는 소비자들이 다양한 브랜드의 가전을 하나의 홈 IoT 플랫폼에서 편리하게 사용할 수 있도록 하는 것이다.

전통기업의
생존법은
끝없는 변신뿐

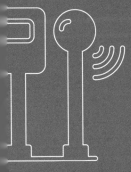

● 　　2017~2018년 이후 CES에서 나타난 두드러진 특징을 하나 꼽자면 기술과는 거리가 있어 보였던 전통기업들의 깜짝 등장이다. 테크기업으로 분류되지 않았던 전통기업이나 산업들이 CES에서 부스를 열거나 대규모 참관단을 보내 테크기업으로의 변신을 선언하기도 했다.

기술이 중요하지 않은 기업은 없다. 하지만 기술을 수단으로 활용할 것인가, 기술을 기업의 본질로 삼고 체질을 바꿀 것인가는 다른 문제다. 특히 코로나19 팬데믹 이후 기술로 인한 변화, 디지털 트랜스포메이션이 가속화됨에 따라 테크놀로지를 기업의 본질로 삼고 변신을 꾀하는 기업이 늘어났다.

최고혁신상을 받은 농기구기업 존 디어

이번 CES에서 디지털 전환을 통해 전통기업의 생존법을 보여준 대표적 사례는 앞서 언급한 바 있는 존 디어다. 존 디어 브랜드를 소유한 디어 앤드 컴퍼니는 1837년 최초로 상업용 강철 쟁기를 제작하며 농업의 생산성 향상에 기여한 전통기업이다. 하지만 이들은 농기구기업에 안주하지 않고 AI·자동화·머신러닝·클라우드 컴퓨팅 같은 기술을 활용해 농경법을 개선하려는 노력을 게을리하지 않았다.

1999년, 커뮤니케이션 테크기업 네브컴^{NavCom}을 인수해 자체 GPS와 위

전통기업의 성공적인 디지털 전환 대표 사례가 된 존 디어 전시 부스. [출처: 손재권]

치감지 기술을 개발하며 변신에 시동을 걸었다. 현재는 직접 핸들을 잡지 않아도 파종부터 농작물 수확까지 자율주행기술로 모두 가능하게 만들었다. 또한 8R로 명명된 트랙터는 GPS 안내시스템 및 새로운 첨단기술을 결합해 완전 자율주행 트랙터로 2022년 하반기에 출시될 예정이다.

존 디어는 지속적인 혁신 덕분에 CES 2022에서 가장 혁신적인 기술을 선정해 시상하는 최고혁신상 21개 제품에 포함되는 쾌거도 이루었다. 컴퓨터 비전과 머신러닝을 활용해 식물과 잡초를 구별하는 시 앤드 스프레이**See & Spray** 기술이 바로 그것이다. 존 디어는 지난 2019년부터 본격적으로 CES에서 존재감을 드러냈는데 2021년 CES에 이어 2022년에도 로보틱스와 지능형차량 및 운송 부문에서 최고혁신상을 수상하며 전통기업의 디지털 전환의 대표 사례로 꼽히게 됐다.

자미 힌드먼**Jahmy J. Hindman** 존 디어 CTO는 CES 2022 프레스 컨퍼런스에

서 "새로운 디지털 시대는 모든 것을 바꿨다. 농부들이 더 적은 수고로 더 많은 일을 할 수 있는 도구를 제공하는 것이 중요해졌다. 첨단기술과 혁신은 항상 농장에 있었다. 로보틱스·센서에서부터 AI·빅데이터까지 실리콘 밸리에서 볼 수 있는 첨단기술을 농장에서 볼 수 있다"고 강조하며 자신들의 방향성을 보여주었다.

탄소배출을 줄이고 에너지효율은 높인 밥캣

두산중공업 산하의 건설기계기업 밥캣**Bobcat**도 존 디어의 성공 공식을 따르며 완전전동식 트랙로더를 공개했다. 밥캣의 T7X는 완전전동식 콤팩트 트랙로더로 2개 부문(스마트시티·지능형차량 및 운송)에서 혁신상을 수상했다.

T7X는 리튬이온 배터리와 지능형 전력관리시스템으로 작업을 관리한다. 기존 유압 관련 부품은 전기실린더와 전기구동시스템으로 완전히 교체했다. 결과적으로 탄소배출량을 줄이면서도 기존 내연기관 수준의 생산성을 갖췄다. 이 덕분에 소음과 진동이 줄었고 에너지 효율은 높아졌다. 동급의 디젤 모델이 냉각수를 57갤런(약 216L)을 사용하는 데 비해 T7X는 친환경 냉각수를 단 1쿼트(약 0.95L)만 사용한다. 엄청난 차이가 아닐 수 없다. 연간 유지보수비용의 대폭 감소는 물론이고 디젤연료·엔진오일·요소수미 사용 및 유압 관련 부품 제거 등을 고려할 때 일일 운용비용도 크게 낮아졌다. 스콧 박**Scott Park** 밥캣 CEO는 "밥캣은 혁신의 선두에 있다. T7X의 완전전동식 기술로 고객이 지속가능성과 생산성을 극대화하도록 돕게 된 것을 자랑스럽게 생각한다"고 말했다.

쉽 빌더를 넘어 퓨쳐 빌더로 나아가겠다고 선언한 현대중공업 전시 부스. (출처: 손재권)

현대중공업이 CES에 무슨 일로?

　조선분야의 글로벌 리딩기업인 현대중공업이 창사 50년 만에 처음으로 CES에 등장했다. 현대중공업 역시 디지털 트렌스포메이션을 강하게 추진하고 있음을 선언하기 위해서였다. 정기선 현대중공업지주 대표는 2022년 1월 5일, 기자간담회를 개최해 자사의 슬로건을 퓨처 빌더^{Future Builder}로 표현했다. 이는 선박 건조, 즉 쉽 빌더^{Ship Builder}를 넘어 새롭게 거듭나겠다는 강한 의지의 표현이었다. 인류를 위해 새로운 가치를 만들고, 더 똑똑하고 포용적이며, 지금까지와는 다른 새로운 성장을 만들겠다는 선언이다. 한국의 중후장대重厚長大기업 중에서 현대중공업처럼 구체적 비전을 CES 같은 글로벌 무대에서 선언한 것은 처음이 아닐까 싶다.

현대중공업은 한발 더 나아가 세계 최고의 빅데이터기업인 팔란티어Palantir와 조선·해양 등 핵심사업의 빅데이터 플랫폼을 구축하기로 하고 합작사 설립을 위한 양해각서를 체결하기도 했다. 이를 통해 현대중공업은 계열사의 선박건조공정 전문지식과 영업 노하우를, 팔란티어는 소프트웨어와 개발인력 등을 제공하기로 했다. 더불어 두 기업은 빅데이터 플랫폼 사업 합작사 설립도 추진하기로 했다.

정기선 대표는 "2014년 조선산업 위기를 겪으면서 이를 반복하지 않기 위해서는 차별화된 기술의 확보가 중요하다는 것을 절감했다"며 CES 참가 배경을 설명했다. 단순 조선기업이 아니라 글로벌 톱 수준의 기술력을 가진 기업임을 만천하에 알리겠다는 의도였다. 정 대표는 "이제 우리는 기술적으로 가장 앞선 종합 중공업기업으로 진화했다. CES를 통해 현대중공업이 그동안 갈고닦은 기술의 미래를 보여주겠다"며 자신감을 드러내며 CES 참가가 일회성 이벤트가 아님을 강조하기도 했다.

메가트렌드가 된 전통기업의 변신

전통기업의 디지털화는 한두 해 반짝 유행으로 그치는 것이 아니라 CES 2022를 기점으로 더욱 본격화될 전망이다. 디지털화는 이제 전통기업의 생존 매뉴얼이 되었고 지속적으로 이어지는 하나의 트렌드가 되었기 때문이다. 앞으로 CES에서 더 많은 전통기업이 디지털화 경쟁을 벌일 것으로 예상된다. 하지만 일회성 쇼로 끝나지 않으려면 존 디어처럼 기업의 근본적 체질 개선이 선행되어야 지속가능한 디지털화도 성공할 수 있을 것이다.

AI와
NFT가 주도하는
미디어 유통과
상생

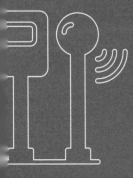

○　　　2010년대 후반의 CES는 5G와 AI가 지배했다고 해도 과언이 아니다. 삼성전자·LG전자·소니·파나소닉^{Panasonic} 등 아시아 빅테크기업뿐 아니라 스타트업 전용관인 유레카파크의 기업도 예외 없이 AI를 내세웠다. 2016년 구글 딥마인드^{DeepMind}의 알파고^{AlphaGo}가 이세돌 9단을 꺾은 일명 알파고 쇼크 이후 AI는 전 산업에 영향을 미쳤으며 이는 고스란히 CES에도 반영됐다. 하지만 CES 2022에서는 AI를 전면에 내세운 기업을 찾기 어려웠다. 그렇다고 AI가 사라진 것은 아니었다. 오히려 비즈니스모델과 기술에 인프라처럼 내제되어 드러나지 않을 뿐이었다.

생활환경지능이 되어가는 AI

CES 2022에서는 AI가 자율주행·데이터통합·배송로봇 등 기존 기술을 지능화하는 데 쓰이고 있음이 확인되었다. 즉 생활환경지능으로 발전한 것이다. 기존의 AI와 비교했을 때 CES 2022에서 나타난 생활환경지능의 가장 큰 차이점은 기계에 탑재된 센서나 축적된 데이터 등을 기반으로 맥락을 이해하고 인간이 명령하기 전에 먼저 주도적으로 나서 업무를 수행한다는 점이다.

비가 올 것이라는 일기예보를 확인한 스마트스피커가 날씨와 어울리는 음악을 추천해주는 것도 일종의 생활환경지능이라고 할 수 있다. 실제로 아마존의 알렉사는 생활환경지능으로 진화하고 있다. 톰 테일러[Tom Taylor] 아마존 알렉사 담당 부사장은 "미래 소비자 기술은 생활환경지능이다"라고 밝히기도 했다.

그렇다면 생활환경지능을 실현할 수 있는 기술적 기반은 무엇일까? 가장 중심이 되는 기술은 자연어처리[Natural Language Processing, NLP]다. 즉 사람이 일상에서 사용하는 언어를 이해하고 처리하는 기술이다. 실제로 우리가 말하는 언어를 기계가 이해하도록 만드는 것은 생각보다 쉽지 않다. 우회적으로 돌려 말하는 것, 문법 혹은 어법상의 오류, 사투리나 억양 차이, 생략된 말 등 문자 이상의 것을 이해하고 말한 사람의 의도를 파악해야 하기 때문이다. 예를 들어 잘못을 저질렀을 때 우리가 흔히 사용하는 "잘한다"는 표현은 칭찬이 아니라 비꼬는 말이다. 하지만 기계는 이를 이해할 수 없다. 그런데 2021년 들어서 NLP가 비약적으로 발전했다. 그해 5월 18일, 구글은 연례 개발자 행사인 구글 I/O에서 새로운 AI 언어모델인 람다[Language Model for Dialogue Applications, LaMDA]를 발표했다. 람다는 특정 사물을 의인화해 마치 그 사물과 직접 대화하는 것 같은 경험을 제공한다. 이 기술은 아직 개발 단계이지만 전문가들은 람다의 SSA[Sensibleness and Specificity Average]★가 80% 정도로 매우 높을 것으로 예측했다. 참고로 구글이 2020년에 발표한 미나[Meena]는 79%, 한국의 인공지능 스타트업 스캐터랩[Scatter Lab]에서 개발해 화제가 된 이루다[Lee Luda]는 78%를 기록했다.

★ 기계의 커뮤니케이션 성능을 평가하는 지수로 인간의 SSA 지수인 86%에 근접할수록 기계임을 알아차리기 어려워진다.

이제 AI는 맥락을 이해하고, 그에 맞춰 반응할 수 있게 되었다. 그러나 AI가 아무리 자발적으로 행동하고 똑똑해져도 절대로 인간을 따라잡지 못할 것으로 여겨지던 것이 있었다. 바로 그림 그리기나 시 창작 같은 고도의 창의적 활동이다. 그러나 이제 이마저도 옛말이 되고 있다. AI는 수많은 그림과 글 데이터를 활용해 예술작품도 활발하게 만들어내고 있다. 영국에서 개발된 휴머노이드 예술가 아이다^{Ai-Da}는 그림을 그리고 2019년에 개인전까지 개최했다. 게다가 마치 사람이 쓴 듯한 시를 발표해 사람들을 놀라게 했다.

블록체인, 콘텐츠와 만나다

CES 2022에 등장한 새로운 화두 중 하나는 블록체인과 이를 콘텐츠에 구현한 NFT였다. 이는 2022년 이후 등장할 새로운 시대를 상징하고 있다. NFT는 디지털 콘텐츠이지만 블록체인 기술이 적용돼 고유성이 인정된다.

CES 2022에서는 'NFT, WTF?!?!', '암호화폐에서의 크리에이터 이코노미^{Creator Economy in the Context of Crypto}' 등 관련 세미나와 행사가 활발하게 열렸다. 여기에서 다양한 주제로 패널 토의가 이어졌는데, 결론은 '블록체인 기반의 새로운 인터넷이 탄생하고 있으며 시장에 안착하기 위해서는 크리에이터 이코노미와의 조화와 협업이 가장 중요하다'는 것이었다. NFT, 디지털 수집품 등 크리에이터들과 기업이 만드는 블록체인 기반 서비스의 핵심은 결국 '팬과 크리에이터(기업)가 어떤 유대관계를 맺는지'에 있다. 이것이 수익보다 더 중요하다는 이야기다. 축구게임 등을 제작하고 있는 소니가 명문 구단 맨체스터 유나이티드와 버츄얼 팬클럽 관리를 위한 MOU를 맺은 것도 같은 맥락이다.

CES 2022 세미나에 등장한 연예기획사 UTA^{United Talent Agency}나 WWE·폭스^{FOX} 등의 미디어기업도 한목소리를 냈다. 이들은 블록체인 기술을 이용해 팬들을 크리에이터와 기업에 지속적으로 연결하고 내적 팬심을 상업적 시장과 연계시켜 적극적 참여자로 전환하는 데 주력하는 전략을 펴고 있다고 강조했다. 잘 알려진 바와 같이 블록체인 기술이 더욱 대중화되려면 콘텐츠와 미디어의 도움이 절실하다. 그리고 영화·드라마 등의 콘텐츠가 블록체인과 만나는 접점에는 NFT가 있다. 이 때문에 이번 CES 2022에서도 NFT에 관한 논의가 집중적으로 이어졌다.

콘텐츠 유통의 획기적 해결책, NFT

온 디맨드 제너러티브 아트^{On Demand Generative Art}★ 플랫폼 아트블록스^{Art Blocks}의 에릭 칼데론^{Eric Calderon} CEO는 아리아 호텔에서 열린 C스페이스 'NFT, WTF?!?!' 세션에서 "디지털 아트 형태의 NFT는 현재 가장 인기 있는 소프트웨어일 뿐만 아니라 NFT의 사용, 소비자에게 판매되는 방

★ 컬렉터가 매수(온 디맨드)하면 정해져 있는 프로그래밍을 통해 무작위로 작품이 만들어진다(제너러티브 아트).

식과 관련해 시장의 저항이 가장 적다"고 언급했다. 2021년 10월 현재 누적 거래액이 9억 달러(약 1조 원)에 달하는 아트블록스는 NFT 프로젝트 중 거래액 기준 2위를 차지하고 있다. 칼데론은 "NFT를 통해 새로운 부가가치가 만들어지고 있기 때문에 기존 예술작품의 유통질서를 훼손하지 않는다"는 점도 강조했다. 이어 "NFT가 예술계에 끼친 가장 중요한 영향 중 하나는 2차 유통시장 통제권을 아티스트에게 돌려준 것이다"라고 강조했다.

전통적인 예술품 시장에서는 2차 거래에서 원작자의 권리를 인정받지 못하지만, NFT 작품의 창작자는 2차 판매 등을 통해 일어나는 수익에서 일정 수준의 로열티를 배분받을 수 있다.

NFT 거래 마켓 블록파티[Blockparty]의 블라디미르 긴즈버그[Vladislav Ginzburg] CEO는 '기술이 예술품 거래시장을 어떻게 변화시켰나[How Technology Finally Disrupted the Art Market]' 세미나에서 "블록체인은 유동성 부족과 가격 결정권 부족이라는 예술품 거래시장의 고질적 문제를 해결했다"고 강조했다. 또 디스플레이 스타트업 댄버스[Danvas]의 진 앤더슨[Jeanne Anderson] CEO도 "NFT를 통해 2차 거래시장에서 매출이 발생한다는 점은 오리지널을 만드는 크리에이터에게 큰 도움이 된다"고 강조했다.

폭스엔터테인먼트가 설립한 NFT 콘텐츠기업인 블록체인 크리에이티브 랩스[Blockchain Creative Labs, BCL] CEO 스콧 그린버그[Scott Greenberg]는 NFT가 스트리밍 전쟁으로 야기된 콘텐츠 유통문제도 해결할 수 있을 것이라고 분석했다. 현재 스트리밍 서비스의 경우 시청자들이 과거처럼 프로그램을 소유하는 것을 막고 이들에게 라이선스를 구입하도록 유도하는데, NFT가 이런 문제를 일정 부분을 해결할 수 있다는 이야기다.

BCL이 첫 번째 프로젝트로 그리스 로마 신화를 다룬 풍자 코미디 애니메이션 〈크라포폴리스[Krapopolis]〉 시리즈 전용 NFT 마켓을 런칭하기로 하면서 폭스가 새로운 유통시장 개척에 본격적으로 합류했음을 알리며 1억 달러(약 1,200억 원)를 투자해 블록체인 기반 콘텐츠를 제작한다고 밝혔다. 또한 BCL은 프로레슬링 경기를 주관하고 중계하는 WWE와 파트너십을 맺고 레슬러들의 사진·영상 등을 활용한 NFT를 발행하기로 했다. 폭스는 이전에도 미국판 〈복면가왕〉인 〈더 마스크드 싱어[The Masked Singer]〉를 콘셉트로

마스크버스에서 판매하는 NFT. (출처: 마스크버스)

제작된 디지털 마스크 NFT를 구매할 수 있는 마켓인 마스크버스^{MaskVerse}를 출시한 바 있다.

2022년은 NFT시장 대중화의 원년

NFT과 블록체인의 성공은 사용자 경험을 얼마나 편리하게 만드느냐에 달려 있다. 앞서 소개한 스콧 그린버그 역시 '암호화폐에서의 크리에이터 이코노미' 세미나에서 레슬링 선수들이 프로그램을 통해 NFT 거래를 설명할 필요가 있다고 밝혔다. 그러나 그린버그는 금전적 가치보다는 효용성으로 팬들에게 보답하는 것에 주목하고 있다고 밝혔다. 팬들에게 효용성을 높이는 방법으로는 시청자들에게 보너스 콘텐츠를 주거나, 크리에이터들과의 단독 대화나 미팅을 주선하는 것 등이다. 결국 디지털 예술품 유통의 주류로 부상하고 있는 블록체인 시장에서 성공하기 위해서는 팬들과의 교감과 정서적 연대가 무엇보다 중요하다는 이야기다.

레슬리 실버먼Lesley Silverman UTA 디지털자산부문 책임자는 온라인 매거진 《디지데이Digiday》와의 인터뷰에서 "NFT가 높은 가치를 인정받기 위해서는 예술적·공동체적 가치가 내재되어 있어야 한다"고 강조했다. 실버먼은 "기업과 유명인이 NFT 같은 블록체인에 참여할 때 첫 번째 목적이 돈을 버는 것이 되면 안 된다. 암호화폐에 익숙한 소비자들에게 더 다가가는 유기적이고 진정성 있는 움직임이 중요하다"고 설명했다.

CES 2022에 참석한 블록체인 전문가와 크리에이터들은 NFT시장이 이전보다 친숙해지고 포맷도 다양해질 것이라고 예상하며 2022년에는 본격적인 대중화의 길을 걸을 것으로 내다보았다. 레슬리 실버먼은 "2022년은 거대한 확장의 해ㅈHuge Year of Expansion가 될 것"이라고 분석했다. 블라디미르 긴즈버그도 "2022년은 전통적 아트 갤러리에서 NFT 포맷 예술작품을 공개하는 사례가 늘고 소비자에게 노출되는 빈도도 증가할 것이다"라고 전망했다. 긴즈버그는 이어 "2022년에는 사진작가들이 NFT에 적극적으로 뛰어들 것이다. 다양한 개성을 가진 작가들이 NFT를 내놓으면서 시장이 더욱 대중화될 것이고 새로운 도전이 일어나고 있는 NFT가 사진의 부흥을 이끌 것이다"라고 전망했다.

PART 2

메타버스

:

시간과 공간
그리고
인간의 확장

최형욱

미국 서던 캘리포니아 대학교에서 석사 학위를 받았다. 삼성전자에서 무선네트워크, 센서, 디스플레이 등 신기술 연구·개발에 참여했으며 IoT 플랫폼기업 매직에코 공동대표를 역임했다. IoT, UX, 모바일 디바이스, 무선통신 및 네트워크 등과 관련해 50여 개의 특허를 출원하기도 했다. 현재 미래 전략 싱크테크 퓨쳐디자이너스와 기업들의 혁신을 디자인하는 혁신기획사 라이프스퀘어 대표이다.

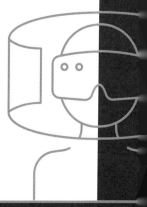

○   지금까지 CES는 디지털가전·AV·백색가전 등 주로 실체가 있는 제품을 대상으로 진행되어왔다. CES에 메타버스나 NFT 같은 키워드가 포함된 것은 그 자체로 상징하는 바가 크다. 최근 급격한 관심을 받는 메타버스는 사실 아직까지는 명확한 합의와 정의가 이뤄지지 않은 버즈워드에 가깝다. 형태는 물론 개념마저 분명하지 않다는 말이다. 이런 측면에서 메타버스를 비롯한 새로운 키워드의 등장은 CES가 변화를 받아들이고 새로운 시도를 하고 있다는 뜻이다. 동시에 CES가 코로나19 팬데믹을 겪으며 비대면으로, 디지털로, 무형적으로 변화하는 테크트렌드를 마주하고 있다는 뜻이기도 하다.

메타버스를 기술의 관점에서 접근해보면 그 안에는 매우 많은 기술이 포함되어 있고 그 응용 분야의 스펙트럼 또한 매우 넓다. 전문가들은 메타버스를 두고 인터넷의 다음 버전·공간 인터넷·아바타로 접속하는 가상공간·디지털로 가상화된 다차원의 시공간 등으로 다양하게 정의한다. 범위가 넓고 이를 구현 가능한 기술도 다양하기 때문이다. 그 안에는 가상현실Virtual Reality,

★ 컴퓨터에 현실 사물의 쌍둥이를 만들어 발생할 수 있는 상황을 시뮬레이션해 결과를 예측하는 기술.

VR·증강현실Augmented Reality, AR·혼합현실Mixed Reality, MR·디지털트윈Digital Twin★·메타휴먼Metahuman·가상화기술 등이 포함되는데, 기술의 관점에서 바라보면 CES에 메타버스가 새롭게 등장한 개념이라고 말하기는 무리가 있다. VR·AR 기술은 이미 수년간 CES의 단골 카테고리였으며 많은 기업이 다양한 제품을 출품하고 전시해왔기 때문이다. 디지털트윈이나 가상화기술 또한 스마트팩토리나

게임산업에서 매년 다뤄지고 응용되던 분야였기에 마찬가지다.

그럼에도 우리가 읽어야 하는 가장 중요한 메시지는 따로 있다. 기존의 기술들을 하나로 아울러 SF소설과 게임에서나 등장해온 메타버스를 주요 어젠다로 선정하고 주목해야 하는 트렌드로 발표하게 된 상황 그 자체이다.

CES는 가전의 트렌드를 선보이는 대표적인 박람회로 1967년 처음 개최된 이래 끊임없이 변화를 주도해왔다. CES를 주관하는 미국소비자가전협회Consumer Electronics Association, CEA는 2016년에 미국소비자기술협회Consumer Technology Association, CTA로 정체성을 갈음했다. 가전이라는 상품을 넘어 기술이 바꾸는 라이프스타일 전반을 아우르겠다는 뜻이었다.

CTA는 그동안 개별적인 카테고리에 활용되던 여러 기술이 메타버스라는 트렌드를 중심으로 융복합하는 상황과 우리 삶의 다양한 시공간을 관통하며 진행되는 디지털 트랜스포메이션을 인지했다. 메타버스·블록체인·NFT 같은 기술들이 혁신기업이나 마니아의 영역에서 벗어나 본격적으로 주류 소비자 트렌드에 파고들기 시작했다는 것을 의미하는 가장 중요한 시그널이다. 이는 CES 2022의 테마인 '일상을 넘어서Beyond the Everyday'의 핵심이기도 하다.

이번 CES는 상대적으로 참가기업 수가 줄어 예년만큼 많은 제품이 출품되지는 않았다. 그럼에도 최근 몇 년간 발표된 기술과 제품이 변해온 맥락에서 여러 기업의 제품과 미디어 발표를 보면 중요한 흐름을 읽어낼 수 있다. CES에 참가하고 관전하는 이유를 물어보면 어떤 제품이 새롭게 출시되는

지, 기업들이 어떤 전략을 발표하고 선언하는지 알고 싶어서라고 이야기한다. 하지만 CES에 새롭게 선보인 기술에만 단편적으로 관심을 가져서는 안된다. 새로운 기술을 눈으로 보는 것도 중요하지만 작년, 3년 전, 그리고 5년 전의 CES와 비교해 오늘의 기술이 얼마나 변했는지, 그러면서도 변하지 않은 것은 무엇인지 생각해야 한다. 10년 전부터 계속 발전한 기술이 어느 시점부터 변곡점을 맞이했는지, 또 그 임계점과 기폭제는 무엇이었는지 관찰해야 한다.

더 나아가 내년에, 3년 뒤에, 그리고 5년 뒤에는 무엇이 더 바뀌게 될 것인지, 아니면 그럼에도 변하지 않을 것은 무엇인지 가늠하고 질문해야 한다. 점으로 찍힌 변화는 정보이지만 선으로 연결된 변화는 인사이트이자 기회이기 때문이다. 이번 CES 2022에서 메타버스라는 키워드를 연속선으로 그려보고 꼽은 7개의 핵심 트렌드를 통해 이 변화의 의미는 무엇이며 산업과 사업에서의 시사점들은 무엇인지 함께 들여다보고 생각해보자.

모두가 메타버스와
블록체인으로
달려가기 시작했다

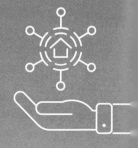

◉　　　　　기술은 수단이자 도구로 쓰일 때 그 가치를 발한다. 메타버스 관련 기술도 마찬가지이다. CES 키워드 선정보다 중요한 것은 기술이 현실에서 얼마나 잘 활용되고 응용되는가이다. CES에서도 마케팅과 홍보의 수단으로 메타버스 플랫폼의 쓰임새가 큰 비중을 차지했다. CES에 참가한 기업들도 메타버스를 활용하여 핫한 키워드를 점유하기 위해 많은 시도를 했다.

삼성전자는 Z세대와의 접점을 만들고 젊은 소비자들에게 브랜드경험을 제공하기 위해 제페토^{Zepeto} 내에 삼성갤럭시하우스를 오픈했다. 제페토 유저들은 CES에 직접 참가하지 않고 갤럭시하우스에 입장하는 것만으로도 삼성 제품을 간접 체험하면서 CES의 삼성전자 부스에서와 같은 경험을 할 수 있었다. 친구들과 함께 삼성 가전으로 가득한 집에서 셀카를 찍고, 게임을 하며, 갤럭시 스마트폰뿐만 아니라 TV·더 프리스타일·공기청정기 등 CES 출시 제품도 만날 수 있었다. CES라는 글로벌 스포트라이트가 비치는 동안 메타버스를 미래 고객과 만나는 채널로 활용한 것이다.

LG전자는 코로나 확산에 따라 행사 직전에 직접 참가를 포기했다. 대신 부스에 QR코드를 부착해 메타버스 내의 가상 부스에 접속할 수 있게끔 했다. 가상 부스는 3D로 디자인된 다양한 제품을 전시한 버츄얼 LG전자 홈 채널과 제페토 내의 LG전자 홈에서 체험할 수 있었다. 의자들만 덩그러니 놓인 부스에서의 아쉬움을 메타버스에서 달랠 수 있었다. 현대모비스는 부스 전체를 메타버스 안의 가상도시를 테마로 꾸몄다. 자율주행자동차나 다양한 서비스를 연동해 단조로운 부스의 디스플레이를 가득 채웠다. 한컴은 싸이월드와 협력해 구축한 메타버스인 한컴타운, 가상공간에서의 NFT 거래 플랫폼인 아로와나몰^{Arowana Mall} 등을 활용해 부스를 다양하게 구성해 메타버스기업임을 적극적으로 표방했다. 이렇게 메타버스는 기술 자체보다 기업이 CES에 직접 참가하지 못한 고객과 소통하는 창구로써, 자사의 브랜드와 서비스를 알리는 마케팅 플랫폼으로, 자사가 메타버스기업임을 강조하는 도구로 적극적으로 활용되었다.

팬데믹으로 더욱 빨라진 VR과 메타버스의 시계

VR·AR은 10여 년 이상 CES의 단골 카테고리였다. 그동안 수많은 제품이 등장했고 다양한 기술도 소개되었다. AR글라스·VR헤드셋·입체영상 촬영용 카메라 등 한 해도 거르지 않고 다양한 제품이 선보였다. 특히 CES 2022에는 코로나19 팬데믹을 거치면서 메타버스에 대한 관심이 커짐과 동시에 VR이 본격적으로 우리 삶 속으로 스며들고 있음이 드러났다.

먼저 캐논은 최초로 DSLR 카메라용 듀얼 어안렌즈 키트를 선보였다. 기존 교환식 렌즈처럼 카메라에 부착하면 180° VR영상을 촬영할 수 있다. 그동안 180° 입체영상을 촬영할 수 있는 제품은 많았지만, 주류 카메라기업에서 출시된 것은 처음이었다. 캐논은 이 카메라를 활용해 원거리에서도 마주해 대화하는 것 같은 효과를 구현하도록 하는 코코모 소셜VR^{Kokomo Social VR} 소프트웨어를 함께 공개했다. 이는 캐논이 VR이나 입체영상을 주요 카테고리로 인식하겠다는 신호이다. 코코모 플랫폼을 이용하여 각자의

캐논이 선보인 VR 어안렌즈. [출처: 캐논]

공간을 180° 입체영상으로 촬영하고 스마트폰 앱에 연결한 후 VR헤드셋을 착용하면 아바타를 이용해 마치 한 공간에 함께 있는 것처럼 대화할 수 있게 만드는 VR 콜서비스다. 몰입감과 실재감이 어떨지는 하반기에 출시될 제품을 써봐야 알 수 있겠지만, 카메라기업에도 혁신의 결이 확장되고 있음은 분명하다.

동시에 캐논은 AMLOS^Activate My Line of Sight란 서비스도 함께 공개했다. 사무실에 설치된 카메라로 컨퍼런스를 진행하면서 화이트보드를 공유할 수 있는 서비스다. 팬데믹으로 인해 많은 기업이 재택근무나 원격근무를 진행하고 있는 상황에서 고객의 니즈를 빠르게 반영한 제품이라 의미가 있다. 앞으로 다양하게 활용할 수 있을 것으로 보인다.

CES에 처음 참가한 롯데정보통신은 칼리버스^Caliverse라는 VR 기반의 체험 및 버츄얼커머스 플랫폼을 선보였다. 2021년 인수한 스타트업 비전 VR^Vision VR의 서비스를 롯데 칼리버스로 개명하고 롯데의 리테일·영화관·커머스 등 다양한 일상 서비스를 연동해 가상플랫폼으로 구현하겠다고 밝

메타버스: 시간과 공간 그리고 인간의 확장

캐논 AMLOS 시연 영상. [출처: 캐논]

히면서 CES 첫 참가임에도 불구하고 꽤 많은 스포트라이트를 받았다. 롯데는 메타의 오큘러스퀘스트2[Oculus Quest 2]가 급속도로 보급되는 현상을 보며 VR 기반의 플랫폼의 대중화가 머지않았다고 판단, 적극적으로 투자해 앞으로도 더 큰 규모로 CES에 참가하겠다고 선언했다. 얼마나 더 진화한 서비스로 돌아올지 귀추가 주목된다.

디지털치료에서도 효과를 입증한 VR

CES 2020부터 주목받으며 계속 성장 중인 트렌드가 바로 디지털치료다. 스마트폰과 웨어러블의 발전이 디지털치료 영역을 급성장시켰고 이제는 VR과 만나 다양한 응용사례를 만들고 있다. 한국 스타트업인 룩시드랩스[Looxidlabs]는 생체신호 분석을 통한 뇌파 인터페이스 룩시드링크[Looxid Link]를 선보였다. HTC의 바이브[Vive]나 오큘러스와 연동해 뇌파를 측정할 수 있는 실리콘패드형 인터페이스로 안정도·집중도·활성도 등을 측정할 수 있으며 이를 이용하면 사용자의 마인드케어나 집중력 향상에 활용할 수 있다. 더 나아가 치매나 스트레스 치료 등 디지털치료까지 확장이 가능하다고 한다. 또 다른 스타트업인 히포티앤씨^{Hippo T&C}는 주의력결핍 과잉행동장애^{ADHD} 아동의 개인화된 치료를 도울 수 있는 VR 기반 솔루션인 어텐션케어^{AttnKare}를 선보였다. VR 하드웨어의 보급과 함께 발전 가능성이 큰 분야이다 보니 시장성이 매우 밝아 보인다.

이외에도 디지털치료에 VR이 활용되고 있는 사례 중 가장 대표적인 것은 외상후스트레스장애^{PTSD} 치료이다. 전쟁에 참전했거나, 극심한 폭력에 노출되었거나, 유괴 또는 테러에 휘말린 경우 빈번히 PTSD를 겪게 되는데 이러한 경우 VR을 통한 노출요법^{Virtual Reality Exposure Therapy, VRET}이 효과를 보인다는 사례가 보고되고 있다. 버츄얼이라크^{Virtual Iraq}·버츄얼아프가니스탄^{Virtual Afghanistan} 같은 치료프로그램 덕분에 참전 군인들이 PTSD 경감 효과를 나타냈고, 9·11 테러 때 극심한 스트레스를 겪은 소방관들도 유사한 디지털치료로 효과를 봤다고 한다.

같은 원리로 고소공포증·패쇄공포증·대인공포증처럼 심리치료가 필요한 분야에 VR이 활용되고 나아가 다양한 사회공포증을 치료하는 데까지 영역을 확장하고 있다. 특히 심리치료가 필요한 현대인 중 실제 치료를 받는 비중이 현저히 낮다는 문제를 VR로 해결할 수 있다는 측면에서 그 중요도와 잠재성이 매우 크다. 프랑스의 보험기업 악사^{AXA}와 옥스퍼드 VR^{Oxford VR}이 함께 운영 중인 실감형VR 프로그램인 '예스 아이 캔^{Yes I can}'은 사회적 기피현상이나 인간관계에서의 심리적 문제 치료에 활용되고 있다. 일본의 도모렌즈^{Domolens} 같이 말더듬이나 대중공포증 극복을 돕는 VR 앱도 있다.

이렇게 VR은 일상의 다양한 이벤트에서부터 전문영역인 디지털치료에 이르기까지 깊숙하게 스며들며 활용되기 시작했고 CES를 통해 그 일면이 드러나고 있다. 메타버스의 다양한 기술이 발전하고 융합하면서 더 넓은 분야에 혁신을 부를 것이며 일상의 더 소소하고 깊은 곳까지 뿌리내릴 것이다.

소유권 분할, 저작권 운영 등
현실세계와 조우한 NFT

단기간에 관심을 끌어모으며 CES의 조연 자리까지 꿰찬 키워드가 바로 NFT다. NFT는 블록체인을 기반으로 한 '대체 불가능한 토큰'을 의미한다. 이더리움 블록체인의 ERC-721 프로토콜을 이용해 디지털콘텐츠의 유한성과 진위성을 증명할 수 있을 뿐만 아니라 소유권과 이전 히스토리까지 담을 수 있는 특성 때문에 다양한 활용 가능성이 주목받고 있다.

암호화폐와 함께 급부상한 NFT는 CES 2022에서 매우 큰 가능성을 보여줬다. 그 대표적 사례가 바로 삼성의 스마트TV 플랫폼이다. 삼성전자는 NFT 경매 플랫폼인 니프티게이트웨이^{Nifty Gateway}의 갤러리를 연동해 NFT 작품을 스마트TV로 관람할 수 있게 한 것은 물론이고 NFT 거래도 할 수 있는 기술을 선보였다. 디스플레이로써 단순히 NFT 작품을 열람하는 것을 넘어 거래와 유통, 저작권 기반의 다양한 응용까지 확장할 수 있음을 보여주는 사례다. 아직은 걸음마 수준인 기술이기에 당장의 유용성보다 이후의 가능성이 무궁무진해 보였다. 물론 무형적이고 실체가 없는 NFT가 전통적 유형 미디어 플랫폼인 TV와 연계되었다는 것만으로도 NFT시장의 성장을 확인시켜주는 중요한 시그널이기도 하다.

디센트럴랜드 내 삼성전자의 가상매장 837x. (출처: 디센트럴랜드 직접 캡쳐)

비슷한 사례로 LG전자가 선보이려고 했던 NFT 디지털액자나 넷기어^{Netgear}의 뮤럴캔버스2^{Meural Canvas II} 같은 디지털액자도 눈여겨볼 만하다. NFT가 디지털의 벽을 허물고 실생활에 접목되는 시도다. 이미 구독경제나 공유경제는 우리 생활 속에 자리를 잡았다. 소유권을 분할하거나 저작권을 직접 운영하는 등 다양한 기술적 실현이 가능한 NFT 역시 크게 발전할 것이 분명하다.

CES 2022에서 삼성은 맨해튼 워싱턴스트리트 837번지에 위치한 플래그십스토어인 삼성 837의 버츄얼쇼룸 837x를 디센트럴랜드에 열었다. 디센트럴랜드는 이더리움 블록체인을 기반으로 하며 마나^{Mana}라는 암호화폐가 통용되는 메타버스다. 837x의 커넥티비티 극장^{Connectivity Theater}에서는 CES에서 진행된 삼성전자의 키노트를 관람하고, 지속가능한 숲^{Sustainability}

삼성전자의 한정판 웨어러블 NFT. (출처: 삼성전자)

Forest에서는 다양한 이벤트에 참여할 수 있었다. 삼성이 CES 2022 기조연설에서 선언한 ESG 경영의 한 축 역시 체험할 수 있었고 커스터마이제이션 스테이지Customization Stage에서는 다양한 축하공연과 이벤트가 진행되었다. NFT와 메타버스를 마케팅에 활용한 모범사례라 할 수 있겠다.

이외에도 가상자산 거래소인 FTX와 NFT 거래 플랫폼인 아토믹폼Atomic Form이 CES 2022에 참가했다. 아토믹폼은 NFT를 하드웨어나 실물로 소유하고 거래할 수 있는 비즈니스모델로의 확장을 시도하고 있고, 블록파티Blockparty는 NFT 마켓플레이스를 중심으로 NFT를 발행할 수 있는 툴을 제공 중이다. 이렇게 무형적인 블록체인과 NFT가 드디어 그 가치를 인정받으며 현실로 편입되는 역사적 순간을 CES에서 목격할 수 있었다

가상화기술은
어떻게
인간의 능력을
확장했나?

ⓞ　　　CES 2022에서 화제가 된 것 중 하나는 현대자동차가 제시한 메타모빌리티였다. 메타모빌리티는 가상공간인 메타버스와 현실세계 이동의 핵심인 모빌리티를 결합한 신조어로 이동하는 환경의 진화를 뜻한다. 그리고 그 안에 메타버스의 중요한 기술과 콘셉트를 융복합시킨 부분만 집중해서 들여다볼 필요가 있다. 크게 3가지 응용 케이스로 현실과 가상공간의 연계·디지털트윈의 확장·대체경험의 진화가 그것이다.

현실 기반 가상화기술로 최적화된 사용자경험을

첫 번째로 현실과 가상공간의 연계는 미래의 자율주행자동차 내부 공간이 지금처럼 운전과 주행을 위한 공간으로만 머무르지 않게 되었을 때 이를 가상화하는 시나리오를 보여준다. 자율주행자동차 내의 디스플레이를 통해 내부는 완전히 다른 가상공간이 되어 새로운 경험을 할 수 있다. 하지만 이 기술이 얼마만큼 실효성이 있을지는 따져봐야 한다. 버스나 기차처럼 운전과 완전히 분리된 서비스공간은 얼마든지 가상화의 대상이 될 수 있다. 하지만 운전이라는 요소를 배제할 수 없는 개인용자동차의 공간을 그렇게 사용하는 것은 깊은 고민이 필요하다. 오히려 LG전자가 콘셉트로 선보인 옴니팟Omnipod이 더 현실적이라고 판단된다. 이동하는 환경 내에서

차량을 테마파크로 만든다는 목표를 제시한 홀로라이드. (출처: 홀로라이드)

가상공간의 객체들과 더 자유롭게 상호작용하고, 그로 인해 이동과 공간 자체의 즐거움이나 활용도가 배가되는 시나리오가 만들어지기 때문이다.

현실을 기반으로 하는 가상화기술은 공간의 완전한 대체가 목적이 아니다. 현실과 환경에 최적화된 사용자경험이 그 핵심이다. 따라서 움직이는 자동차가 뜬금없이 스페이스셔틀이 되기보다는 현실과 연계해 풍성한 정보와 콘텐츠를 제공하는 것이 더 합리적이다. 대표적인 케이스로는 CES 2022에 참가하지는 않았지만, 아우디Audi의 사내 스타트업으로 분사한 홀로라이드Holoride를 들 수 있다. 홀로라이드는 차량용 엔터테인먼트 플랫폼 스타트업으로 VR을 통해 이동하는 차량을 테마파크로 만든다는 목표를 제시했다. 지리정보시스템GIS을 기반으로 자동차의 진동과 움직임 등 주행환경을 실시간으로 반영해 우주선에 탑승해 있거나 익룡의 등에 올라탄 것처럼 느끼게끔 VR을 제공하는 것이다. 결국 현실과 가상공간의 연계는

메타버스: 시간과 공간 그리고 인간의 확장

현실을 확장하면서 사용자에게 더 재미있고, 편리하고, 몰입감 있는 경험을 전하는 것이 핵심이다.

메타팩토리부터 임상치료까지 디지털트윈의 확장

두 번째는 디지털트윈의 확장이다. 디지털트윈은 엔비디아^{NVIDIA}의 옴니버스^{Omniverse}처럼 현실의 공장이나 인프라를 디지털에 1:1 모사해 시뮬레이션하고 효율성을 극대화하는 것이 목적이다. 현대자동차는 메타팩토리^{Meta-Factory}로 선언된 자동차 생산환경의 최적화는 물론이고 메타모빌리티라는 이동환경 전체를 디지털트윈으로 확장하려는 야심을 보였다. 로보틱스 기술을 바탕으로 만들어진 다양한 이동형모듈과 공간 플랫폼을 디지털트윈으로 가상화한 뒤 모빌리티 서비스의 핵심 엔진으로 만들고 싶다는 의지가 프레스 영상과 키노트에서 느껴졌다. 하지만 다소 두루뭉술한 시나리오라고 느껴지기도 했다. 개별 모듈이 결합해 하나의 이동 주체가 되어야 하고 다양한 활용 목적에 맞게 운용되어야 한다는 말은 결국 그 환경 전체가 디지털트윈이 되어야만 가능한, 조금은 먼 미래의 시나리오이기 때문이다. 디지털트윈에서는 컴퓨터 안에 가상화되는 데이터도 중요하지만, 현실세계에 존재하는 실체의 정확한 동작과 움직임도 중요하다. 그래서 디지털트윈의 확장에는 생각보다 더 많은 기술적 발전이 요구된다.

싱가포르 도시 전체를 디지털트윈화한 버추얼싱가포르^{Virtual Singapore}는 비용과 유지보수는 물론 정확도·활용도 측면에서 계속 기술적으로 도전을 받으며 지금도 실험을 거듭하고 있다. 모빌리티 서비스를 위한 디지털

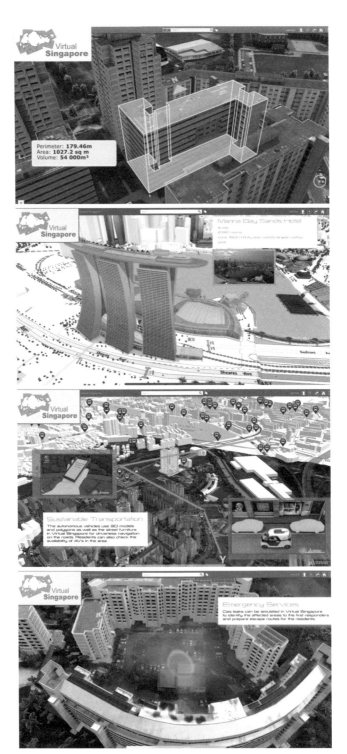

도시 전체를 디지털로 구현한 버추얼싱가포르. (출처: 싱가포르 국립연구재단)

트윈의 확장 또한 수많은 기술적 도전을 받을 것이다. 이러한 도전의 하나로 스마트시티 분야에서 다수의 디지털트윈기업이 CES 2022에 참가했다. 모빌리티 시뮬레이션모델·HD지도 기반 디지털트윈 데이터 변환 엔진·스마트 트래픽에이전트 등 다양한 기술을 개발한 코그나타[Cognata]는 이번 CES에서 스마트시티 시뮬레이션 플랫폼과 첨단 운전자보조시스템 검증 기술로 각각 혁신상을 수상했다.

버추얼싱가포르를 구현한 다쏘[Dassault]는 의료분야로 영역을 넓혀 디지털트윈 기반의 임상치료 솔루션을 선보였다. CT와 MRI 데이터를 기반으로 인간의 뇌나 심장과 유사한 3D 모델을 구현해 치료 전에 디지털트윈으로 다양한 임상치료법을 테스트하거나 직접 시술해볼 수 있는 기술의 가능성을 보여주었다. 향후 신장·피부·소화기관 등 다양한 신체부위에 대한 정확하고 정밀한 모델링을 발전시켜 의료에 최적화된 가상인간, 즉 버추얼트윈[Virtual Twin]을 만들어내기 위해 연구개발을 진행 중이라고 한다.

디지털트윈을 활용한 스타트업의 도전도 눈에 띄었다. 시어스랩[Seerslab]의 미러시티[Mirror City]는 현실의 사무실을 그대로 가상화해 온·오프라인 사이의 업무 연계성을 극대화하는 플랫폼을 선보였고, KDT랩은 빅데이터 기반의 변화 분석 및 예측을 위한 디지털트윈 플랫폼 와이저[WAiSER]를 선보였다.

실시간 연동으로 진화한 대체경험, 인간능력을 확장하다

마지막으로는 대체경험의 진화다. 인간이 접근하기 어렵거나 접근할 수 없는 공간에 로봇을 보내 인간의 시선·행동반경과 동기화해 제어하는 콘셉트로 특정 분야에서는 이미 활용되고 있는 기술이기도 하다. 인간의 접근이 불가능한 후쿠시마 원자로에 로봇을 들여보내 원격 영상을 확인하며 제어한 것이 그 예다. 또한 1인칭 시점First Person View, FPV의 드론·무인항공기 조종은 내장된 카메라에서 전송한 실시간 영상으로 즉각 제어는 물론 실시간 대응까지 수행할 수 있다. 현대자동차는 이 기술을 보스턴다이내믹스의 로봇과 연계했는데 사실 대체경험은 로봇이 없어도 가능한 분야다 보니 억지스러운 면이 없지는 않았다.

실시간 대체경험이 반드시 필요한 상황들이 있긴 하다. VR에서 몰입감 있게 실시간으로 스포츠를 관람하는 상황에서 관전 시점을 바꾸기 위해서는 중계 현장에서 시점이 전환된 영상을 송출해줄 수 있는 물리적 시스템이 필요하다. 또한 일반적인 방식으로 촬영된 360VR 또는 180VR 영상의 경우 촬영 시점이 고정되다 보니 VR 내에서의 움직임이 영상 시점과 동기화되지 않는 한계가 존재한다. 이러한 경우 VR에서의 시점 변화를 현장에서도 실시간으로 연동할 수 있는 기술이 필요한데 이런 경우에 대체경험이 효과적으로 적용될 수 있다. 따라서 대체경험의 효과가 확실한 실시간 스포츠 관람·현장 관리와 제어·실시간 이벤트를 통해 메타버스 내에서 다양한 시도가 진행될 것이다. 이렇게 VR과 디지털트윈을 비롯한 가상화기술은 인간의 지능에서부터 건강과 치료는 물론이고 이동하는 환경과 삶의 공간까지도 모사해나가며 인간의 능력을 확장하고 있다.

세 번째
변곡점을 지난
VR

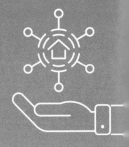

○　　　지금까지 VR은 몇 차례 상승기와 암흑기를 겪었다. 첫 번째 상승기에 해당하는 변곡점은 VR고글이 처음 등장했을 때였다. 1985년, VR 스타트업인 VPL리서치**VPL Research**를 설립한 재런 래니어**Jaron Lanier**는 VR이라는 용어를 탄생시키고 VR고글인 아이폰**Eyephone**, 입력장치가 내장된 데이터글로브**Dataglove**를 최초로 개발했다. 래니어가 개발한 아이폰은 현재의 VR헤드셋과 유사한 형태로 사실상 이후 출시된 모든 고글의 원형이 되었다. 이때부터 VR에 대한 사람들이 관심이 시작되었고 1990년대 여러 기업이 이 시장에 진출하면서 바야흐로 VR 전성시대가 열렸다. 당시 CES에 세가VR**SEGA VR** 그리고 닌텐도**Nintendo**의 버츄얼보이**Virtual Boy** 등이 처음 선보였고, 1995년까지 포르테**Forte**의 VFX-1·빅터맥스**Victormaxx**의 사이버맥스**Cybermaxx**·아타리**Atari**의 재규어 VR**Jaguar VR** 등이 연이어 출시되면서 여러 게임 관련 미디어에서는 VR이 게임의 미래라며 특집기사를 내놓기도 했다. 하지만 성능·기술적 제약·안정성·비용 등의 이유로 기대만큼의 폭발적 성장을 이루지 못한 채 때마침 불어닥친 닷컴 열풍으로 관심이 꺼지고 만다.

오큘러스퀘스트2라는 티핑포인트

두 번째 변곡점은 스마트폰이 본격적으로 보급되던 2010년대 초반으로 가격과 성능이라는 두 제약조건을 스마트폰의 힘으로 해소하게 된다. 바

VPL리서치의 아이폰과 데이터글로브. (출처: 위키미디어커먼스)

로 스마트폰을 연결해 영상을 볼 수 있게 만든 모바일VR의 등장이다. 폭풍마경을 비롯한 2~3만 원대의 저렴한 중국산 VR고글이 수백만 대씩 판매되면서 VR의 대중화가 시작되었다. 급기야 구글은 종이로 만들 수 있는 카드보드VR^{Cardboard VR}, 즉 간이 VR장치의 도면을 무료로 배포해 교육 시장에 VR 열풍을 가져왔다. 이때부터 모바일VR의 춘추전국시대가 열렸다. 이후 중국에는 VR고글 제조회사가 수백 개 이상 설립되었고 삼성도 갤럭시기어VR로 고급 모바일VR시장에 뛰어들었다. 구글은 데이드림^{Daydream}이라는 프로젝트를 선보이기도 했다.

　모바일VR이 대중화됨과 동시에 마니아와 게이머 사이에서는 고사양 컴퓨터게임을 구동할 수 있는 PC를 유선으로 연결하는 PCVR과 소니의 게임콘솔 플레이스테이션에 연결하는 PSVR이 급속도로 보급되며 하이엔드 VR시장이 열리기 시작한다. 스마트폰과 PC의 도움으로 성능·가격 문제를 해결한 모바일VR과 PCVR은 정체되었던 VR시장에 활기를 불어넣고 일반 대중에게도 VR을 인식시켰다. 그런 동시에 팔머 럭키^{Palmer Luckey}가 개발

구글 카드보드VR. (출처: 위키미디어커먼스)

올인원VR 오큘러스퀘스트(●)·오큘러스퀘스트2(●●)·바이브(●●●). (출처: 각 사)

한 오큘러스리프트^{Oculus Rift}가 등장했고, HTC의 바이브^{VIVE}와 스팀^{Steam}의 인덱스^{Index}가 출시되면서 1990년대에 채 열리지 못한 VR게임시장도 함께 개막한다. 당시야말로 실감형 콘텐츠나 VR에서 무언가를 만들어 보려는 시도가 가장 활발했던 시기였다. 동시에 시행착오도 가장 많이 나타났고, 모바일VR의 한계와 제약을 인지한 사용자들의 관심은 급속도로 식어갔다. 결국 PCVR은 게이머들만의 영역으로 남으며 니치마켓으로 변하고 말았다.

식어가던 VR 시장에 커다란 파문을 일으키는 사건이 생긴다. 메타가 2019년에 첫 번째 독립 VR디바이스인 오큘러스퀘스트^{Oculus Quest}를 출시한 것이다. 퀄컴^{Qualcomm}의 스냅드래곤^{Snapdragon}835가 탑재되어 별도의 PC 연결 없이 헤드셋만으로 VR을 구동할 수 있었다. 즉 올인원 타입의 VR헤드셋이었는데 놀라운 것은 가격이 399달러에 불과했다는 것이다. 적절한 성능과 사용자경험 구현에 가격마저 저렴해 100만 대 넘게 판매되었다. 비로소 VR의 콘텐츠와 앱 생태계를 만들 수 있는 온전한 기기가 등장한 것이다.

VR 생태계의 자생 조건

세 번째 변곡점도 신호탄 없이 시작되었다. 2020년 10월, 한층 더 개선된 후속 모델 오큘러스퀘스트2가 출시되었다. 성능이 2배 이상 향상되었고 디스플레이 해상도도 1.5배 이상 좋아졌음에도 가격은 오히려 299달러로 인하되었다. 비로소 양분돼 있던 하이엔드VR과 대중적인 VR을 아우르는 역할을 하게 된 것이다. 그 덕분에 출시 1년 만에 1,000만 대를 판매하는 기염을 토했다. 비로소 VR생태계가 자생하고 성장할 수 있는 조건이 형

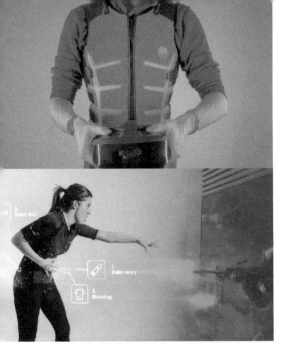

스키네틱햅틱슈트(왼쪽 위)·OWO햅틱슈트(왼쪽 아래)·테슬라슈트(오른쪽). (출처: 각 사)

성된 것이다. 이것이 세 번째 변곡점이자 VR 시장의 티핑포인트였다. 덕분에 VR은 오큘러스퀘스트2를 중심으로 거대한 생태계를 만들어내며 시장의 파이를 키웠다. CES 2022에서는 이러한 시장의 변화를 눈으로 확인할 수 있었다.

가장 먼저 눈길을 끈 것은 플레이스테이션5를 출시하면서 콘솔게임시장을 주도하고 있었지만 PSVR은 오랫동안 침묵했던 소니의 PSVR2 발표였다. 다만 기대만큼 아쉬움도 컸다. 4K HDR 디스플레이·110° 화각 등은 시장의 기본사양 수준이었다. 시선추적기술이 차별화 포인트였고 센스Sense라는 컨트롤러가 함께 공개되었지만, 디자인 이외에는 특별함이 없었다. 무엇보다 실망스러운 점은 이미 오큘러스퀘스트2가 무선 올인원VR로 대중성을 확보했고 바이브 역시 유무선 제품을 구분해 시판하는 상황에서

베타버스: 시간과 공간 그리고 인간의 확장

반드시 유선으로 연결해야만 한다는 것이었다. 플레이스테이션 유저에게는 희소식이었겠지만 일반 VR유저에게는 대단치 않은 소식이었다. 그럼에도 VR시장에 신제품을 출시했다는 것 자체가 시장 확장에 매우 중요한 역할을 할 것이다.

VR시장에 있어 의미 있는 제품은 CES에 늘 등장하는 햅틱 웨어러블이다. 지금까지는 테슬라수트Teslasuit가 CES에서 바이브레이터 햅틱 피드백·모션캡쳐 센서 내장·온도조절 등 다양한 용도와 특징을 가진 미래지향적 수트를 선보이며 시장을 선도했으나 CES 2022에는 불참했다. 팬데믹 여파도 있겠지만 최근 VR비즈니스가 본격적으로 궤도에 오르면서 홍보의 절실함이 해소된 것도 이유 중 하나일 것이다.

대신 그 빈틈을 채우는 제품이 있었다. OWO게임의 햅틱 베스트Haptic Vest·액트로니카Actronika의 스키네틱햅틱수트Skinetic Haptic Suit다. 두 기업 모두 테슬라수트 초창기 규모 정도의 스타트업으로 모두 VR 햅틱 피드백이 가능한 웨어러블을 선보였다. 고가인 테슬라수트와 다른 세그먼트로 비용절감을 위해 마사지패드에 EMS 저주파 전기자극이나 스테핑모터를 사용하는 등 혁신을 시도하고 있다. VR헤드셋이 주도하는 시장의 확산에 따라 관련 웨어러블시장 또한 함께 성장할 것으로 예상된다.

압도적 몰입감과 현실감 제공하는 하이엔드 디바이스의 진화

이외에도 VR과 관련된 주변기기시장의 눈에 띄는 성장도 확인할 수 있었다. 별도의 베이스 스테이션 없이도 전신트래킹을 가능하게 해주는 웨어러블 센서와 같은 원리로, 손목에 착용해 핸드트래킹을 더 정밀하게 할 수 있는 HTC 바이브핸드트래커HTC Vive Wrist Tracker 등을 출시했다. 또한 비협

틱스^{bHaptics}는 손에 진동 피드백을 줄 수 있는 촉각장갑^{TactGlove}을 선보이는 동시에 앱과 연계하여 개발할 수 있는 개발자키트도 함께 공개했다. 특히 시프톨^{Shiftall}은 입에 착용하는 웨어러블 뮤톡^{Mutalk}을 공개했는데 기기 내부에 블루투스 마이크가 내장되어 외부로 소리가 새지 않지만, VR 내에서는 원활하게 커뮤니케이션할 수 있는 독특한 기기이다. HTC 바이브 페이셜 트래커^{HTC Vive Facial Tracker}처럼 입 모양을 읽어 VR에서 감정표현이나 실시간 입 모양 표현을 가능하게 만든 웨어러블로 틈새시장을 공략한 제품도 계속 출시 중이다.

무선 올인원VR을 선호하는 사용자의 요구를 충족하기 위해 유선 VR헤드셋에 연결하면 광대역 무선으로 끊김 없이 데이터를 전송할 수 있는 언링크^{Unlink} VR 송수신기도 공개되었다. 무선 올인원에 고성능까지 완전히 통합하기 위해서 최소 몇 년은 필요할 것으로 예상되는 만큼 당분간 틈새시장을 공략할 수 있는 제품으로 보인다.

VR기기의 혁신도 다양한 측면으로 이뤄지고 있다. 그중 한 축은 초 하이엔드 디바이스의 진화다. 고해상도·고성능 VR헤드셋을 생산하던 파이맥스^{Pimax}는 CES 2022에서 파이맥스 12K를 공개했다. 이는 소니 PSVR2 4K의 4배가 넘는 고해상도 VR헤드셋이다. 초 고사양PC와 그래픽카드가 없으면 구동 자체가 어려운 대신 현실만큼이나 선명하고 정교한 가상세계를 출력한다. VR지니어스^{VRgineers}는 XTAL-3이라는 8K 디스플레이(눈 한쪽당 4K씩)가 적용된 디바이스를 선보였다. 현재 시장에 출시된 제품 중 최고 사양이 4K~5K인 점에서 압도적 몰입감과 현실감을 제공하는 VR헤드셋 중 하나다.

이러한 최신기기를 주목해야 하는 이유는 이들이 미래 선행지표이기 때

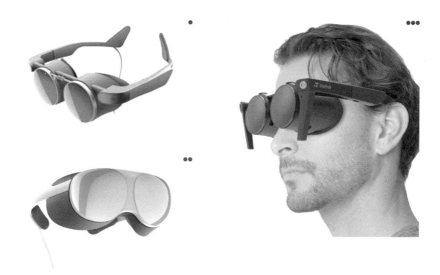

팬케이크 형태의 소형 VR헤드셋. 파나소닉VR(●)·플로우(●●)·메가네X(●●●). (출처: 각 사)

문이다. 시간이 지나 CPU·GPU의 성능이 더 향상되면 주류 VR기기 역시 고해상도 사양으로 발전할 것이다. 오큘러스퀘스트5는 8K 디스플레이를, 오큘러스퀘스트7 혹은 오큘러스퀘스트7프로는 12K 디스플레이를 적용하지 않을까 예상해본다. 아이폰 출시 초기에 지금 우리가 사용하는 고해상도의 대형 디스플레이 스마트폰이 널리 보급되리라 예상한 사람은 거의 없다. 그러니 이 역시도 과한 상상은 아닐 것이다.

　VR시장이 본격적으로 세 번째 변곡점을 지나면서 보이는 또 하나의 트렌드는 소형화·경량화이다. 지난 CES에서는 파나소닉이 마이크로디스플레이가 적용된 초소형 경량 VR고글을 선보였다. CES 2022에서도 그 트렌드는 이어졌다. HTC 바이브는 잠자리의 눈처럼 생긴 소형 VR헤드셋 플로우Flow를 공개했고, 일본의 시프톨은 기존 파나소닉 VR헤드셋과 유사한 형태의 메가네X^{MeganeX}를 공개했다. 대부분의 VR헤드셋은 무게로 인한 피로감과 목의 부담이 상당히 크고 크기에 따른 답답함도 분명 존재한다. 이 때문에 소형화·경량화는 가장 중요한 혁신의 방향 중 하나가 될 것이다.

많은 기술은 대중화되기까지 몇 차례의 하이프사이클^{hype cycle★}을 그리게 되는데 VR도 예외는 아니었다. VR시장은 몇 차례의 암흑기가 있었지만 오큘러스퀘스트2 출시를 기점으로 대중에게 본격적으로 확산될 것이다. 이는 VR이 넥스트컴퓨팅 플랫폼으로써 PC·노트북과 함께 한 자리를 차지하게 될 것을 의미하며, 기존의 평면 디스플레이에서 일어나던 일들을 가상의 3차원 공간에서 누리게끔 하는 역할을 할 것이다. 코로나가 진정된 다음 CES에서 가장 크게 부상할 분야 역시 세 번째 변곡점을 지난 VR산업일 것이다.

★ 기술의 성숙도를 5단계로 시각화한 도구.

메타버스 격전장이 MR로 진화한다

아직까지 기술적 제약을 극복하지 못한 대표적인 분야가 AR글라스이다. 10여 년 이상 AR글라스를 만들어온 뷰직스^{Vuzix}는 그동안 늘 한쪽에만 디스플레이가 있는 모노클 제품을 개발해왔다. 그러다 CES 2022에 처음으로 양안 디스플레이가 적용된 산업용 AR글라스를 선보였다. 산업용이다 보니 정보 디스플레이 목적으로 가독성 높은 형태의 초록색 모노크롬 디스플레이를 사용했고 시야각도 좁은 편이다. 우리가 상상하던 AR글라스는 아직 멀었다는 느낌이다. TCL도 처음으로 레이니아오AR^{Leiniao AR}과 NXT웨어에어^{NXTWear Air} 등 다양한 폼팩터의 AR글라스 제품들을 선보였지

뷰직스 AR 글라스. (출처: 최형욱)

TCL NXT웨어에어. (출처: TCL)

만 구체적인 성능과 사양은 확인되지 않았다. 다만 AR글라스 시장은 기술적 제약은 물론 웨어러블의 제약과 사회적 수용 이슈 등으로 아직도 매우 어려운 상황이라는 점은 분명했다.

현재 엔터프라이즈 시장에서 AR헤드셋으로 다양한 솔루션을 선보이며 기술개발을 이끄는 대표기업은 마이크로소프트다. 3,500달러(약 420만 원)가 넘는 고가의 AR헤드셋 홀로렌즈2^{HoloLens2}를 일부 B2B에서 활용하고 있는데 이들은 이것을 혼합현실^{Mixed Reality, MR}이라고 부른다. 사실 AR은 결국 MR이 될 수밖에 없기에 그 개념에 특별한 차이가 있지는 않다. 마이크로소프트가 현실세계를 기반으로 가상세계의 것들을 현실로 끄집어내면서 메타버스를 확장하고 있다면, 메타는 가상세계를 기반으로 현실세계를 가상세계와 연계하고 확장하는 중이다. 호라이즌워크룸^{Horizon Workrooms}·오큘러스홈^{Oculus Home}·인피니트오피스^{Infinite Office} 등 메타가 공개한 서비스는 모두 가상세계가 현실세계로 확장되는 개념이다.

당장 CES에서는 목격할 수 없었지만 지금 일어나고 있는 변화는 현실과 가상 중 시작점이 어디든 결국 현실과 가상이 만나는 방향으로 확장될 것이다. 앞으로 몇 년간 VR과 MR의 진화는 이 시각에서 바라보아야 한다. VR의 대표주자는 메타와 애플이며 MR의 대표주자는 마이크로소프트다. 마이크로소프트는 상당 수준의 하드웨어 개발역량에도 불구하고 서비스에 연계하는 역량이 약해서 결국 시장은 메타·애플의 양강 구도로 될 확률이 높다. 이 과정 역시 CES에서 공개하기보다는 메타는 자사의 페이스북 커넥트^{Facebook Connect}나 페이스북 F8 행사에서, 애플은 WWDC를 통해 공개할 것이다.

이들이 그리는 큰 그림을 엿보고 추론해야 한다. 이들이 제시하는 방향이 전체 VR시장을 선도할 것이며 이는 곧 CES에서 공개될 VR의 방향성이 될 것이다.

프로젝트 캄브리아Project Cambria는 오큘러스퀘스트2를 잇는 차기 하이엔드 VR헤드셋 프로젝트다. 명칭에서도 알 수 있듯 여러 개의 카메라가 내외부에 장착된 모델이다. 과거 선 캄브리아기에는 종이 많지 않다가 캄브리아기에 종의 분화가 급격히 이루어졌다고 한다. 이 현상의 원인 중 하나가 바로 '눈'의 탄생이라고 한다. 눈으로 환경을 보다 정교하고 다양하게 인지할 수 있게 되었고 종별로 환경에 대응하는 방향이 분화되었다는 것이다.

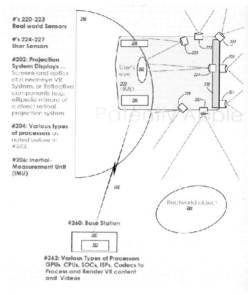

애플의 VR헤드셋 관련 특허. (출처: 페이턴틀리 애플)

메타의 프로젝트 캄브리아 역시 인간의 상호작용을 눈으로 보는 현실에서 외부 카메라로 인식하는 현실까지 확장하겠다는 것이며, 동시에 내부 카메라로 동공의 움직임을 읽어 감정이나 관심사에 최적화된 커뮤니케이션과 메타버스 내의 상호작용을 이끌겠다는 의지를 보여준다. AR 기반의 글라스나 헤드셋은 시야각이나 시인성 등의 이슈를 극복하지 못하고 있다. 대신 고해상도 카메라와 VR을 연동해 확장 가능성을 제시하겠다는 것이다. 야외에서 착용하고 이동하는 AR글라스가 아니라면 현실세계를 고해상도 카메라로 표현하는 VR이 훨씬 더 나은 사용자경험을 제공할 것이다.

애플도 같은 이유로 VR헤드셋을 개발하고 있다. 루머에 따르면 헤드셋에 10개 이상의 카메라가 탑재될 것이라 한다. VR이 공간 기반의 넥스트 컴퓨팅 플랫폼이 되는 것을 목표로 애플만의 장점을 최대한 살려 VR 메타버스용 운영체제를 만들 것이며 최적의 사용자경험과 앱 생태계를 구성할 것이다.

이렇게 메타와 애플의 VR디바이스가 MR을 커버하는 사용성을 가지게 되면 현실공간과 상호작용하는 다양한 API들이 제공될 것이다. 이는 지금까지 AR 또는 MR의 측면에서 접근해왔으나, 오히려 VR의 확장에서부터 본격화될 것이다. 이미 바르요^{Varjo}같은 하이엔드 VR헤드셋이 고해상도 카메라로 현실세계를 렌더링하여 사용자에게 리얼타임으로 보여주고 있기는 하다. 하지만 다양한 소프트웨어와 앱을 제공하는 플랫폼 역량이 충분치 않아 시장의 주도권은 메타와 애플에게 넘어가게 될 것으로 보인다.

메타버스용 칩셋 전쟁, 퀄컴이냐 엔비디아냐

퀄컴은 스마트폰 시대가 되면서 스냅드래곤으로 과거 PC시장에서 인텔이 누리던 지위를 얻었다. 다가오는 메타버스 시대에 다시 한번 그 영광을 잇기 위해 확장현실^{eXtended Reality, XR} 플랫폼을 개발하고 오큘러스퀘스트를 비롯하여 수십 종의 제품에 XR칩셋을 탑재하고 있다. 스마트폰과 VR·AR 디바이스는 폼팩터와 사용성이 다르지만 본질은 모바일컴퓨터이다. 퀄컴은 기존의 주도권을 바탕으로 그 지위를 잃지 않겠다는 것인데, 이때 복병 엔비디아와의 결전을 피할 수 없다. 엔비디아는 GPU를 만들던 회사인데 지금은 블록체인·AI·메타버스 시대에 핵심 기술을 주도하는 기업으로 거

마이크로소프트의 메쉬 플랫폼을 위한 AR칩 개발을 밝힌 퀄컴. (출처: 퀄컴)

듭났다. 메타버스 시대를 주도할 옴니버스라는 솔루션을 개발·런칭하기도 했다.

젠슨 황Jensen Huang 엔비디아 CEO는 개발자대회에서 "메타버스가 온다Metaverse is coming"라고 강조하며 메타버스 시대를 주도하겠다는 포부를 밝혔다. 실제로도 강력한 기술력을 바탕으로 중요한 역할을 맡을 것은 분명하다. 옴니버스를 통해 디지털트윈을 구현하고 운영하는 가장 강력한 플랫폼을 출시했고, 실제로 BMW를 비롯한 기업들과 전략적인 협업을 잇고 있다. 여기에 머지않아 VR·AR디바이스를 개발할 수 있는 강력한 GPU를 출시할 것이다. 옴니버스와 연동해 가장 실감 나는 그래픽으로 메타버스의 가상화가 가능하고, 딥러닝으로 스마트하게 상호작용할 수 있는 퀄컴의 대항마가 등장하는 것이다. 이때가 되면 진정으로 엔비디아가 꿈꾸는 메타버스 세상이 현실에 등장하게 될 것이다.

퀄컴은 CES 2022를 통해 마이크로소프트 메쉬Mesh 플랫폼에 연동되는 홀로렌즈2 후속 디바이스용 칩셋 개발을 시작했다고 밝혔다. 동시에 스냅드래곤 스페이스라는 개발 플랫폼도 함께 런칭할 예정인데 홀로렌즈2의 칩셋인 스냅드래곤850은 이미 다른 VR헤드셋에 적용된 XR2보다도 성능이 떨어진다. 이 때문에 마이크로소프트와의 협업을 위해 스냅드래곤888 이상의 고성능 코어를 기반으로 한 XR3 플랫폼을 먼저 개발하고, 이후 메타의 후속 디바이스에 채택되는 것을 목표로 할 것이다. 하지만 애플이 '리얼리티Reality'를 의미하는 R1이나 'XR'을 의미하는 X1으로 명명할 것으로 추측되는 자체 실리콘칩으로 VR시장에 진입하게 되면 퀄컴과의 협력만으로는 애플에 뒤처질 확률이 높다. 메타도 장기적으로는 자체 칩셋을 설계하고 개발해야 할 것이라는 의미다. 물론 아직 엔비디아라는 카드가 있어 지켜봐야 하겠지만, 퀄컴이 인텔의 흥망성쇠를 따를지 아닐지는 추후 CES에서 집중적으로 살필 관전 포인트 중 하나다. PC시장과 모바일시장에서의 전환들이 지금은 자동차산업에서 일어나는 중이고, 조만간 XR시장의 성장과 함께 다시금 재현될 것인데 21세기 칩 전쟁은 이제 해당 산업의 패권전쟁으로까지 번지는 중이다.

메타버스: 시간과 공간 그리고 인간의 확장

가상경제와
메타버스산업,
어떻게 주도권을
선점할 것인가?

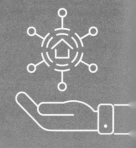

ㅇ 　　시장은 VR을 중심으로 급격하게 성장할 잠재성을 가지고 있다. 주변기기시장은 물론이고 앱생태계와 개발자생태계도 이미 이 방향으로 이동 중이다. 하지만 국내시장이나 기업은 과거 VR의 과도기에 대규모로 지원된 실감형 콘텐츠에 매몰 중이다. VR의 패러다임 전환을 인지하지 못하고 있다는 의미다. 대기업이나 중소기업 모두 비슷한 상황인데, VR을 중심으로 하는 메타버스가 주류로 부상할 때를 위해 각자의 위치에서 선제투자와 핵심 역량과의 접점을 만들어야 한다.

아직 기술발전이 필요하고, 해소되지 않은 사용성의 제약으로 시장이 크게 개화하기까지는 몇 년의 시간이 더 필요할 것이다. 지금부터 선행기술투자·IP 확보·개발자생태계 활성화 등 VR산업의 주도권을 쥐기 위한 전략을 수립해야 한다. 또한 VR은 미디어·엔터테인먼트·커머스·교육·취미·직무연수·헬스케어 등 다양한 분야에서의 활용 가능성과 확장성이 있다. 그렇기에 빠르게 시도하고 시행착오를 겪으며 그 기회를 선점해야 한다.

제페토나 로블록스는 이미 거스를 수 없는 대세이다. 각 분야의 기업들은 마케팅이나 고객과의 접점 확장을 위해 메타버스를 적극적으로 활용해야 한다. 동시에 VR기술을 핵심 사업과 어떻게 연결하고 활용할지 당장 발빠르게 실험하고 적극적으로 연구개발해야 한다.

가상경제 활성화를 위한 규제 개선

블록체인과 NFT에서 파생되는 많은 변화는 그레이존에 속한다. 현실의 규제로 명확하게 해석하고 적용하기가 거의 불가능하다. 따라서 새로운 가치체계와 기준이 필요한데, 선제적인 규제가 미래 산업의 가능성을 제약해온 과거의 사례들을 볼 때, 조심스러운 접근이 요구된다. 동시에 무분별한 자율성에 따른 피해와 부작용 역시 위험하기는 마찬가지이다. 따라서 가상경제라는 새로운 가치체계를 정착시키기 위해 자율적 시장 질서와 실험의 자유를 보장하는 대신, 결과에 따른 강력한 패널티와 재발 방지를 위한 규제 개선이 필요하다.

현실에서 규제는 늘 촘촘하고 자유도가 떨어져 새로운 시도를 하기가 어렵다. 대기업은 물론 중소기업들도 다양한 실험과 도전을 할 수 있는 환경이 조성되어야 할 것이다.

사용자경험과 고객가치 창출이라는
기업의 과제

XR과 메타버스산업에서는 사용자 참여와 확장성 있는 플랫폼이 있는지, 그것을 어떻게 혁신적인 사용자경험으로 이어지게끔 구현할지 여부가 가장 중요하다. 이것은 그동안 국내기업이 가장 취약했던 분야이기도 하다. 자체적인 플랫폼은 제대로 성공한 것이 없다 보니 글로벌 플랫폼 기업들의 생태계에 귀속되는 경우가 빈번했다. 다행히 게임산업이나 콘텐츠산업에서 우리의 경험과 기술력은 매우 큰 경쟁력이 있다. 이를 활용하여 메타버스 플랫폼산업을 개발하고 육성해야 한다. MMORPG 게임을 만들듯이 메타버스에 인센티브와 재미를 디자인하면 강력한 플랫폼을 만들 수 있을 것이다.

기존 기업들도 메타버스를 홍보 미디어뿐 아니라 고객과 접점을 만들고 유지할 수 있는 플랫폼으로 접근할 필요가 있다. 고객은 그들에게 가치가 있는 것을 애용하며 충성도를 보인다. 메타버스기술을 이용하여 고객의 문제를 해결하고 새로운 가치를 제공해야 한다. 기술 구현보다 더 중요한 것은 고객 관점에서의 사고이다. 메타버스를 통해 작지만 직접적인 가치와 경험을 제공할 수 있어야 한다.

크리에이터 이코노미 활성화를 위한 전략

디지털 기반 가상경제의 활성화에 가장 주도적인 역할을 하는 것은 정부도 기업도 아니다. 크리에이터와 개인 사용자가 핵심이다. 강력한 미디어 플랫폼과 디지털도구, 그리고 SNS가 만나 지금의 개인은 그 어느 시대보다도 강력한 힘과 영향력을 획득했고, 기술은 그들의 힘과 영향력을 경제적인 이익으로 전환할 수 있게끔 발전했다. CES는 전통적으로 공급자 중심의 전시회였기에 이러한 부분이 눈에 띄지 않은 편이지만, 참여자·사용자 중심의 생태계를 구축한 기업들이 이미 시대의 주축이라는 점에는 모두가 공감하고 있다.

따라서 기업은 자사 제품이나 서비스에 크리에이터 이코노미를 녹여내는 구조를 전략적으로 고민하고 구현해야 한다. 메타버스와 가상경제가 기기와 결합되거나 서비스에 연계될 때도 이들의 참여가 이어질 수 있게끔 디자인되어야 한다. 이번 CES에 삼성이 내놓은 NFT 거래 TV 플랫폼이나 디센트럴랜드 내 837x 쇼케이스를 보면 얼마나 잘 결합했는지에 따라 동일 제품군에서도 그 가치가 확연히 달라진다는 것을 눈으로 확인할 수 있다.

또한 개인에게는 또 하나의 강력한 도구가 생기는 셈이기도 하다. 블로그·유튜브·틱톡이 등장했을 때 각 개인에게 주어진 다양한 기회와 거대한 영향력은 이제 새로운 일이 아니다. 메타버스에서도 이와 동일한, 혹은 그 이상의 기회가 생기기 시작했다. 컴퓨터 그래픽이나 영상 제작, 3D 모델링이나 스크립트 코딩 등의 메타버스 리터러시를 갖추는 순간부터 또 하나의 커다란 기회를 맞을 것이다.

하드웨어 플랫폼 개발을 위한 지원과 협력

CES에 스타트업의 참여가 급격히 늘고 있으며 그들이 만들어내는 혁신의 강도도 점점 더 세지고 있다. 다양한 영역의 스타트업 중 CES를 통해 더 큰 가능성을 만들 수 있는 곳은 당연히 하드웨어를 기반으로 한 기업일 것이다. 하지만 하드웨어 개발에는 막대한 비용과 에너지가 요구된다. 부품을 수배하고 프로토타입를 만드는 것만으로도 모든 비용과 에너지를 소모하는 경우가 빈번하다. 따라서 정부와 기업은 이들을 지원하고 협력하는 시스템을 만들어야 한다.

해마다 유레카파크의 규모가 커지는 데 반해 하드웨어 혁신기업의 수는 상대적으로 많지 않다. 국내 산업의 최대 장점이 제조역량인 만큼 우리 산업에서 제조의 비중은 매우 크다. 하지만 제조에 뛰어드는 혁신기업의 수는 매우 적고 그나마도 성공률이 낮다. XR 기반의 메타버스산업에서 하드웨어가 차지할 비중과 잠재성은 크다. 이 산업에 뛰어들 혁신적인 스타트업을 지원할 인프라와 협력의 문화가 우리에게 필요하다.

주류 산업으로 확장하는 메타버스, 그 시그널을 잡아라

사실 CES 2022에는 메타버스 시대를 주도하는 기업들은 거의 참가하지 않았다. 물론 이전에도 거의 참가하지 않았다. CES가 메타버스라는 변화를 보여주기에 최적의 무대는 아니라는 의미이다. 하지만 그럼에도 CES에서 메타버스가 주요 키워드로 등장했다는 사실 자체가 중요하다. 기존 가전이나 일반 IT분야에 메타버스·블록체인·NFT 같은 무형적 기술이 결합되기 시작했다는 의미이기 때문이다. 메타버스의 무한한 가능성이 다양한 산업군으로 확산할 수 있다는 가능성을 주류 산업에서 인지했다는 시그널을 놓쳐서는 안 된다.

기업들은 다시 도래한 기술의 패러다임 변화를 어떻게 마주하고 준비할지 고민하고 빠르게 실행해야 한다는 긴박감을 느꼈을 것이고, 개인들은 저 너머에 있는 무한하고 거대한 가능성과 기회의 우주를 만나는 시간이 되었을 것이다. 이렇게 며칠간의 CES는 막을 내렸지만, 변화의 물결은 변곡점을 지나 지금도 흐름을 이어가고 있다. 가상과 현실의 경계를 허물어 가는 변화의 가능성이 내년 CES에 또 어떠한 모습으로 등장하게 될지, 그리고 우리는 그전까지 어떤 준비를 하고서 다시 그 자리에 설지 많은 걱정과 기대가 교차한다.

PART 3

헬스케어

:

코로나19가
앞당긴
디지털 헬스케어의
미래

강성지

민족사관고등학교와 연세대학교 의과
대학 졸업 후 보건복지부에서 헬스케
어-IT 융합정책 수립을 담당했다. 이후
삼성전자에 스카우트되어 무선사업부
헬스개발그룹에서 헬스케어전략을 담
당했다. 포브스코리아 선정 '2030 파워
리더'에 포함되기도 했다. 현재 삼성전
자 사내벤처로 스핀오프한 디지털 헬스
케어기업인 웰트(주) 대표, 한국무역협
회 이사, 한국수면기술산업협회 부회장
으로 재임 중이다.

○　　　코로나19의 긴 터널 속에서 열린 이번 CES 2022는 헬스케어가 주인공인 전시회였다. 미국소비자기술협회도 코로나19 이후 최초로 시도되는 온·오프라인 하이브리드 CES의 성공을 위해 만반의 준비를 했다. 입장객 전원에게 배지와 함께 신속진단키트를 나눠주었고, 관람객 전원이 무사히 귀가할 수 있도록 전시 중에 무료로 PCR검사를 제공했다. 관람객 모두가 라스베이거스에 발을 들이자마자 마주한 것이 헬스케어였고, 행사를 마치고 집으로 떠나는 순간까지 체험한 것도 헬스케어였다.

물론 팬데믹 이전 마지막으로 개최되었던 CES 2020에서도 디지털치료와 헬스케어는 중요한 화두였다. 하지만 CES 2020 직후 인류는 코로나19라는 전대미문의 위기를 맞이했고, 먼 미래에 있을 것만 같았던 디지털 헬스케어 기술들을 바로 현실에 투입해 검증해야 하는 상황이 벌어졌다. CES 2021은 온라인으로만 진행되었던 탓에 아쉬움이 컸는데, 다시 돌아온 CES 2022의 오프라인 전시는 헬스케어업계가 지난 2년간 개발하고 검증한 결과물들을 눈앞에서 살펴보고, 미래의 디지털 헬스케어의 발전 방향을 엿볼 수 있는 아주 좋은 기회였다.

CES 관람객 전원에게 신속진단키트를 지원한 애보트^{Abbott}의 로버트 포드^{Robert B. Ford} 회장 겸 CEO가 기조연설 무대에 올랐다. 헬스케어기업의 CEO가 기조연설을 하게 된 것은 CES 55년 역사상 최초의 사건이었다. 사실상 IT기업 수장들이 독점했던 기조연설 무대에 헬스케어기업의 회장이 올랐다는 것만으로도 큰 주목을 받았다. 기조연설자로 나선 포드 CEO는

CES 현장에서 배포한 애보트의 코로나 신속진단키트. [출처: 애보트]

"2030년까지 세계인구 3명 중 1명에게 도움을 주겠다"고 선언하며 개발 중인 제품들을 공개했다.

가장 먼저 공개한 신제품은 일반 소비자들의 건강관리를 위한 웨어러블 센서 링고Lingo다. 링고는 혈당·케톤·젖산·알코올 등 4가지 생체물질의 농도를 실시간으로 측정하는 웨어러블기기다. 구체적인 출시 일정을 밝히지는 않았지만, 애보트의 히트상품인 프리스타일 리브레FreeStyle Libre★에 바탕을 두고 있다고 밝혔다. 프리스타일 리브레는 동전 크기(지름 20mm, 두께 3mm)만 한 혈당측정 센서로 팔뚝에 한 번 장착하면 손끝에서 채혈할 필요 없이 혈당이 자동으로 측정된다. 프

★ 한국에서 사용 시 처방전 필요.

119

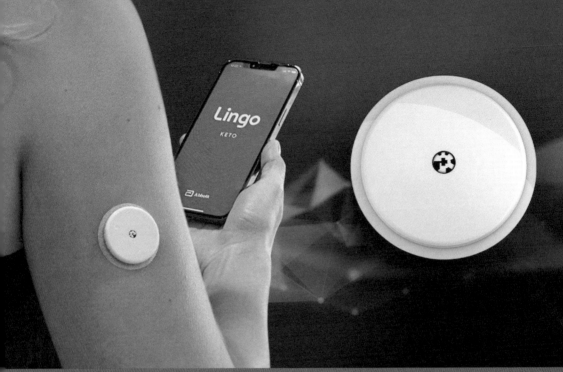

애보트가 공개한 건강관리 웨어러블 센서 링고. [출처: 애보트]

리스타일 리브레는 당뇨 환자를 대상으로 출시했지만, 링고는 환자가 아닌 일반인을 대상으로 출시할 것이라고 한다. 코로나19 이후 자가관리·홈케어시장의 성장과 무관하지 않다.

　로버트 포드 CEO는 "링고를 개발하기 위해 혈당관리제품을 사용하고 있는 350만 명의 데이터를 확보했으며, 링고를 통해 사용자가 건강·영양·운동 등에 대한 결정을 내릴 때 도움을 주기 위한 목적으로 개발했다"고 말했다. 혈당수치는 당뇨 환자뿐만 아니라 정상인도 식사 후 변화하는 지표다. 때문에 체중관리 등을 이유로 적정 수준으로 열량섭취를 컨트롤하고자 하는 일반인에게도 의미 있는 데이터다. 또한 케톤은 지방이 연소될 때 올라가는 지표이므로 체중감량을 목적으로 다이어트를 할 때 확인해 참고할 수 있다. 그리고 젖산의 농도를 측정하면 운동으로 인한 피로도도 확인할 수 있다. 이처럼 웨어러블 센서가 더 많은 데이터를 측정해 사람들의 건강관리에 실질적으로 도움을 줄 날이 머지않은 듯하다. 다만 여기서 중요한 것은 센서기술의 성숙도다. 지금도 혈당·케톤·젖산·알코올의 체내 농도변화를 추적하기 위해 개발되고 있는 체외 센서들은 많다. 하지만 해석 가능한 수준의 해상도와 재현성을 확보해 전문가로 하여금 의미 있는 분석을 이끌어낼 수 있어야 현실에 적용이 가능하다. 물론 이러한 이야기를 하는 회사가 오랜 세월 의료기기를 개발해온 애보트이기에 링고도 기대해볼 만하다.

애보트는 링고·프리스타일 리브레 외에도 2가지 제품을 더 가지고 나왔다. 심장 카테터를 통해 폐동맥에 작은 센서를 설치하고 베개 모양의 패드에서 심부전 징후를 무선으로 센싱하는 카디오MEMS HF$^{CardioMEMS HF}$, 뇌의 심부(흑색질)에 전선을 삽입해 파킨슨 환자의 도파민 분비를 자극하는 인피니티 DBS$^{infinity DBS}$ 시스템이다. 두 제품 모두 의료기기로 허가받아 환자를 대상으로 사용 중인 제품이라고 설명했지만, 여기에 사용된 기술이 링고와 같이 일반인 대상의 제품으로 탈바꿈해 다음 CES에서 발표할 수도 있음을 암시하는 것 같았다.

로버트 포드 CEO는 기조연설을 통해 탈중앙화와 민주화를 강조했다. 적재적소에서 적절한 검사를 할 수 있도록 하며, 모든 사람이 검사를 수행할 수 있는 미래를 이야기한 것이다. 사실 검사의 탈중앙화가 가져다주는 파급력은 포드 CEO가 말한 것 이상일 것이다. 의료체계의 말단에서 손쉽게 검사가 가능해지면 의료전달체계가 효율적으로 재정비되고, 좀 더 빠른 진단과 개입이 가능해진다. 원격소통수단을 통해 기본적인 진료와 의

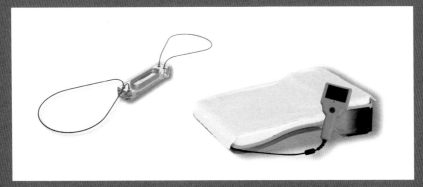

심장 모니터링기기인 카디오MEMS HF. (출처: 애보트)

사결정이 가능해질 수도 있다. 게다가 탈중앙화된 임상시험도 가능해져 천문학적인 비용과 시간이 소요되던 임상시험의 속도와 정확도가 비약적으로 개선될 수 있다.

코로나19로
탄생한
코비드테크

○ CES 2022의 헬스케어 제품 중 코로나19에 특화되어 탄생한 제품들이 단연 눈에 띄었다. 당연한 이야기지만 이전 CES에서는 찾아보기는 커녕 상상할 수도 없었던 코비드테크^{Covid Tech} 제품들이다. 거꾸로 코로나19가 종식된 이후 이 제품 중 어떤 제품이 살아남을지를 상상하면서 관람하는 재미도 있었다.

필수품이 된 마스크, 스마트하게 변신

먼저 코로나19로 인해 모두가 착용하게 된 안면 웨어러블인 마스크 관련 제품이 눈에 띄었다. CES 2021에 LG전자가 이미 퓨리케어 마스크를 선보인 바 있었는데, 이번엔 더 다양한 기업들의 제품들이 등장했다. 프랑스 기업인 에어크좀^{AIRXOM}의 스마트마스크는 VR기기 같은 외형에 전원공급선까지 필요하다. 내부에 바이러스를 살균하는 UV라이트가 있고, 특수 정전 필터를 통해 99.94%까지 코로나 바이러스를 걸러낸다고 한다. 착용한 모습이 자연스럽지는 않지만, CES에 가지고 나온 제품이 목업^{mock-up} 정도의 완성도를 보여서 최종 완성단계의 제품은 좀 더 개선될 것으로 기대해볼 만하다.

같은 프랑스 기업이지만 에어로네스트^{Aeronest}의 스마트마스크는 좀 더 실용적이다. 마스크 내부에 흡기팬을 달아 마스크 필터를 통해 바깥 공기

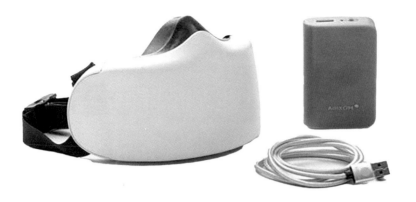

에어크좀의 스마트마스크. (출처: 에어크좀)

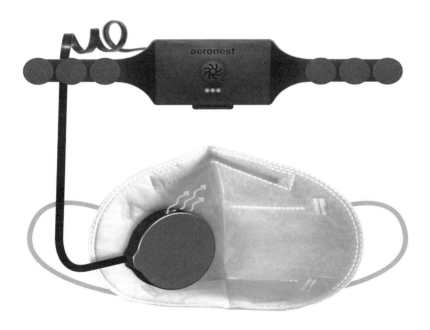

에어로네스트의 스마트마스크. (출처: 에어로네스트)

를 빨아들여 마스크 안으로 공급해준다. 오랜 시간 마스크를 착용할 때 호흡의 불편함을 해소해줌과 동시에 호기의 습도를 낮추어 안경의 김 서림도 좀 덜하다. 판매 직전 단계의 제품으로 보여 직접 하나를 구매해 착용해 봤는데, 개인적으로는 마스크 안쪽 좁은 공간에 위치한 흡기팬에 입술이 걸려 불편했다.

2년 가까이 쓰고 다녀 이제는 익숙해질 법도 한데, 여전히 마스크를 쓰는 것은 불편하다. 이러한 불편함을 극복하기 위한 노력이 스마트마스크를 탄생시킨 원동력이었을 것이다. 스마트마스크도 좋지만 빨리 마스크를 벗을 수 있는 날이 오기를 바란다.

손 닿는 모든 곳을
살균하고 소독하는 제품들

코로나19 관련 일상의 아이디어 제품들도 눈에 띄었다. 일상에서 흔하게 사용했던 물건들이 감염의 온상이 되었고, 주로 이러한 문제를 해결하기 위한 제품들이다. 그중에서도 서빙로봇으로 유명한 한국 기업인 비전세미콘Vision Semicon은 코로나 감염 안심 스마트테이블을 선보였다. 식사와 같이 마스크를 벗을 수밖에 없는 상황에서 비말을 통한 감염위험을 낮추는 제품이다. 테이블 틈에서 에어커튼의 바람이 불어 올라와 옆에 앉은 사람과 대화할 때 비말을 날려 없애주는 효과가 있다고 설명한다. 더불어 적외선 센서로 좌석을 감지하여, 사람 앉아 있지 않을 때 수시로 UV라이트를 비춰 탁자를 살균·소독하는 기능도 있다. 에어커튼의 소음 정도나 판매

자동 볼펜 살균 디스펜서 스테리라이트. (출처: 스테리라이트)

가격 등은 알 수 없었으나, 식탁까지 이렇게 만든 코로나 바이러스가 원망스럽다.

관공서나 호텔 로비 등에 비치하면 좋을 것 같은 아이디어 상품도 있었다. 볼펜을 통과시키면 UV 라이트로 살균해 배급해주는 스테리라이트Steri-Write다. 여러 사람이 잠깐씩 쓰는 공용 볼펜을 통해 코로나 바이러스가 전파될 수 있으니 펜을 소독하자는 것이겠지만, 750달러(약 90만 원)라는 다소 비싼 가격에 비하면 실질적으로 감염을 억제하는 효과가 얼마나 있을지는 미지수다. 물론 업장에서 고객에게 감염 예방을 위해 사소한 부분까지 신경 쓰고 있다는 메시지를 주고자 한다면, 코로나 시국에 B2B 혹은 B2G 수요를 충분히 끌어낼 수 있지 않을까 싶다.

성장이 기대되는 진단·검사 관련 기술

마지막으로, 코로나19 진단 관련 제품들도 많이 찾아볼 수 있었다. 검사 기술은 코로나 바이러스 외에 다른 분야에도 응용될 수 있기 때문에, 코로나19와 상관없이 기술의 성장 가능성을 기대할 수 있는 분야다.

한국기업 중에 눈에 띄었던 건 바이오트**Biot**의 비대면 검체채취로봇 래피드 플랫폼**RAPIDS Platform**이다. 콧구멍 한 번 찌르자고 이런 기계까지 동원해야 하나 싶지만, 아프지 않게만 찔러준다면 고마울 것 같다. 현재 버전은 검사자가 다른 장소에서 카메라를 보고 조이스틱을 통해 검체를 채취하는 방식인데, 촉각 피드백**tactile feedback**★이 없는 로봇팔이라 잘못 찌르면 더 아플 수도 있다. 그리고 앞사람이 얼굴을 댔던 곳에 얼굴을 대는 게 비위생적이지 않을까 하는 걱정도 들지만, 현장에서 잘 관리한다면 문제는 없을 것 같다. 현재 유럽의 몇몇 국가에 수출되어 출입국 관리에 사용되고 있다고 한다.

★ 로봇의 움직임을 제어하기 위하여 촉각 센서의 정보를 피드백하는 방법.

이번 CES 2022에서 최고혁신상을 받은 그래필**Grapheal**의 테스트앤패스**TestNPass**도 많은 주목을 받았다. 기존 신속진단키트와 비슷하지만 이 키트는 스마트폰과 연동해 테스트 결과를 확인할 수 있다는 차별점이 있다. 사실 기술적으로 구현하기 어려운 것은 아니고, 기존의 진단키트도 아날로그 방식으로 충분히 신뢰할 만한 결과를 알려준다는 점에서 당장은 큰 의미가 없어 보이지만, 측정 데이터를 디지털화하여 저장하고 전송해 전자의무기록과 연동시켜 관리할 수 있다는 점에서 향후 다른 검사 항목으로 확대 적용해볼 수 있을 것이다.

헬스케어: 코로나19가 앞당긴 디지털 헬스케어의 미래

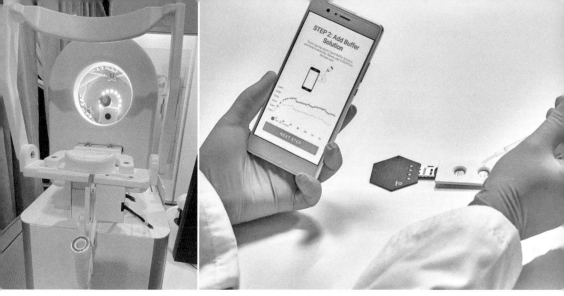

바이오트의 비대면 검체채취로봇 래피드 플랫폼(왼쪽), 그래필의 테스트앤드패스(오른쪽).
(출처: 강성지, 그래필)

호흡만으로도 검출하는 바이러스

코비드테크를 이야기하며 바이러원Virawarn의 제품을 빼놓을 수 없다. 이 회사는 전시장에 수십 개의 코로나 바이러스 모형을 걸어놓고 홍보해 단연 눈에 띄었다. 바이러원이 공개한 제품은 PCR 검사 없이 내뱉는 숨을 분석하는 것만으로 코로나 바이러스를 검출하는 기기다. 자세한 원리를 공개하지는 않았으나 호기 스펙트럼 분석법을 사용할 것으로 추정된다. 날숨을 불어 5초 만에 결과를 얻을 수 있으니, 가정마다 구비해놓고 아침저녁으로 온 가족이 한 번씩 불어봐도 좋을 것 같았다.

신속진단키트 정도의 정확도만 나와도 좋을 텐데, 최적표준gold standard과 비교한 데이터가 있는지 물었더니 그것을 제시하지는 못했다. 시연이라도 해보고 싶어서 시연을 요청했더니 괜히 시연했다가 전시장에서 코로나 양성 결과가 나오면 큰일 나기 때문에 해줄 수 없다는 답변을 들었다. 가격까지 붙여놓은 것을 보니 출시가 멀지 않은 것 같았지만, 아직 만듦새는 프로

바이러원의 호기형 코로나19 진단기기. (출처: 바이러원)

토타입에 가까웠다. 가까운 시일에 출시하기는 어려울 것으로 보였지만, 내년 CES에서는 좀 더 완성된 모습을 볼 수 있길 기대한다.

코로나19 상황이 지속되며 많은 코비드테크가 CES에 등장했다. 하지만 코로나 상황에만 기대어 시장을 바라보는 전략은 지속가능하지 않을 것이다. 모두가 진정으로 바라는 것은 코로나19의 종식이고 인류는 그 목표를 달성할 것이기 때문이다.

FDA 승인으로
신뢰도 높인
헬스케어 서비스

○　　　많은 기업이 원대한 미래를 그리지만, 간혹 지킬 수 없는 약속도 남발하는 곳이 CES다. 헬스케어 분야에서도 소비자의 건강을 담보로 장밋빛 미래만 그려놓고 지킬 수 없는 약속을 한 사례들이 존재해왔다. 하지만 마지막에 웃는 것은 항상 정도正道를 걷는 기업이었다.

신뢰의 상징 FDA 허가로
후발주자를 따돌리다

프랑스 기업인 위딩스**Withings**는 가장 오랫동안 독립적으로 살아남은 헬스케어 웨어러블·IoT 회사 중 하나다. 과거 CES에서 핏빗**FitBit**, 조본**Jawbone**, 미스핏**Misfit**, 나이키**Nike** 등과 함께 웨어러블의 전성시대를 누렸고, 당시 사람들은 웨어러블이라는 단어만으로도 신선함을 느꼈다. 하지만 신선함이 익숙함으로 바뀌는 데엔 오랜 시간이 걸리지 않았고, 하나둘씩 사업을 접거나 포기하게 되어 CES 2022에서는 위딩스 혼자 쓸쓸히 같은 자리를 지키고 있었다.

하지만 위딩스가 살아남은 것은 우연이 아니다. 과거에도 하드웨어를 통해 소비자에게 전달하고자 하는 서비스의 본질을 고민한 흔적이 느껴지는 회사였고, 그 본질은 결국 건강이었기 때문에 이들은 꾸준히 헬스케어 서비스를 강화했다. 물론 다른 후발주자들도 헬스케어 서비스를 만들었다.

FDA 허가로 위상을 확고하게 한 위딩스의 부스. (출처: 위딩스)

하지만 위딩스는 묵묵히 자사의 서비스 효과를 숫자로 증명할 임상시험을 진행하며 미국식품의약국Food and Drug Administration, FDA의 허가를 받아 의료기 기기업의 반열에 오르게 된다. FDA의 허가는 단순한 훈장이 아니었다. 소비자가 믿고 쓸 수 있는 검증된 제품을 뜻하는 신뢰의 상징이다. 그것으로서 위딩스는 후발주자를 확실하게 따돌렸다.

이번 CES 2022에서 위딩스는 심전도 측정기능이 포함된 전신 체성분분석계를 선보였다. 사실 국내에서 체성분분석계는 식약처 허가 없이도 판매되는 제품군이다. 하지만 위딩스는 측정의 정확도를 담보하기 위해 임상시험을 진행했고, 현재 FDA 허가 절차를 밟고 있다고 한다. 그래서 허가를 받기 전까지는 출시할 계획이 없다고 한다.

스마트워치만 만들던 위딩스가 임상시험을 통해 의료 데이터를 다루고 규제기관의 허가까지 받아낸 결과는 이번 CES에서 빛났다. 그리고 위딩스의 부스는 이제 애보트라는 걸출한 의료기기기업 옆에 당당하게 자리 잡았다.

정확도와 편의성을 다 잡은
수면다원검사 기기

위딩스 옆의 작은 부스에는 수면다원검사^{polysomnogram} 웨어러블 기기를 개발한 네덜란드의 오네라^{Onera}도 있었다. 수면다원검사는 수면의 질과 양을 측정하고 수면질환과 장애를 찾아내는 검사인데 보통 뇌파부터 심전도까지 온몸에 센서를 줄줄이 달고 병원에서 하룻밤 자야 하는 검사다. 여러 장비가 동원되기 때문에 집에서 하는 것은 불가능하고 병원에서 검사할 수밖에 없다. 하지만 환자 입장에서는 수면 환경이 바뀌고 여러 장비를 착용하면 평소와 같이 잠들기가 어렵다.

오네라의 장비는 이마와 가슴에 간단히 부착하는 웨어러블기기로 수면다원검사의 항목들을 동일하게 측정할 수 있다는 점이 특장점이다. 발전된 기술을 적용해 정확도와 편의성이라는 두 마리 토끼를 다 잡은 것이다. 오네라의 웨어러블기기 또한 의료기기이며, 정량적 수면을 측정하는 데 합리적인 대안이 될 수 있을 것으로 기대한다.

CES가 끝나고 나면 곧바로 3월에 라스베이거스에서 북미의료정보경영

수면다원검사 웨어러블기기를 개발한 오네라의 부스. (출처: 강성지)

학회Healthcare Information and Management Systems Society, HIMSS 같은 박람회가 개최된다. 때문에 소비자 가전 쇼인 CES에서 가전이 아닌 의료기기가 등장한다는 것은 과거에는 상상하기 힘든 일이었다. 하지만 의료기기의 일상화·헬스케어기기의 전문화가 동시에 이루어지면서 애보트는 일반인을 위한 기기를 만들고, 위딩스는 의료기기를 만드는 영역파괴 현상이 눈앞에서 벌어지고 있었다.

이러한 혼돈의 시대에 신뢰의 가치는 더욱더 높아질 것이고, FDA 허가가 소비자에게 주는 가치는 더욱 커질 것이다. 다시 말하지만, 마지막에 웃는 것은 정도를 걷는 기업이 될 것이다.

슬립테크
전성시대

○   코로나19로 인해 집에서 너무 긴 시간을 보내게 되었다. 그러다 보니 일주기 리듬이 무너지고, 우울감과 불안감을 호소하며 수면장애에 시달리는 사람도 늘었다고 한다. 아마도 슬립테크^{Sleep Tech}의 성장은 이러한 현상과 무관하지 않을 것이다. 이번 CES 2022에 헬스케어기업이 모인 노스홀을 슬립테크기업이 점령해 마치 거대한 침대 박람회에 온 것 같은 착각을 불러일으킬 정도였다. 당연히 관람객들도 하나같이 침대에 누워서 전시를 관람하는 진풍경을 연출했다.

이제 정말로 가구가 아닌 과학이 된 침대. [출처: 강성지]

수면을 측정하고 개선하는 제품들

CES 2022에 나온 수많은 스마트침대의 기능을 크게 2가지로 분류하면, 수면을 측정하는 기능과 개선하는 기능으로 나눌 수 있다. 먼저 측정기능은 코골이·심박수·호흡수·뒤척임 등을 감지한다. 잘 자려면 자신이 잠을 어떻게 자는지 인지하는 것이 우선이다. 측정에 초점을 맞춘 제품은 매일의 수면을 정량적으로 측정해 평가하고 비교해준다. 그럼으로써 깨어 있는 시간의 생활습관까지도 개선할 수 있도록 유도하는 방식이다.

한편 수면을 개선하는 기기는 조금 더 직접적으로 수면 자체에 개입한다. 필요에 따라 자세를 바꿔주거나 체압에 따라 매트리스의 단단한 정도를 바꿔주고 혹은 수면에 맞는 온도로 조절해주기도 한다. 좋은 잠을 잘 수 있는 좋은 환경을 만들어주는 게 이러한 제품들의 특징이다. 물론 측정과 개선을 모두 제공하는 제품도 있다. 만약 너무 많은 스마트침대와 스마트매트리스기업을 일일이 살펴볼 엄두가 나지 않는다면 스마트침대의 원조이자 부동의 1위인 슬립넘버^{Sleep Number}부터 살펴볼 것을 추천한다.

많은 슬립테크기업이 수면에 관한 기술을 설명하기 위해 전시장에 침대를 가져다 놓았지만, 침대를 활용하지 않고 수면을 측정하거나 개선하는 기술들도 많이 선보였다. 올해는 유독 국내 기업들의 활약이 돋보이기도 했다.

캐나다에 본사를 둔 한국 기업 젠다카디언^{Xandar Kardian}이 대표적이다. 침대 머리맡에 설치하거나 벽에 붙일 수 있도록 디자인된 초광대역 근거리^{Ultra Wide Band, UWB} 레이더를 활용해 비접촉식으로 호흡·맥박·뒤척임을 측정하는 기술을 선보였다. 한양대 융합전자공학부 조성호 교수 연구팀의 연

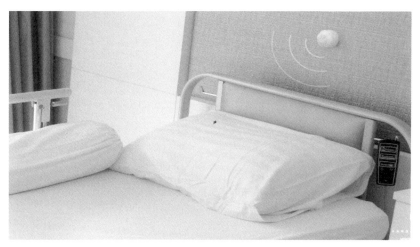

젠다카디언의 UWB 레이더 방식 수면 측정기. (출처: 젠다카디언)

구를 기반으로 FDA의 의료기기 승인을 받아 판매 중이라고 한다.

CES 2021에서 3개의 혁신상을 받았던 젠다카디언은 올해에도 5개의 혁신상을 수상했다. 자세히 살펴보니 수면뿐만 아니라 차량 내부의 승객부터 스마트시티까지 다양한 상황에서 UWB 레이더를 활용한 비접촉 건강측정 방식을 개발하고 있었다. 자율주행 구동을 위해 차량 바깥에 설치하는 레이더지만, 같은 원리가 차량 내부를 향할 때는 디지털 헬스케어가 되었다.

젠다카디언 부스 옆의 또 다른 한국기업인 에이슬립Asleep은 레이더가 아닌 와이파이를 활용해 호흡·맥박을 측정하는 기술을 선보였다. 시끄러운 전시장 안에 조용한 암실을 만들고 침대를 중심으로 양쪽에 와이파이를 송수신하는 스피커 형태의 기기를 놓고 시연했다. 와이파이 신호도 레이더처럼 방사형으로 퍼지는 특성을 가졌기에 물체에 반사되거나 굴절되는 특징을 분석하면 이론적으로는 재실 감지를 비롯하여 호흡·맥박 같은 미세한 움직임까지 측정이 가능하다. 레이더와 비교하면 해상도는 떨어지지만, 저렴하고 보급률이 높은 와이파이를 활용하기에 범용기기에서 더 쉽게 활용할 수 있을 것으로 기대한다.

좋은 잠에 대한 높아진 관심

CES 2022를 통틀어서 가장 완벽한 전시를 보여줬다고 생각하는 한국기업은 텐마인즈^{10minds}였다. 특히 인상적이었던 모션필로우^{Motion Pillow}는 에어포켓이 들어 있는 베개와 그 베개의 에어포켓과 연결된 기기로 이루어졌다. 베개에 연결된 기기에는 마이크가 내장되어 있어서 사용자의 코골이 소리를 감지한다. 마이크에 코골이 소리가 감지되면 기기에 내장된 펌프를 통해 베개 안에 있는 에어포켓에 공기를 밀어 넣어 부드럽게 고개를 돌려 코를 골지 않도록 해준다. 물론 양압기^{Continuous Positive Airway Pressure, CPAP}와 같이 수면무호흡증 환자의 치료를 위해 처방되는 의료기기도 이미 있다. 하지만 모션필로우는 코골이 방지 베개로 포지셔닝해 일반 사용자도 부담 없이 선택할 수 있다는 점에서 매우 현명하게 제품과 시장을 창출해 냈다고 생각한다.

우리는 보통 하루에 8시간 정도 잔다. 인생의 3분의 1을 침대에서 보내는 셈이다. 좋은 잠은 낮 시간의 생산성으로 이어지고, 또한 낮 시간의 생활습관이 좋은 잠을 잘 수 있게 한다. 기술의 발전을 통해 미지의 영역이었던 잠에 대해 좀 더 잘 이해하고, 이를 개선할 수 있게 된 것은 매우 환영할

코골이 감지와 방지 기능을 제공하는 텐마인즈의 모션필로우. (출처: 텐마인즈)

만한 일이다.

　사회의 발전과 함께 정신건강에 대한 관심 역시 날로 증가하고 있다. 그중 좋은 잠에 대한 관심은 압도적으로 높다. 그런 면에서 앞으로 더욱 다양한 슬립테크 제품과 기술을 CES에서 만나볼 수 있으리라 기대한다.

포문을 연
홈헬스케어,
제2의 펠로톤은
누구?

○　코로나19로 인해 집 안에 있는 시간이 늘어나면서 실내에서 사용자가 자발적·주도적으로 건강을 관리하기 위한 수단 또한 발전하고 있다. 피트니스시장의 넷플릭스로 불리며 급부상한 펠로톤^{Peloton}은 가장 대표적인 홈헬스케어기업으로, 시가총액이 113억 달러(약 13조 원)에 달한다. CES 2022에도 많은 홈헬스케어기업이 참가했고, 부스에서는 제2의 펠로톤을 꿈꾸며 도전하는 기업들이 각축전을 벌였다.

스마트자전거·스마트로잉머신·스마트러닝머신을 모두 가지고 나온 에슬론^{Echelon}은 대놓고 자신들을 "제2의 펠로톤"으로 소개했다. 기구의 만듦새나 디자인은 펠로톤에 비해 부족해 보였지만, 가격이 더 저렴하고 기능도 더 다양하다고 한다. 전형적인 패스트팔로워 전략이기 때문에 특별한 계기가 없다면 퍼스트무버를 따라잡기는 쉽지 않아 보인다. 하지만 시장에는 다양한 니즈를 가진 소비자들이 존재하기에 가격에 민감한 소비자들에게는 훌륭한 대안이 될 것으로 기대한다.

스마트자전거를 잇는
스마트운동기구들

펠로톤과 전혀 다른 형태의 운동기구를 선보인 클라이머^{CLIMBR}와 하이드로우^{Hydrow}도 많은 관람객의 눈을 끌었다. 클라이머는 이름에서 유추할

제2의 펠로톤을 꿈꾸는 에슬론의 스마트자전거(왼쪽)·클라이머의 전신운동기구(오른쪽). (출처: 강성지)

수 있듯, 손잡이를 잡고 사다리를 오르는 자세로 상하운동을 하는 전신운동기구다. 펠로톤은 자전거 형태라 하체운동 위주일 수밖에 없지만, 클라이머는 상체를 포함한 전신운동이 가능하다는 점이 인상적이다. 얼핏 보면 동작이 단순하고 반복적이어서 지루할 것 같지만, 펠로톤처럼 눈앞에 커다란 디스플레이가 달려 있다. 이 화면에 트레이너가 등장해 신나는 음악과 함께 구호를 외치는 콘텐츠가 제공되기 때문에 지루할 틈을 주지 않고 운동하게 만든다.

하이드로우의 스마트로잉머신에는 커다란 화면이 달려 있는데, 기구 자체의 완성도도 아름답지만 다른 운동기구와의 차별점은 콘텐츠다. 펠로톤을 비롯한 대부분의 스마트운동기구는 화면에 트레이너가 출연해 비트 있는 음악과 입담으로 엉덩이를 들썩이게 만든다. 하지만 하이드로우의 콘

헬스게이. 코로나19가 앞당긴 디지털 헬스케어의 미래

화면을 보고 있는 것만으로도 마음이 편안해지는 하이드로우의 스마트로잉머신. (출처: 강성지)

텐츠는 마치 북유럽에 있을 것만 같은 호수 풍경을 비춰주며 노를 젓는 사람이 마치 그 속에 있는 듯한 착각을 불러일으킨다. 각박한 도시에서 살며 느끼는 자연에 대한 갈증을 잠시나마 해소해주니 명상하는 기분마저 든다. 몸의 단련과 마음의 수양을 함께 해줄 수 있는 기구이기에 그 자리에서 구매하고 싶은 충동이 들 정도였다.

전신형 웨어러블 플랫폼, 홈힐링캡슐까지

홈헬스케어 시장에서 한국기업의 선전도 빛났다. 먼저, 넷마블^{Netmarble}로

다양한 디자인의 코웨이 제품과 스마트침대. (출처: 코웨이)

바디프랜드의 산소방출 안마의자 파라오 오투. (출처: 강성지)

주인이 바뀐 코웨이^{Coway}는 BTS를 모델로 내세워 눈길을 끌었다. 홈헬스케어가전의 명가답게 다양한 디자인의 공기청정기·정수기 같은 헬스케어가전을 내세웠고, 과거에 비해 기능보다 디자인에 조금 더 집중한 듯했다. 예전에 선보였던 스마트비데 같은 제품은 더 이상 출품하지 않았지만, 독립 에어포켓으로 신체 압력에 맞춰지는 개선된 스마트침대가 그 아쉬움을 달랬다.

바디프랜드는 코웨이와 비슷하게 헬스케어사업과 렌탈가전사업을 운영하고 있지만, 두 회사의 비전이 확실히 다르다는 것을 알 수 있었다. 바디프랜드는 CES 2022에서 안마의자에 집중하는 전략을 보였다. CES 혁신상을 받은 산소방출 안마의자 파라오 오투^{Pharaoh O2}를 비롯해 양쪽 손의 안마 부위에 내장된 전극을 활용한 체성분분석·심전도측정 안마의자까지 선보였다. 이는 안마의자를 전신형 웨어러블 플랫폼으로 격상시키고 궁극적으로 홈힐링캡슐로의 진화를 꿈꾸는, 바디프랜드만이 그려낼 수 있는 비전이다. 일부 기능들은 식약처로부터 의료기기 인증까지 획득했다고 한다.

디지털
헬스케어는
서비스
소프트웨어
경험이다

O 　　2021년 연말, 삼성전자는 무선사업부·가전사업부·디스플레이사업부를 통합해 DX사업부 즉, 디바이스경험사업부로 재편했다. 조직개편의 결과는 CES 2022 삼성전자 부스에서 곧바로 느낄 수 있었다. 갤럭시워치가 사용자의 손목 위에서 산소포화도·체성분·심전도를 측정하고, 측정된 데이터는 스마트폰에 설치된 삼성헬스 앱으로 전송된다. 이 데이터는 하만Harman이 개발한 차량 내 탑승자 헬스케어 기능에 제공되어 사용자의 탑승 전후 상태를 보다 정확하게 인지할 수 있도록 차량 내 센서와 함께 작동한다.

사람들은 흔히 CES를 웨어러블·모빌리티·메타버스·로봇처럼 기술로 카테고리를 나눠 이야기한다. 하지만 어떤 기술이든 헬스케어경험을 중심으로 사용된다면 그것이 디지털 헬스케어다. 우리는 디지털 헬스케어가 기술의 한 카테고리가 아니라 서비스이자 소프트웨어이고 경험이라는 것을 잊지 말아야 한다.

이해를 돕기 위해 갤럭시워치를 예로 들어보자. 사실 갤럭시워치의 하드웨어는 심박 센서와 전극이 포함된 이후 크게 변한 것이 없다. 하지만 소프트웨어 알고리즘 업데이트를 통해 어느 순간 심박 센서가 심박수와 함께 산소포화도를 측정하기 시작했고, 내장된 전극에서 각각의 다른 알고리즘이 체성분과 심전도를 측정해 알려주었다. 바뀐 것은 내장된 소프트웨어의 코딩 몇 줄이지만 소비자 입장에서는 완전히 다른 서비스를 경험하게 된다. 이 모든 경험은 코딩 몇 줄을 삭제하면 다시 사라진다.

메드트로닉의 저혈당 예측 연속혈당측정기 가디언 센서와 관리 앱. (출처: 메드트로닉)

다양한 기기가 갤럭시워치와 같이 처음엔 수동적으로 사용자의 건강을 살피는 데 그쳤지만, 데이터의 축적과 알고리즘 개선을 통해 진단·예측 및 치료에 개입하는 수준에 가까워지고 있다. 이것은 모두 환자에게 제공되는 의료기기의 경험이 된다. 소프트웨어 자체가 의료기기가 되고[Software as Medical Device, SaMD], 하드웨어는 소프트웨어 설치 유무에 따라 의료기기와 비의료기기를 넘나드는 모호한 경계에 선 상황이 되었다.

애보트의 프리스타일 리브레 이전에, 또 다른 글로벌 의료기기기업인 메드트로닉[Medtrinic]이 IBM과의 협업을 통해 환자의 저혈당 쇼크를 수 시간 전에 예측할 수 있는 알고리즘을 공개한 적이 있다. 혁신적 센서와 AI의 협업으로 이전에는 상상도 할 수 없었던 SaMD 서비스가 탄생한 것이다.

앞으로 혈당 센서는 스마트워치에 들어가 피를 뽑지 않고도 혈당 측정이 가능해지고, AI는 더 많은 데이터를 학습하여 정확도를 높일 것이다. 앞에서 언급한 2가지 기술이 완성형에 이르렀을 때 스마트워치에서 저혈당 쇼크를 경고하는 서비스가 등장하는 것도 시간문제다. 그 서비스를 CES에서 처음 선보일 회사가 삼성일지 애보트일지는 모르지만, 한 가지는 확실하다. 충분한 임상시험을 통해 FDA의 승인을 받고 누구나 신뢰할 수 있는 서비스여야 소비자는 받아들이고 사용한다는 것이다. 그러한 서비스만이 진정한 헬스케어 혁신이다.

헬스케어시장의 규모를
어떻게 설명할까?

"그래서 인구의 몇 퍼센트가 앓고 있는 질병입니까?"

IT기업에서 헬스케어시장을 검토할 때 흔히 하는 말이다. 무료사용을 미덕으로 여기고, 전 인류를 위한 제품을 만들었던 전기·전자·소프트웨어업계의 시각으로는 인구의 일부만을 대상으로 하는 헬스케어사업이 도저히 매력적으로 보일 리 없다. 그렇다면 수백조 원의 매출을 올리는 제약 관련 기업·의료기기 관련 기업이 존재하는 거대한 헬스케어시장을 어떻게 설명할 수 있을까?

노바티스에서 개발한 급성림프구성백혈병 치료제인 킴리아^{Kymriah}를 예로 들어보자. 킴리아는 임상시험에서 83%의 확률로 난치성 급성림프구성백혈병을 완치해 FDA 허가를 받고 시장에 출시된 혁신적인 유전자치료제다. 급성림프구성백혈병은 9세 이하의 아동에서 호발해 국내에서도 많은 환아의 보호자가 약의 도입과 보험적용을 원하고 있지만, 비싼 약가로 인

SAMSUNG

제품의 가치	스마트폰 TV 냉장고 세탁기 청소기
	고객의 수

제품의 가치	면역치료제	정신질환치료제	진통제	항암제	항생제	혈압강하제	진해거담제	진정제	골격근이완제	백신
					고객의 수					

원가를 기반으로 한 '모두를 위한 제품'과 가치를 기반으로 한 '소수를 위한 제품'의 차이.

해 난항을 겪고 있다. 이 약의 가격은 무려 5억 원이다.

여기서 5억 원이라는 말도 안 되는 가격이 산출된 근거는 원가 기반의 가격산정이 아니다. 재료비는 말할 것도 없고, 연구개발에 들어간 비용을 원가에 넣어도 저 가격이 나오지 않는다. 신약처럼 경쟁제품이 없는 독점 시장에서는 가격결정의 권한이 공급자에게 있다고 해도 왜 5억 원이나 받아야 하는지에 대한 논리는 필요하다.

이러한 가격산출의 답은 임상시험 데이터에 기반한 목숨값이다. 만약 약을 복용한 실험군이 약을 복용하지 않은 대조군보다 1년을 더 산다는 사실을 임상시험의 결과로 증명한다면 환자는 약이 아니라 데이터를 복용하는 것이고 1년이라는 시간이 담긴 타임머신을 선물로 받는 것이다. 경제학에는 1인당 GDP라는 개념이 있다. 한 국가의 한 국민이 1년 동안 생산한 재화 및 서비스의 부가가치를 시장가격으로 평가한 수치로 미국은 5만 달러, 한국은 3만 달러 수준이다. 환자가 치료제를 복용하고 1년이라는 시간을 더 얻게 된다면 그 시간 동안 1인당 GDP에 해당하는 수익을 창출할 수 있고, 치료제의 가격이 1인당 GDP보다 저렴하다면 환자 입장에서도 이득이 된다.

킴리아의 경우 어린아이를 대상으로 완치를 기대할 수 있는 치료제다. 완치될 경우 환아는 약을 통해 기대수명(2020년 기준 한국인의 경우 83.3세)까지의 삶을 보장받게 되는 것이고, 평생 벌 수 있는 기대수입에 비하면 5억 원이라는 가격은 사실 그리 비싼 것이 아닐 수도 있다.

디지털 헬스케어의 진정한 가치를 구현하고 인정받기 위해서는 디지털과 헬스케어의 서로 다른 철학을 이해하고 통섭하는 지혜가 필요하다. 수평적 전략을 지향하는 디지털과 수직적인 전략을 지향하는 헬스케어가 만나 T자형 전략을 구사할 수 있을 때 진정한 헬스케어의 디지털 전환, 즉 디지털 헬스케어가 완성될 것이다.

포스트 코로나 시대, 헬스케어 산업의 변화와 전망

○　　이제 세상은 코로나19 바이러스가 등장하기 전과 후로 나뉘었다. 방역수칙에 따른 이동제한으로 업황이 나빠진 산업도 있고, 언택트 시대의 기회를 맞아 급격히 성장한 산업도 있다. 그중 바이오·의료산업이 급격히 성장했음은 CES 2022에서도 확인할 수 있었고, 모두가 인정하는 사실이다.

포스트 코로나 시대를 전망하기 위해서는 먼저 감염병에 대한 이해가 필요하다. 역사적으로 코로나19 같은 전 지구적 감염병 창궐은 반복됐고, 대부분 여러 세대의 변이를 거치며 치명률이 낮아져 풍토병이 되었다. 코로나19 또한 예외는 아니다. 오미크론 변이 이후에도 다양한 변이가 나타날 수 있지만 결국 서서히 잦아들 것이다. 여기서 주목해야 하는 것은, 인류의 활동반경이 넓어지고 교류가 활발해지면서 제2의 코로나19나 메르스가 더 잦은 주기로 인류를 괴롭힐 것이라는 예측이다. 상시적 감염병 발생과 유행의 시대를 맞이해 헬스케어산업은 다음과 같은 3가지 변화를 맞이할 것이다.

빠르고 정확한 감염병 관리체계의 등장

빠르고 정확한 감염병 관리체계가 등장할 것이다. 클라우드 기반 전자의무기록**EMR**을 통해 동시다발적으로 등록되는 의료기관의 수많은 질병 데이터 속에서, 앞으로는 AI가 일반적인 감기와는 다른 감염병 발생 패턴을 감지할 수 있을 것이다. 환자 발생을 조기에 감지하면 신속진단키트를 활용해 조기진단도 할 수 있다. 감염병으로 확진되면 본인 동의 하에 스마트폰을 포함한 다양한 출처를 통해 관련 데이터를 조회할 수도 있다. 예를 들어 통신사 기지국 접속내역·카드 결제내역 등으로 감염병의 역학을 조사하고, 동선이 겹치는 잠재적 밀접접촉자에게 선제적으로 알림으로써 추가적인 확산을 효과적으로 차단할 수 있다.

더 신속해지고 간소해지는 임상시험

신속하고 간소화된 임상시험이 가능해질 것이다. 새로운 감염병이 발견되면 가장 먼저 준비해야 하는 것이 백신과 치료제다. 감염병의 발생기전을 이해하고 이를 차단할 수 있는 기술의 개발과 임상 검증이 동시에 이루어져야 한다. 기존에 10년 이상 걸리던 신약개발·임상시험·인허가의 과정이 코로나19 상황에서 비약적으로 단축된 바 있다. 그 과정에서 AI로 신약 후보물질을 추려내고, 컴퓨터 시뮬레이션으로 임상시험의 결과를 예측하여 최적화하는 기술들이 활용되었다. 또한 전자임상시험증례기록^{eCRF}을 적극적으로 활용해 비대면 임상시험^{Decentralized Clinical Trial, DCT}을 진행하고, 임상시험이 끝난 후에 인허가 자료제출을 위한 결과를 정리하는 데이터 분석도 AI의 도움을 받아 효율화한다.

임상시험이란 결국 질병치료에 대한 안전성과 유효성을 확인하는 데이터, 즉 엑셀 파일 하나를 만드는 과정일 뿐이다. 많은 국가가 임상시험의 본질은 지키되 형식적 요소들은 모두 간소화해 기술의 혁신을 장려하는 방향으로 변화하고 있다.

비대면 의료환경의 일상화, 대면과 비대면의 상호보완

비대면 의료환경의 일상화가 진행될 것이다. 감염병 방역을 계기로 이미 많은 분야에서 비대면이 일상이 되었다. 이는 바이오·의료산업도 예외는 아니다. 기존의 진료 프로세스 중에서 감염병의 위험을 감수하면서까지 대면으로 진행할 필요가 없다고 판단되는 부분들이 비대면화 대상으로 검토되고 있다. 비대면으로 전환할 때 상충하는 부분들을 고려해 활용범위가 결정될 것이다.

병원에서 이루어지는 모든 의료행위가 비대면으로 전환될 수는 없겠지만, 원격모니터링·원격진료 및 처방·디지털치료제 등의 형태로 대면과 비대면이 상호보완되어야 한다. 여기서 소비자와 공급자 모두에게 긍정적인 경험을 제공하는 것이 가장 중요하다. 누구나 새로운 서비스에 익숙해지는 데는 노력이 필요하다. 하지만 한번 익숙해지고 편리함을 경험하면 이전으로 다시 돌아가기 힘들다.

이상 3가지 변화는 다가올 헬스케어의 미래다. 그리고 코로나19는 변화의 속도를 높인 것뿐이다. 아마도 CES 2023에서는 이러한 미래가 더욱 빠르게 구현되는 것을 확인할 수 있을 것이다. 우리나라도 이러한 변화를 빠르게 인지하고 받아들여 더욱 경쟁력 있는 글로벌 헬스케어기업을 배출하고, 하루빨리 그 결과물들을 만나게 되기를 기대한다.

PART 4

모빌리티

혁신 토네이도의
핵심,
성큼 다가온
이동의 미래

정구민

서울대학교 제어계측공학과에서 학사·석사학위를, 전기컴퓨터공학부에서 박사학위를 받았다. 이후 스타트업 네오엠텔과 SK텔레콤에서 근무했다. 현재 국민대학교 전자공학부 교수로 재직하면서 현대자동차, LG전자, 삼성전자, 네이버 자문교수와 유비벨록스 사외이사를 역임하는 등 업계와 학계를 두루 거친 국내 최고의 모빌리티 전문가로 인정받고 있다. 현재 (주)휴맥스 사외이사, 국가과학기술자문회의 기계소재전문위원회 위원, 한국모빌리티학회 부회장, 한국정보전자통신기술학회 부회장, 대한전기학회 정보및제어부문 이사로 재임 중이다.

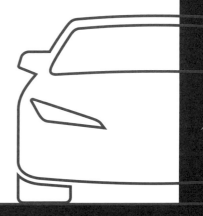

개인화·고령화·도시화에 따른 사회 변화는 모빌리티 관련 산업의 큰 발전과 변혁을 가져오고 있다. 특히 이번 코로나19는 이에 큰 영향을 끼쳤다. 사용자의 이동이 크게 줄면서 승차공유 같은 사용자 이동과 관련된 산업은 어려움을 겪었지만, 배송 같은 사물이동과 관련된 산업은 성장했다. 또한 로봇을 이용한 자동화와 관련된 산업도 가파른 성장세를 보였다. 모빌리티산업은 자동차·트럭·배송로봇·오토바이 및 자전거·퍼스널모빌리티·사용자로봇 등의 다양한 영역으로 뻗어나가 물류·교통·배송·에너지·쇼핑·금융·결제 등 서비스 영역의 발전을 이끌고 있다.

CES 2022에서도 모빌리티 관련 전시는 규모·참가기업 수·타 산업과의 연계 등 여러 측면에서 중요한 전시였다. CES도 185개 이상의 브랜드가 참여하여 주목해야 할 기술 트렌드를 발표하는 'CES 2022에서 주목해야 할 테크트렌드' 디지털 키노트를 통해서 모빌리티를 핵심 트렌드로 제시했다. 이번에 모빌리티 전시는 새로 만들어진 넓은 웨스트홀로 자리를 옮겼지만 전시장 외부 곳곳에서 시승 행사나 시연과 같은 다양한 전시가 이어졌다.

CES는 전통적으로 가전이 중심이었으나 약 10년 전부터 모빌리티 전시가 큰 주제가 되어왔다. 2012년에는 메르세데스-벤츠의 첫 전시와 기조연설이 있었으며, 2014년에는 자동차 전시가 본격적으로 시작되었다. 2017년에는 현대자동차의 라스베이거스 자율주행 시연 같은 자율주행 전시가 눈에 띄게 늘었다. CES 2022에 들어오면서 모빌리티는 명실상부하게 CES의 핵심이 된 모습이었다.

뮌헨모터쇼(구 프랑크푸르트모터쇼)·파리모터쇼·디트로이트모터쇼 등 세계적인 모터쇼들의 위상이 낮아진 상황에서 CES는 자동차기업에게 전기차·자율주행·소프트웨어·서비스 등 IT기술·친환경기술·자율주행기술을 전 세계 소비자들에게 소개하는 중요한 무대로 주목을 받고 있다. 업계에서도 CES는 모터쇼 이상의 프리미엄급 전시회로 여겨진다.

다만 코로나19로 오프라인 전시가 원활히 열리지 못한 건 아쉬웠다. 코로나19가 아니었다면 모빌리티가 더 주목받았을 것이다. 현대자동차·스텔란티스^{Stellantis}·BMW 이외에 메르세데스-벤츠·폭스바겐^{Volkswagen}같은 독일의 주요 자동차기업과 웨이모·아마존 같은 미국 자율주행·서비스기업도 오프라인에 참여했다면 산업 발전을 주도하는 기술의 변화상을 짚어볼 수 있었을 것이다. 하지만 그럼에도 이번 행사는 3일 동안 모두 살펴보기 어려울 정도로 분명 다채로웠다. 벤츠·GM·웨이모는 온라인으로 신형 전기차와 함께 자사의 자율주행 전략을 발표하여 오프라인에 직접 참가한 업체들에 못지않게 패러다임의 변화를 실감케 하는 훌륭한 퍼포먼스를 보여주었다.

종합하면 전기차·자율주행·이동기기·메타버스·산업자동화를 이번 CES 2022의 주요 이슈로 정리해 볼 수 있다. CES 측이 전망한 대로 전기차·자율주행차 관련 전시가 크게 늘었으며 플러그 앤드 드라이브 같은 자율주행기술 또한 눈길을 끌었다. 이동 플랫폼 기반의 이동기기 확산, 메타모빌리티의 메타버스로의 산업 확장, 비대면 환경으로 인한 자동화 관련 전시도 활발했다.

현대차와 BMW는 전시장에서 단연 돋보였다. 현대차는 메타모빌리티 발표를 진행했고 새로운 모빌리티 플랫폼 모베드MobED, Mobile Eccentric Droid를 선보였다. BMW는 고성능 전기차 iX M60와 차량 색상을 바꾸는 iX플로우iX Flow를 들고 나왔다. 더하여 크라이슬러Chrysler의 전기차 콘셉트카 에어플로우Airflow도 인상적이었다. 베트남 빈패스트VinFast, 터키의 토그Togg, 일본의 소니도 전기차를 발표하면서 이제 전기차의 시대가 도래했다는 것이 실감되었다. 온라인에서는 벤츠의 고성능 전기차 EQXX, GM의 전기차 픽업 실버라도Silverado, 2인승 자율주행차 헤일로 이너스페이스Halo InnerSpace, 웨이모의 자율주행 전기트럭 발표도 이어졌다.

여러 부품사와 스타트업들은 전기차·수소차의 친환경 부품과 라이다·레이더와 같은 자율주행 센서를 전시하면서 전기차-자율주행차시장의 성장을 구체화시켰다. 또한 배송·실내이동 등 다양한 영역에 대한 모빌리티기기의 확산은 앞으로 사용자 중심으로 변화할 모빌리티시장을 그려보게 하였다. 자율주행 센서가 스마트홈·디지털헬스·스마트시티의 발전과 연계되는 점도 중요한 이슈였다. 라이다·레이더를 이용한 실내공간 인지 및 사용자 모니터링이 스마트홈·디지털 헬스케어·메타버스와 연계되면서 새로운 시장이 열리고 있음을 확인할 수 있었다.

그중에서도 메타버스는 가장 중요한 주제였다. 그동안 자동차기업은 메타버스 플랫폼에서 자사의 자동차를 선보이고 소비자에게 경험을 제공해온 바 있다. 현대의 메타모빌리티는 여기서 한발 더 나아가 가상공간에서 현실세계의 로봇과 자동차를 제어한다는 미래 비전을 제시하면서 정확한 실내공간 인지 및 모니터링, 이동로봇 제어를 통한 서비스의 확장을 예고했다.

모빌리티
100년 만의
패러다임
변화

○ 　　　1908년 포드가 자동차 대량생산을 시작하고 약 100년간 전 세계에는 자동차가 보급되면서 자동차의 시대가 전개되었다. 2010년대 이후에는 자동차 보급이 포화되면서 모빌리티산업은 이동수단에서 서비스 중심으로 패러다임의 변화를 맞이하고 있다. 더 구체적으로 자동차(제품)에서 서비스 중심으로, 운전에서 이동 중심으로, 운전자에서 승객으로의 변화를 의미한다.

전통적인 산업에서 '전기차-자율주행-서비스'로의 이행도 빠르게 진행되고 있다. 테슬라(2003)와 같은 사용성 중심의 시장파괴자, 우버Uber(2010)·리프트Lyft(2012) 등의 공유서비스 중심의 시장파괴자가 등장했다. 전통적인 자동차기업도 이에 대응하기 위해 노력해왔다. 벤츠의 CASE 전략* 발표(2016)가 대표적 사례이다.

하지만 여전히 많은 기존 자동차기업이 트렌드변화에 유연하게 대응하지 못하고 있다. 대표적으로 벤츠는 지난 2016년 파리모터쇼에서 CASE 전략 발표 후 5년

★ 커넥티드(connected), 자율주행(autonomous), 공유 및 서비스(shared & service), 전기구동(electric device)의 4가지 핵심 요소를 중심으로 한 벤츠의 미래전략.

이 지난 지금도 여전히 도전자의 위치에 머물고 있다. 당시 벤츠가 야심 차게 발표한 신형 전기차 EQC는 비싼 가격과 그에 못 미치는 성능으로 시장에서 실패한 바 있다. 벤츠가 자랑하는 서비스들, 차량공유서비스 카투고Car2go·택시 호출서비스 마이택시Mytaxi·이동수단 추천 및 결제 서비스 무블Moovel은 코로나19로 큰 어려움을 겪었다. 경쟁 모빌리티 서비스기업인 우버·리프트·그랩Grab이 배송부문 사업을 강화하면서 손해를 만회한 데 비

해 직접운전과 사용자 이동에 초점을 맞춘 벤츠의 서비스는 그렇지 못했다. 사물의 이동을 고려하지 않은 탓이다. 벤츠는 자율주행에서도 테슬라나 웨이모에 비해 그간 뚜렷한 성과를 거두지 못했다. 벤츠는 신형 전기차 EQA·EQS를 통해 다시 전기차시장에 도전하고 EQS의 자율주행 레벨3 상용화를 통해 자율주행사업을 재정비하는 모습이다.

독일 3사 중에서 초기부터 전기차에 많은 투자를 했던 BMW도 시장에서 성공을 거두지 못했다. 오히려 주요 자동차기업 중에는 폭스바겐과 현대가 전기차 플랫폼을 기반으로 테슬라를 따라가는 모습을 보여주고 있다. CES 2022에서 벤츠나 BMW가 고성능 전기차를 발표한 것은 이러한 트렌드와 밀접하게 관련되어 있다. 테슬라가 두각을 나타내는 미국 전기차시장에서 고성능 전기차로 시장 확대를 노리는 모양새다.

자율주행에서는 테슬라가 FSD^{Full Self Driving} v8·v9·v10을 잇따라 발표하면서 고속도로와 도심을 모두 주행할 수 있는 기술을 선보였다. 다만 테슬라의 자율주행이 복잡한 도심 환경에서는 아직 불안하기 때문에 더 많은 학습과 개선이 필요하다. 테슬라 FSD의 성공적 발표 이후 웨이모 같은 기존 자율주행기업에 대한 관심도는 다소 떨어졌다. 이러한 점을 의식하고 웨이모·루미나^{Luminar}·벨로다인^{Velodyne}은 라이다와 4D 이미징 레이더를 사용하는 경우 카메라를 사용할 때보다 더 안전하다는 것을 실험으로 증명했다. 웨이모는 특히 안개처럼 가시거리 확보가 어려운 상황에서 4D 이미징 레이더가 카메라나 라이다가 볼 수 없는 영역을 더 정확히 인식할 수 있다고 밝혔다. 루미나와 벨로다인은 라이다 센서 사용이 자동 긴급제동 성능을 기존에 비해서 크게 높일 수 있음을 보여주었다. 관련하여 라이다 센서 분야에서는 고정형 센서의 양산이, 레이더 센서에서는 4D 이미징 레

운전 공간		1886년	벤츠 설립
			칼 벤츠 자동차 특허 등록
			메르세데스 – 벤츠 역사의 시작
	자동차의 시대	1913년	포드의 자동차 대량생산
		1967년	현대자동차 설립
		2003년	테슬라 설립
		2007년	짐라이드 서비스 시작
		2010년	우버 서비스 시작
			벤츠, 카투고 서비스 시작
		2011년	쏘카 서비스 시작
		2012년	리프트 서비스 시작
생활 공간	서비스의 시대		BMW, 리치나우 서비스 시작
		2016년	GM, 메이븐 서비스 시작
			벤츠, CASE 전략 발표
		2018년	구글 웨이모 상용 자율주행 서비스 시작
			리프트 상장
		2019년	우버 상장

모빌리티의 패러다임 변화.

이더의 성능 향상이 주요 이슈였다.

자율주행트럭과 관련된 전시도 많았다. 미국과 중국에서는 고속도로를 주행하는 자율주행트럭이 거대한 물류시장에 호응하여 자율주행 보급에 앞장설 것으로 전망된다.

이동기기·로봇·자동화·사용자 서비스도 주목받았다. 전기모터와 배터리를 기반으로 사용자의 수요에 맞는 다양한 이동기기가 등장하고 있다. 이러한 이동기기는 로봇기술과 연계되어 1~2인승 이동기기·배송로봇·실내배송로봇·실내이동로봇·서비스로봇 등의 파생시장을 성장시키고 있다. 또한 코로나19로 인한 비대면 환경은 자동화 이슈를 발생시키며 로봇시장을 성장시키고 있다. 더불어 모빌리티 서비스·콘텐츠 서비스 등 서비스시장과 자율주행 센서를 활용한 서비스시장도 성장하고 있다.

모빌리티와
자동화는
이렇게 달라진다

◉　　　　CES 2022에서는 다양한 기업이 전기차 전략을 발표했다. 내연기관시장에 비해 기술 장벽이 낮은 전기차시장에서 기존 자동차기업은 주도권을 잃을 수도 있는 상황이다. CES 2022는 '누구나 전기차를 만드는 시대'를 상징적으로 보여주었다. 주요 자동차기업의 고성능 전기차 경쟁과 후발주자들의 보급형 전기차 경쟁이 양상을 복잡하게 다각화할 전망이다. 주요 업체들의 발표에 배터리 전략이 포함된 것도 주목할 만한 점이다. 업체들은 차량 가격의 약 40%를 차지하는 배터리 비용을 절감하기 위해 배터리 내재화에 주력하고 있다. 앞으로 전기차시장은 프리미엄 전기차와 보급형 전기차로 양분되는 동시에 나라별·용도별·연령별로 다양한 맞춤형 전기차가 등장할 것으로 보인다.

전기차 부품 분야에서도 구동시스템·충전시스템·배터리 등 전시가 다양해졌다. 수소연료전지 전시도 늘어났다. 이러한 친환경차 부품들이 다양한 이동기기에 사용되면서 자율주행기능과 함께 타 산업으로 확장되는 모양새를 보여주고 있다.

'누구나 전기차를 만드는 시대'에 발맞춰 자동차기업이나 부품기업의 전략 변화도 필요해졌다. 주요 자동차기업의 수출이 감소하고 부품기업이 새로운 기회를 창출하는 등의 시장변화도 예상된다.

누구나 전기차를 만드는 시대

CES 2022에서 벤츠와 BMW는 고성능 전기차 경쟁에서 상징적인 전시를 보여주었다. 벤츠의 EQXX는 1회 충전거리 1,000km의 고성능 전기차로 배터리 신기술·800V 고속충전·공기저항 저감설계 등 최신 기술을 적용했다. BMW iX M60은 최근 시판을 시작한 전기차 iX 시리즈의 M 모델로 고성능 전기차 모델이다. 벤츠와 BMW의 고성능 전기차 발표는 전기차 시장이 성장하고 있는 북미시장을 겨냥하겠다는 메시지를 전함과 동시에 세계 최대의 기술전시회로 성장한 CES에서 벤츠와 BMW가 자사의 성취를 알렸다는 의의도 있다.

GM은 전기차 픽업트럭인 실버라도 EV를 공개했다. 포드의 F-150 라이트닝^{F-150 Lightning}·테슬라의 사이버트럭^{Cybertruck} 등과 경쟁하면서 픽업트럭의 인기가 높은 미국시장에 대응하겠다는 것이다. 크라이슬러는 전기차 SUV 콘셉트카인 에어플로우를 공개했다. GM·포드 등 미국 내 경쟁사들에 비해서 늦은 행보이지만, 스텔란티스 산하 브랜드를 통해서 시너지를 낼 경우 시장 영향력을 보여줄 것으로 예상된다.

독보적인 테슬라, 앞서가는 폭스바겐과 현대, 다시 도전자로 새 출발을 하는 벤츠와 BMW, 새로 전기차시장에 진입하는 GM과 스텔란티스, 내수시장을 넘어 수출을 노리는 중국 전기차기업이 주요 경쟁자로 보인다.

베트남 빈패스트, 터키 토그, 일본 소니의 전기차 발표는 '누구나 전기차를 만드는 시대'를 상징적으로 보여주는 장면이었다. 2018년, 베트남의 빈패스트는 파리모터쇼에 참가해 양산용 내연기관 콘셉트카를 공개했다. 당시 기술 확보가 충분하지 않았던 빈패스트는 BMW·보쉬·

BMW의 iX M60[•]·크라이슬러의 에어플로우[••]. (출처: 정구민)
온라인으로 발표된 벤츠의 EQXX[•••]와 GM의 실버라도[••••]. (출처: 각 사)

베트남 빈패스트·터키 토그의 전기차. [출처: 정구민]

피닌파리나^{Pininfarina}와 협력했으나 가격 및 양산 품질 문제로 큰 어려움을 겪은 바 있다. 빈패스트는 2021년 말에 LA모터쇼를 통해서 미국 내 공장을 통한 전기차 생산·판매 계획을 발표했다. 이번 CES 2022는 빈패스트의 미국 전기차시장 진출을 알리는 계기가 되었다. 빈패스트는 VF5·VF6·VF7·VF8·VF9 총 5개의 모델을 전시했으며, 이 중에서 VF8과 VF9는 CES 기간 중에 미국과 베트남에서 사전 예약을 시작했다.

터키의 자동차기업 토그도 전기차를 전시했다. 토그는 터키 정부의 지원을 등에 업고 IT·자동차기업 등 총 5개 기업이 협력해 만든 조인트벤처로 터키 고유의 전기차를 확보하기 위한 민관협력의 상징적 결과다. 토그 콘셉트카는 화려한 디스플레이와 태양광패널을 갖추고 모빌리티 서비스 연계가 가능한 IT 중심의 전기차를 구현했다.

지난 CES 2020에서 전기차 콘셉트카 비전-S 01을 전시했던 소니도 CES 2022에서 전기차 콘셉트카 비전-S 02를 전시했다. 소니는 소니 모빌리티의 설립과 함께 전기차 양산 가능성을 언급하여 많은 관심을 받았다. 최근 중국 IT기업들의 전기차시장 진출을 의식한 모양새다.

빈패스트와 토그의 사례를 통해서는 각 나라별 전기차 육성 및 보호 정책의 가능성을 가늠해볼 수 있다. 이 책의 1부를 집필한 더밀크의 손재권 CEO는 '1국 1전기차'라는 말로 전기차시장의 가능성을 전망하기도 했다.

고착화된 기존 내연기관시장에서는 불가능했지만, 전기차는 각 나라가 자국의 전기차기업을 지원하여 산업을 성장시킬 수 있다고 보는 것이다. 이는 자연스럽게 주요 기업의 수출 감소로 이어질 수 있는 상황이다. 주요 자동차기업과 부품기업은 새로운 대응 전략을 수립할 필요가 있을 것이다. 이를 위해서는 나라별·연령별·용도별로 전기차·이동기기·로봇에 대한 수요분석이 동반되어야 한다.

CES 2022에서는 예년에 비해 전기차·수소차 등 친환경차 부품과 관련한 기술이 많이 발표되었다. 전기차 구동시스템과 함께 배터리·수소차·충전기 관련 기술, 다양한 모빌리티기기도 전시되었다.

전기차 구동시스템으로 혁신상을 수상한 만도의 IDB2**Integrated Dynamic Brake for Highly Autonomous Driving**를 비롯해서 리 오토모티브**REE Automotive**의 인휠 모터 기반 구동 플랫폼·현대의 PnD 모듈·마그나**Magna**의 전기 파워트레인 시스템 등이 주목할 만했다.

전기차 구동시스템은 자율주행과도 밀접하게 연계되어 발전하고 있다. 만도의 IDB2는 차세대 일체형 통합 브레이크로 자율주행을 위한 브레이크 이중화와 무게·부피의 감소를 실현한 제품이다. 만도는 앞으로 BbW**Brake by Wire**★로 발전시킬 계획이다. 리 오토모티브의 리보드**REEboard**, 현대의 PnD 모듈은 각 바퀴의 독립 구동을 통해 자유로운 움직임을 구현했다. 이 기술을

★ 기존 브레이크의 기계적 제어방식의 일부 또는 전부를 전자식으로 바꾼 방식.

통해 앞으로 실외나 실내에서도 회전반경의 제약 없이 자유롭게 움직일 수 있을 것이다.

배터리·플랫폼 분야에서도 SK의 NCM9 배터리를 비롯해 벤츠·GM의 차세대 배터리구조에 대한 소개도 이어졌다. 수소차 분야에서는 보쉬가

만도의 CES 혁신상 수상 제품. IDB2(2022년)·SbW(Steer by Wire, 2021년). (출처: 만도)

이플로우의 수소연료전지 자전거·BTE의 충전기. (출처: 정구민)

에바의 무선충전로봇·스마트충전기. (출처: 에바)

수소연료전지 자동차를 발표했고 한국 스타트업 이플로우^{eflow}도 수소연료전지 자전거를 선보였다. 다른 한국 스타트업인 에임스^{Aims}와 E3모빌리티^{E3 Mobility}는 배터리 교환형 모빌리티 서비스를 선보이기도 했다.

충전기 관련 전시도 늘었다. 무선충전로봇을 개발한 한국의 에바^{Evar}와 차지폴리^{Chargepoly}는 동적 로드 밸런싱 충전기로 각각 혁신상을 수상했다. 동적 로드 밸런싱 충전 기술은 여러 차량을 동시에 충전할 경우 적절히 전력을 분배하는 기술이다. 에바는 앞으로 무선충전 로봇과 로드 밸런싱 충전기를 아파트 등 공간이 부족한 곳에 공급해나갈 계획이다.

자율주행 상용화, 이제 눈앞까지 왔다

대대적인 상용화보다는 단계적인 상용화가 진행되고 있는 자율주행시장의 흐름에 따라, CES 2022에는 완전 자율주행과 자율주행 상용화의 각 단계에 해당하는 다양한 전시가 있었다. 자율주행 프로세서 간의 경쟁·고정형 라이다와 4D 이미징 레이더 등 자율주행 센서 간의 경쟁·자율주행 트럭·자율주행차량의 실내공간 및 디스플레이 활용 등이 주요 이슈로 등장했다.

특히 본격적인 자율주행 레벨3·레벨4의 상용화를 앞두고 자율주행 프로세서 간의 경쟁은 치열하게 전개되었다. 센서와 프로세서를 한데 묶은 경쟁 양상도 엿보였다. 자율주행 센서 분야에서는 고정형 라이다와 4D 이미징 레이더가 주가 되었다. 앞으로 대량 양산을 위한 라이다 저가화 전략과 4D 이미징 레이더의 성능 향상이 관건이 될 것이다.

프로세서, 플랫폼 전쟁의 본격화

자율주행 프로세서 분야는 온라인 발표가 많아 현장에서 두드러지지는 않았지만, 레벨3 상용화가 본격화하면서 경쟁이 수면 위로 올라왔음을 확인하기에 충분했다. 모빌아이^{Mobileye}·엔비디아^{NVIDIA}·퀄컴^{Qualcomm}이 특히 눈에 띄는 플레이어였다. 아쉽게 취소되기는 했지만, 곧 있을 엔비디아-루미나-볼보^{Volvo}의 자율주행기술 발표는 차후 자율주행시장을 가늠하는 중요한 이슈가 될 것이다.

현재 테슬라는 자체 개발한 자율주행 AI 플랫폼인 HW3.0을 갖고 있다. HW3.0은 72TOPS★를 구현할 수 있는 2개의 AI칩을 바탕으로 144TOPS/72W의 성능을 자랑한다. 테슬라는 조만간 432TOPS 성능을 갖춘 HW4.0을 선보일 계획이다. 이에 대응해 대표적인 AI 프로세서기업인 엔비디아는 드라이브 페가수스^{DRIVE Pegasus} 플랫폼을 기반으로 320TOPS/300W의 성능을 구현했다. 물론 초당 몇 조 회의 연산을 하는지가 직접적인 성능의 지표가 되지는 않는 게 사실이다. 연산량과 소모 전력은 간접적인 지표일 뿐이다.

> ★ Tera Operation Per Second. 초당 1조 회의 연산을 수행하는 능력.

그동안 엔비디아의 플랫폼에는 3가지 약점이 있었다. 첫째는 주요 자동차사의 양산 차량에 상용화한 적이 없다는 점, 둘째는 AI 소프트웨어의 신뢰성에 대한 의문이다. 자동차기업들은 충분히 검증된 센서와 소프트웨어만을 사용하기 때문에 좀더 철저한 검증이 필요하다. 셋째는 소모전력 이슈이다. 드라이브 페가수스에서 300W의 소모전력은 너무 크기 때문에 상용화에는 적당하지 않은 게 사실이다. 자동차 회사를 중심으로 자율주행 반도체를 연구하는 글로벌 협력체 AVCC^{Autonomous Vehicle Computing Consortium}는 "저가의 공냉식으로 해결하기 위해서는 소모전력 30W 이하가 필요한데,

테슬라는 72W를 소모하면서도 수냉식으로 문제를 해결했다"고 밝힌 바 있다.

엔비디아-루미나-볼보가 협력한 자율주행차는 엔비디아의 이러한 문제들을 한 번에 해결할 좋은 기회가 될 것이다. 차세대 프로세서인 오린^{Orin}을 기반으로 대략 254TOPS/85W 정도의 성능을 내고 있으며, 상용화를 위한 최적화를 거쳤다. 또한 루미나와 전면적으로 협력하면서 센서-프로세서 융합도 실현했다. 엔비디아-루미나-볼보의 자율주행 레벨3 상용화가 성공적으로 이루어지면 엔비디아-루미나의 플랫폼은 다른 회사들에게 참조될 수 있다.

엔비디아는 CES 2022에서 차세대 자율주행 플랫폼인 하이페리온^{Hyperion}을 소개하면서 루미나와의 전면적인 협력을 발표하기도 했다. 퀄컴의 고민도 엔비디아와 비슷하다. 지난 CES 2020에서 스냅드래곤 라이드^{Snapdragon Ride}를 발표했던 퀄컴은 코로나로 실적에 큰 어려움을 겪었다. 퀄컴은 스냅드래곤 라이드에 저전력설계를 갖추고 GM과의 협력에 집중하면서 플랫폼 확산을 노리는 전략을 새로 수립했다. 인식 소프트웨어 성능은 비오니어^{Veoneer}의 자회사인 어라이버^{Arriver}와의 협력을 통해서 해결했다. 퀄컴은 어라이버와의 협력을 위해 많은 노력을 기울였다. 위약금을 대신 물어가면서 마그나와 비오니어의 인수계약을 파기시키고 비오니어를 인수했으며, 어라이버만을 남기며 비오니어를 되팔 계획을 알리기도 했다. 퀄컴은 CES 2022를 통해서 스냅드래곤 라이드 플랫폼을 위한 시스템온칩^{System on Chip, SoC}을 발표하고 자율주행 상용화에 주력할 계획을 밝혔다.

그동안 수면 아래에 있었던 모빌아이도 CES 2022를 통해서 본격적인 시장 진출을 예고했다. 1999년에 설립된 이스라엘의 모빌아이는 차량용 카메라·인식 모듈을 공급하는 업체로 차량 주행용 카메라를 주요 자동차기업에 공급한다. 하드웨어와 함께 인식 성능이 뛰어난 소프트웨어를 가진 것이 강점이다. 테슬라의 8개 카메라 기반 자율주행시스템을 설계하고 운영하기도 했으나 2016년에 발생한 자율주행 사망사고 이후 테슬라와의 협력은 중단되었다. 하지만 모빌아이는 지난 2017년 무려 153억 달러(당시 약 17조 원)에 인텔에 인수되면서 큰 화제를 모았다. 2021년 말, 인텔은 2022년 모빌아이의 상장 계획을 발표했다. 시가총액 추정치는 무려 500억 달러(약 60조 원)에 달한다. 모빌아이의 2021년 매출액은 2020년에 비해 40% 증가한 14억 달러(약 1조 6,800억 원)를 기록했다. 2021년에는 30개 자동차기업과 협력하면서 41개 모델, 총 5,000만 대 수준의 계약을 체결했으며 2021년에 출시된 자동차 모델은 총 188개에 달한다.

모빌아이는 CES 2022에서 새로운 자율주행 프로세서인 아이큐 울트라 **EyeQ Ultra**를 발표했다. 176 TOPS 연산이 가능한 아이큐 울트라는 2025년쯤 양산이 가능할 전망이다. 모빌아이는 자동차기업과 협력·양산에 많은 장점을 가진 업체로 자율주행시장에 다양한 참조 플랫폼을 제공하게 될 것으로 보인다. 앞으로 엔비디아·테슬라와의 본격적인 자율주행 AI 플랫폼 경쟁이 예상되는 상황이다. 모빌아이·엔비디아·퀄컴의 사례에서 자율주행 센서-자율주행 프로세서-자율주행 인식 소프트웨어의 융합이 두드러지는 점도 주목할 필요가 있다. 단순히 프로세서만을 제공하는 것이 아닌 센서와 인식 소프트웨어를 종합적으로 제공하면서 자율주행 상용화에 기여할 것으로 보인다.

모빌아이(왼쪽)와 엔비디아(오른쪽)의 자율주행 플랫폼. (출처: 각 사)

센싱 기술의 비약적인 발전

자율주행 센서의 발전도 CES 2022의 중요한 이슈였다. 라이다·레이더 센서는 그 좋은 예였다. 레이저를 쏘고 돌아오는 시간을 계산하여 거리를 측정하는 라이다는 3차원 형상을 빠르게 인식할 수 있다. 스테레오 카메라의 경우 연산이 오래 걸리고 제대로 처리가 되지 않을 수 있다는 단점이 있으며, 4D 이미징 레이더의 경우 해상도가 떨어지는 단점이 있다. 다만 스테레오 카메라는 라이다 센서에 비해 가격이 매우 저렴하기 때문에 전기차에서 적절한 진동 보상과 AI 처리가 된다면 낮은 가격에 3D 인지를 구현할 수 있다. 반면 전파를 사용하는 레이더는 방사형으로 퍼져가는 전파의 특성상 물체의 형상을 정확하게 인지하기 어렵다는 단점이 있다. 하지만 카메라나 라이다에 비해서 역광·터널·야간 등의 상황에서 인식이 가능하다는 점과 안개·눈·비와 같은 날씨 조건에 강하다는 장점이 있다.

고정형 라이다의 발전과 상용화를 위한 움직임도 주목된다. 지난 2010년 구글의 자율주행차 지붕에 있던 회전형 라이다 센서는 마모 문제가 있었다. 발레오Valeo 등의 일부 센서가 120도 정도의 좁은 각도를 회전하면서 내구성 테스트를 통과하고 상용화된 상황이다. 고정형 센서는 기존의 기계적인 회전형 라이다의 마모 문제를 해결할 수 있어서 라이다 센서의 자율주행 확산에 큰 도움을 줄 것으로 예상된다.

루미나(왼쪽)·SOS랩(가운데)·발레오(오른쪽)의 고정형 라이다다. (출처: 정구민)

    루미나·SOS랩SOS LAB·발레오는 자율주행용 고정형 라이다를 전시하면서 본격적인 상용화를 예고했다. 상장기업인 루미나는 볼보와 함께 콘셉트카 리차지Recharge와 자율주행트럭 블레이드Blade를 전시했다. 리차지에는 지붕 일체형으로 라이다가 탑재되었는데 앞으로 루미나의 고정형 라이다는 볼보의 차량에 탑재되어 상용화를 시작할 예정이다. 눈에 안전한 1,550nm 파장을 이용하여 장거리기술을 구현한 루미나는 앞으로 이를 여러 기업에 공급하는 것을 목표로 하고 있다. 지난 2021년, 루미나는 프로액티브 세이프티 기능을 통해 고성능 라이다 센서를 사용할 때 자동 긴급제동 시 안전성을 높일 수 있음을 보여준 바 있다. CES 2022 종료 이후 1월 20일에는 벤츠와 루미나의 협력이 발표되어 앞으로의 라이다 시장 활성화를 전망하게 한다.

    CES 2021에서 혁신상을 수상했던 한국의 SOS랩은 CES 2022에 고정형 라이다인 ML시리즈를 전시했다. 작년에 선보인 제품이 MEMSMicro Electro Mehanical System 미러를 이용한 준고정형 라이다였다면, 올해 선보인 제품은 빅셀VCSEL, Vertical-Cavity-Surface-Emitting Laser 기술에 기반한 완전 고정형 제품이다. SOS랩은 이 고정형 라이다를 본격적으로 자율주행차에 적용하는 프로젝트를 추진하고 있다. 세계 최초로 양산형 차량에 라이다를 적용했던 발레오는 3세대 라이다를 전시했다. 이미 1·2세대 라이다는 아우디Audi 등에

4D 이미징 레이더를 적용한 전기차 피스커와 스마트레이더시스템의 실내 사용자 인식 시연 장면.
[출처: 정구민]

상용화된 바 있다. 해당 제품들은 모두 회전형 라이다였으나 3세대에서는 고정형 라이다 방식을 적용했다. 3세대는 크기가 작고 가격 경쟁에서도 앞선 단거리 고정형 라이다로 자율주행 레벨3 차량에 적용할 수 있을 것으로 예상된다.

마그나의 4D 이미징 레이더인 아이콘 디지털 레이더[ICON Digital Radar]는 CES 2022에서 최고혁신상을 수상했다. 미국 캘리포니아의 전기차기업 피스커[Fisker]는 5개의 아이콘 레이더를 적용한 전기차를 본격적으로 양산할 계획이다. 한국의 스마트레이더시스템[Smart Radar System]과 비트센싱[Bitsensing]도 자율주행용 4D 이미징 레이더를 전시했다. 기존 레이더가 물체의 유무만을 판단할 수 있었다면, 4D 이미징 레이더는 높이나 모양을 인식할 수 있는 장점이 있어서 자율주행차의 안전에 큰 도움을 줄 수 있다.

4D 이미징 레이더는 물체의 대략적인 모양을 인식할 수 있기 때문에 차량 내 사용자 인식이나 스마트홈의 사용자 관리에도 이용되고 있다. 한국의 스마트레이더시스템은 현재 국내 병원에 공급하는 4D 이미징 레이더 시스템을 전시하기도 했다.

내부공간과 디스플레이의 미래

자율주행트럭과 관련된 전시·발표도 많았다. 루미나와 볼보가 협력한

루미나(왼쪽)·투심플(오른쪽)의 자율주행트럭. (출처: 정구민)

블레이드Blade, 투심플Tusimple의 자율주행트럭 등 여러 기업이 현장에서 자율주행트럭으로 경쟁했고 웨이모도 온라인에서 자율주행트럭을 발표했다. 자율주행트럭은 고속도로를 주로 주행하기 때문에 복잡한 도심을 주행하는 차량보다 상대적으로 기술개발과 상용화가 쉽고, 물류시장의 수요가 뒷받침되며, 사용자가 아닌 물품을 운반하기 때문에 규제에서 비교적 자유롭다는 등의 이점이 있다. 특히 미국과 중국에서 상용화 흐름이 빠르게 진행되고 있다. 지난해 5월 자율주행트럭기업 플러스Plus는 사람이 운전하면 24시간 걸릴 거리를 자율주행으로 14시간 만에 주행했다고 발표한 바 있다. 자율주행트럭에는 많은 라이다 센서가 사용되어 자율주행 센서시장의 발전을 견인할 것으로 보인다. 웨이모와 오로라도 자율주행트럭을 우선적으로 상용화할 계획이다.

실내공간·디스플레이 활용과 관련한 전시도 눈길을 끌었다. BMW·GM 등의 주요 자동차기업과 LG전자·LG디스플레이 등이 주 참여기업이었다. 생활공간으로도 기능하는 자율주행차 내부는 스마트홈·스마트시티와 연계되면서 앞으로 다양한 산업을 발전시킬 것으로 보인다.

GM의 실내공간 활용 사례(왼쪽)·BMW의 시어터스크린(오른쪽). (출처: GM, 정구민)

GM은 온라인에서 자율주행 모빌리티를 발표하면서 사용자의 자유시간이 늘어남에 따라 실내공간 활용이 중요해졌다는 점을 강조했다. 2인승 럭셔리 자율주행차인 헤일로 이너스페이스는 전면 디스플레이를 통해 VR과 다양한 엔터테인먼트를 즐길 수 있도록 만들어졌다. BMW는 차량에서 영화를 즐기는 시어터스크린^{Theater Screen}을 발표했는데, 31인치의 디스플레이와 오디오시스템을 통해 뒷좌석에서 영화관과 비슷한 경험을 할 수 있도록 설계되었다.

LG전자는 자율주행 콘셉트카 옴니팟을 발표하고 캠핑·슬립·시네마·피트니스 등 4가지 모드에서 실내공간을 활용할 수 있도록 했다. 캠핑 모드는 앞에서 모닥불 영상, 아래는 잔디밭 영상이 상영되면서 캠핑 분위기를 만들어준다. 슬립 모드는 시트가 젖혀지고 발 받침대가 펼쳐져 숙면이 가능한 환경이 조성된다. 시네마 모드는 영화 감상이 가능하고, 피트니스 모드는 차량 이동 중에 피트니스를 할 수 있도록 도와준다. LG디스플레이는 전철과 자율주행차에서 사용 가능한 투명 OLED 디스플레이를 선보이기도 했다.

LG전자의 자율주행 콘셉트카 옴니팟. [출처: LG전자]

더욱 중요해질 자율주행 시뮬레이터

2018년, 우버의 자율주행 사고 이후 자율주행 시뮬레이터의 중요성이 더욱 부각되었다. 사고 당시 우버의 자율주행차는 자전거를 끌고 가는 보행자를 제대로 인식하지 못했다. 당시 구글 웨이모는 우버를 강하게 비판하면서 "사고 상황은 실제에서는 거의 일어나지 않기 때문에 시뮬레이터를 통해서 자율주행 알고리즘을 충분히 검증해야 한다"고 밝힌 바 있다. 복잡한 도심을 모델링하고 많은 차량과 사고 상황을 시뮬레이션하면서 자율주행 알고리즘을 검증해가는 것이 중요한 상황이다.

2018년, 테슬라는 AI 데이터를 활용한 시뮬레이팅 기술을 발표한 바 있다. 여러 대의 카메라로 얻어낸 실제 정보로 3D 가상공간과 움직이는 객체들을 생성해내고 트럭이나 차량에 보행자가 가려지더라도 움직임을 예측하는 방식으로 시뮬레이팅기술을 개발할 계획이다. 앞으로 자율주행 시뮬레이터는 디지털트윈·메타버스와 연계되어 발전할 것으로 보인다. CES 2022에서는 한국의 모라이[MORAI]를 비롯해 여러 기업의 자율주행 시뮬레이터 전시가 있었다. 엔비디아도 자율주행 시뮬레이터인 드라이브 심[DRIVE Sim] 관련 기술을 발표했다.

이동의 미래, 메타모빌리티 비전

○ CES 2022에서는 다양한 모빌리티기기를 만나볼 수 있었다. 자율주행 모빌리티 콘셉트카·1~2인승 소형 모빌리티·접을 수 있는 모빌리티·배터리 교환형 오토바이·퍼스널 모빌리티·배송로봇·실내이동로봇·플라잉카·자율운항선박 등 다양한 모빌리티기기가 전시되었다. 누구나 모빌리티기기를 만드는 시대로 접어들면서 사용자 수요에 맞는 다양한 기기가 시장을 키워갈 것으로 보인다. 퍼스널 모빌리티는 개인이동뿐만 아니라 홈트레이닝시장과도 연계되어 있고 배송로봇과 실내이동로봇은 물류·방역·스마트홈시장과 연계되어 발전하고 있다. 도심형 항공모빌리티Urban Air Mobility, UAM·자율운항선박·농업용기기·산업용기기 등 생각하지 못했던 영역으로까지 기술이 확장되는 흐름도 주목할 만하다.

모라이(왼쪽)·엔비디아(오른쪽)의 자율주행 시뮬레이터. (출처: 정구민, 엔비디아)

현대모비스의 엠비전 투고. (출처: 더밀크)

　현대차는 메타모빌리티 비전을 제시했다. 메타버스와 모빌리티를 연계하는 메타모빌리티는 자유로운 이동을 가능케 하는 로봇기술과 공간의 가상화기술이 필수적이다. 라이다·카메라 센서로 실내공간을 메타버스화하고 그 안에서 로봇이 정밀하게 움직여줘야 메타모빌리티의 구현이 가능해진다. 메타모빌리티의 대두는 모빌리티기기의 다양화, 라이다를 이용한 메타버스시장의 성장과 궤를 같이한다.

메타모빌리티로 원격 레이싱

　CES 2022에서는 사용자 이동을 위한 이동기기, 사물 이동을 위한 배송로봇, 방역·관리를 위한 특수목적로봇 등 다양한 이동기기들이 전시되었다. 바퀴 기반 이동기기·사족보행로봇 등 형태도 다양화되는 상황이다. 각

현대자동차의 새로운 모빌리티 플랫폼
모베드. [출처: 현대자동차]

바퀴를 독립적으로 조향하면 기존 자동차보다 훨씬 움직임이 자유로워 실내외에서 다양하게 활용할 수 있다.

현대모비스는 그동안 CES를 통해 자율주행 콘셉트카 시리즈인 엠비전 M.Vision 시리즈를 공개해왔다. CES 2022에서도 도심형 자율주행 콘셉트카 엠비전 팝POP과 엠비전 투고2GO를 선보였다. 엠비전 팝과 엠비전 투고는 도심의 좁은 공간을 고려하여 평행이동·자동평행주차가 가능한 차량이다. 각 바퀴를 독립적으로 조향하여 자유로운 움직임을 만들어낼 수 있고 스마트폰을 이용하여 실내 인터페이스도 제어할 수 있도록 했다.

또한 현대차는 새로운 모빌리티 플랫폼인 모베드도 선보였다. 모베드는 제자리에서 회전하거나 경사로를 올라가면서 수평을 유지하는 등의 자유로운 이동을 가능하게 한다. 모베드에는 현대차의 PnD 모듈이 탑재되어 있다. PnD에는 모터 구동부와 함께 라이다·카메라 등의 센서가 탑재되어 공간을 정확하게 인지하고 자유롭게 이동할 수 있다.

현대자동차가 제시한 메타모빌리티 개념도. (출처: 현대자동차)

PnD 모듈은 현대차가 제시한 메타모빌리티의 방향성과 밀접하게 관련되어 있다. 현대차의 메타모빌리티는 가상공간 중심의 메타버스 경계를 허물어 가상세계에서 현실세계를 효과적으로 제어하고 사용자의 경험을 확장하는 개념이다. 예를 들어 집에서는 현실과 똑같이 설계된 가상의 회의실에서 직장 동료와 회의를 진행하고 현실의 사무실에서는 가상공간에 접속해 집에 있는 로봇을 통해 반려견에게 먹이를 줄 수도 있다. 달리는 자율주행차에서 메타버스에 접속하고, 현실의 로봇의 감각을 빌어 화성처럼 멀리 떨어진 곳을 간접적으로 체험할 수도 있다. 제페토나 포트나이트

리 오토모티브의 리보드. [출처: 정구민]

Fortnite에서 가상으로 운전을 즐겼다면 메타모빌리티에서는 실제 트랙의 차량과 연결해 원격 레이싱을 즐길 수도 있다.

제조기업에게는 스마트팩토리가 유용하게 응용될 수 있다. 현실과 똑같이 설계된 가상공간을 이용해 멀리 떨어진 공장의 고장 난 부분을 진단하고 휴머노이드로봇을 이용해 수리할 수도 있게 된다. 이러한 메타모빌리티 구현을 위해서는 실내공간을 정밀하게 인식하고 툴을 정확하게 이동시키는 것이 필수적이다. 현대는 이를 위해서 PnD 모듈에 구동부와 함께 센서시스템을 장착했다. 라이다와 카메라 등의 센서시스템을 통해 실내공간 가상화와 정밀이동이 가능해지고 고정기기를 이동기기로 바꿀 수 있다. 현대의 메타모빌리티 개념은 앞으로 로봇과 메타버스 서비스 확장에 많은 도움을 줄 것으로 보인다. CES 2022에서 아이폰의 라이다를 이용한 공간인지 솔루션 플랫Plott과 피보 팟 엑스Pivo Pod X가 혁신상을 받은 점도 이런 트렌드와 관련이 있다. 현대차의 메타모빌리티는 가상공간을 통한 현실제어 개념과 구현 방안을 제시했다.

모빌리티: 혁신 토네이도의 핵심, 성큼 다가온 이동의 미래

USPS의 우편물 배송용 트럭. [출처: USPS]

　이스라엘의 리 오토모티브도 인휠 모터 기반의 독립조향 플랫폼 리보드와 리보드 기반의 자율주행 콘셉트카 레오파드^{Leopard}를 전시했다. 각 바퀴의 독립조향을 통해 플랫폼에 자유도를 더하고 자유로운 이동을 가능하게 한다는 설명이다.

　오토바이·자전거·퍼스널 모빌리티와 관련된 전시도 이어졌다. 수소연료전지 기반의 소형 모빌리티나 배터리교환형 오토바이 서비스 등도 이목을 끌었다.

　미국 우정청^{USPS}은 자체 개발한 배송용 트럭을 전시했으며 GM도 브라이트드롭^{BrightDrop}을 통해서 페덱스^{FedEx}와 배송 분야에서 협력을 지속하고 있다. 아마존이 CES 2022에 불참하기는 했지만, 직접 개발에 뛰어든 고속도로용 자율주행트럭과 도심 배송용 트럭시장에서의 경쟁도 앞으로 주목해볼 이슈이다. 아마존과 USPS의 사례에서는 서비스기업이 자사에 필요한 전기차 기반의 차량을 직접 개발하는 트렌드를 엿볼 수 있다. 자동차에서 서비스 중심으로의 패러다임 변화가 진행되는 상황이다.

아스카와 스카이드라이브의 UAM. (출처: 아스카, 정구민)

예년에 비해 줄기는 했지만, CES 2022에는 여전히 UAM과 관련된 전시가 많았다. 두산은 기존 배터리 기반 드론에 비해 주행시간을 크게 늘린 수소연료전지 드론으로 혁신상을 수상했다. 대형 모빌리티기업들이 수소연료전지 사용을 지속적으로 고려하는 것도 같은 이유다. 미국의 아스카^{ASKA}와 일본의 스카이드라이브^{SkyDrive}도 UAM을 전시했다. 아스카는 4인승, 스카이드라이브는 1인승의 기체를 전시하면서 다양화하는 UAM의 모습을 보여주었다.

타 산업으로 확산되는
자동화 트렌드

모빌리티는 농업·건설·해양 등 타 산업으로 영역을 넓히고 있으며 비대

최고혁신상을 받은 존 디어의 트렉터. (출처: 정구민)

면 환경에 따른 자동화 적용도 늘어나고 있다. 지난 CES 2021에서도 자율주행 및 모빌리티의 타 산업 확산, 비대면 환경에 따른 자동화 기술의 발전, 활용 영역의 확대가 이슈였다.

CES 2022에서는 특히 전기차 기술을 활용한 농업용기기가 많이 등장했다. 자율주행 트랙터·농장관리시스템·AI 제초제 살포로봇·농약살포기 등이 공개되었다. 이외에도 건설용·해양용기기와 같이 다양한 모델 전시를 통해 AI기술과 제어기술을 바탕으로 작업을 수행하는 기기가 늘어난 추세를 파악할 수 있었다. 자동화 트렌드도 비슷한 양상을 보였다. 배송로봇·방역로봇·서빙로봇 등 비대면 환경을 고려한 작업로봇 전시가 눈에 띄게 늘었다.

농기구와 건설장비도 친환경이 대세

기존 농업용·건설용·광산용기기에 전기구동·자율주행·AI기능을 추가

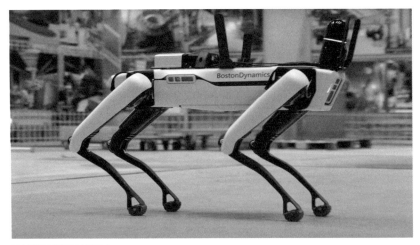

보스턴다이내믹스의 로봇. (출처: 보스턴다이내믹스)

해서 작업을 보조하게 만든 기기들이 다수 전시되었다. 특히 최고혁신상을 수상한 존디어의 AI 제초제 살포로봇 시 앤드 스프레이를 비롯해서 다양한 농업기기가 등장했다. 밥캣의 전동식 트랙터 T7X, 거스 오토메이션Guss automation의 자율주행 농약살포기, 모나치Monarch 트랙터의 자율 전동트랙터 MK-5, 나이오 테크놀로지Naïo Technologies의 포도밭 관리로봇 TED 등이 혁신상을 수상했다.

존디어의 시앤드스프레이는 AI로 잡초를 인식해 잡초에만 제초제를 뿌리는 로봇이다. 회사 측은 제초제 사용을 평균 77%, 최대 80%까지 줄일 수 있다고 밝혔다. 거스의 자율주행 농약살포기도 비료·농약을 필요한 지점에만 살포해 화학물질 사용을 줄여준다.

농업용 이외에도 건설·해양 등 여러 분야의 응용기기 전시가 이어졌다. 네덜란드의 UMSUrban Mobility Systems는 기존 디젤 기반인 건설장비를 전동화

택트레이서의 스파이더-고(왼쪽)·오토노미의 오토노미 IO(오른쪽). (출처: 각 사)

하는 기술로 혁신상을 수상했다. 앞으로 건설장비를 친환경시스템으로 바꾸는 데 기여할 것으로 보인다. 현대가 인수한 보스턴다이내믹스의 로봇도 향후 건설현장·스마트팩토리 등에서 작업효율을 높일 수 있을 것이다. 네덜란드의 랜마린 테크놀로지RanMarine Technology는 해양쓰레기를 자율주행으로 수거하는 시스템으로 혁신상을 수상했으며 프랑스의 넵텍Neptech은 수소연료전지 기반 소형선박으로 혁신상을 수상했다. 현대중공업은 소형 자율운항선박과 함께 시뮬레이터 기반 체험서비스를 선보였다.

많은 기업이 자동화 트렌드 확산에 직접적인 영향을 미치고 있는 배송로봇·방역로봇·서빙로봇·재고관리로봇 등을 전시했다. 한국의 힐스엔지니어링Hills engineering의 방역로봇 헤이봇Hey-Bot·한국 택트레이서Tactracer의 재고관리로봇 스파이더-고Spider-Go·일본 피에조소닉Piezo Sonic의 배송로봇 마이티 D3Mighty D3·일본 소프트뱅크 로보틱스SoftBank Robotics의 위즈 감빗Whiz

Gambit·중국 유비테크^{UBTECH}의 방역로봇 애디봇-A^{ADIBOT-A} 등이 혁신상을 수상했다.

배송로봇은 한국의 트위니^{Twinny}·오토노미^{Ottonomy} 등의 기업이 제품을 전시했으며, 서빙로봇은 키논로보틱스^{Keenon Robotics}·푸두테크놀로지^{Pudu Technology} 등의 기업이 제품을 전시했다. 코로나19로 주목받은 방역로봇은 앞서 언급한 헤이봇·애디봇-A를 포함해 케이스랩^{CASELAB}의 아담21^{ADAM21} 등이 있었다.

그 외에 삼성전자와 LG전자도 다양한 로봇 제품을 선보였다. 삼성의 삼성 봇 시리즈, LG의 클로이 시리즈 등은 스마트홈·레스토랑·오피스에서 사용자의 편의를 높일 것으로 보인다.

음향기술부터 디지털키까지 미래 모빌리티의 모든 기술들

BMW는 iX플로우를 통해 차량의 색상이 실시간으로 바뀌는 시연을 보여주었다. 빠르게 변하는 소비자 취향에 발맞춰 다양한 모델을 신속하게 출시해야 하는 자동차기업의 고충이 반영된 것이다. 해당 기술은 아직 상용화와는 거리가 멀지만, 전시 현장에서는 큰 인기를 끌었다.

라이카^{Leica}는 라이다·카메라 융합 센서인 블랙아크^{BLK ARC}로 최고혁신상을 받았다. 로봇 개 스팟에 장착되는 이 센서는 라이다와 카메라를 융합하여 정확한 실내공간 인지와 공간 가상화가 가능하다. 2021년 말, 엔씨소프트^{NCSOFT}도 라이카의 라이다 장비로 문화재 건축물을 스캔하여 가상공간을 구축하는 기술을 발표한 바 있다.

CES 2022에는 실내공간 디스플레이기술과 함께 음향 관련 전시도 많이 있었다. 자동차·메타버스 같은 공간의 특성에 맞는 소리를 구현하는 기술

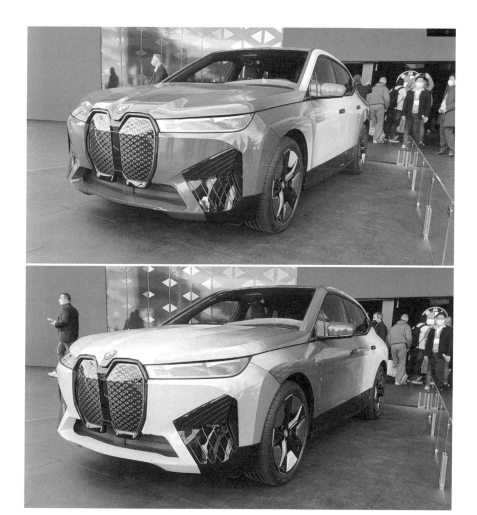

BMW의 iX플로우. (출처: 정구민)

라이카의 블랙아크와 공간의 가상화. (출처: 라이카 지오시스템즈)

실렌티움의 음향 기술(왼쪽)·튠잇의 디지털키(오른쪽). (출처: 각 사)

의 중요성이 높아지고 있다. 이스라엘의 실렌티움^{Silentium}은 자동차 내 소음을 제거하고 각 좌석의 음향을 독립적으로 제공하는 기술을 선보였다.

한국의 스타트업 튠잇^{Tuneit}은 디지털키인 아차키^{Achakey}를 전시했다. 자율주행차 공유와 공동 관리·운영을 위해서 스마트폰으로 디지털키를 주고받는 기술이 중요해졌다.

모빌리티
패러다임의 변화와
대대적인
지각변동

○　　　CES 2022에서는 전기차-자율주행-서비스로의 모빌리티 패러다임 변화상을 볼 수 있었다. 자율주행의 대두는 자동차산업을 넘어 모든 모빌리티산업의 발전을 견인할 것으로 보인다.

앞서 있는 테슬라와 나머지 기업의 경쟁 양상은 모빌리티시장의 가장 중요한 이슈다. 기존 자동차기업 중에서 플랫폼 기반으로 전기차시장에 빠르게 진입한 폭스바겐·현대가 기존 주요 기업 중에는 전기차시장에서 안정적인 모습을 보이고 있다. 다시 출발선에 선 벤츠·BMW, 미국시장에서의 반전을 노리는 GM·포드·크라이슬러 그리고 전기차시장 진출을 선언한 도요타 등도 이목을 끈다. 생산 대수로는 최대인 스텔란티스에게는 내부 브랜드들이 유기적 협력관계를 구축할 수 있는지가 중요한 문제다. 성공적인 협력관계를 구축하지 못했던 르노-닛산**Renault-Nissan** 얼라이언스의 사례는 참고가 될 수 있다. 피아트**Fiat**-크라이슬러-푸조**Peugeot**-시트로엥**Citroën**이 연합한 스텔란티스가 플랫폼 공유와 기능 공동개발에서 유기적인 결합을 이끌어낸다면 파괴력이 클 수 있지만, 각 브랜드의 정체성이 사라질 수 있다는 리스크는 감수해야 한다.

모빌리티산업 전반에는 테슬라·아마존·애플의 경쟁구도가 가장 뜨겁다. 서로 다른 영역에서 영향력을 키워온 기업들이 차세대 먹거리인 모빌리티시장에서 어떤 전략을 가지고 치열한 경쟁에 나설 것인지 주목된다. 아마존은 배송에서 모빌리티로, 애플은 스마트폰·스마트홈에서 스마트카로 시야를 확장한 모습이다. 아마존은 자율주행기업 죽스Zoox를 인수하고 전기차기업 리비안Rivian과 협력하고 있다. 특히 리비안과 만든 배송트럭의 경우 작업이 편리하면서도 운전자 친화적으로 설계된 내부가 눈에 띈다. 앞으로 아마존·죽스·리비안 세 기업은 서비스에 필요한 차량을 직접 설계해 서비스에 힘을 싣는 전략을 꾀할 것으로 보인다. 아직 구체적인 모습을 보여주지는 못했지만, 사용성에 기반한 애플카Apple Car의 파괴력도 클 것으로 보인다. 애플은 아이폰 라이다를 상용화했듯 자율주행 센서 분야에 어느 정도 기술력을 확보한 것으로 분석된다.

테슬라·아마존·애플의 모빌리티시장 진출은 부품기업 입장에서는 양날의 검이 된다. 스마트폰 제조에 적용된 부품의 대량구매 및 가격절감 정책은 전기차 생산에도 그대로 재현되고 있다. 일부 기업이 대량공급 계약을 독식하게 되면 부품기업들의 경쟁은 과열된다. 수직계열화와 유사하게 모든 기술의 내재화가 추진되면서 부품기업 측도 부담을 떠안게 되었다. 이익이 완성차 판매와 부가서비스로부터 창출될 것으로 보이는 상황에서 부품사의 이익률은 낮아질 수 있다. 앞으로 부품사들은 자율주행 셔틀이나 소형 모빌리티 기기를 만들어 완성품시장 진입을 시도할 것인지, 아니면 단순 부품 공급업체로 남을 것인지의 기로에 놓일 것이다.

코로나19로 승차공유시장이 침체되었지만, 배송서비스를 강화하면서 손실을 만회한 우버·리프트·그랩 등 모빌리티 서비스기업의 향후 행보도 주목된다. 서비스에 필요한 자율주행차를 직접 설계하고 자율주행기술을 확보하려는 아마존과 애플의 모습은 우버의 옛 모습과도 닮아 있다. 현재 우버·리프트·그랩 세 기업은 인건비 이슈로 승차공유사업에서 예전과 같은 수익성을 기대하기 힘들다. 우버의 이전 행보는 모빌리티 완제품을 이

차적으로 활용하는 서비스기업이 생산자로서 모빌리티산업에 뛰어들어 사용자의 요구에 직접적으로 다가서려 했다는 점에서 의의가 있다. 앞으로 모빌리티 서비스기업이 어떤 변화를 통해 서비스 중심의 시장 변화를 이끌어갈지 주목된다.

UAM·로보틱스·수소경제 등 모빌리티산업 전반에서 확장을 꾀하는 현대차의 행보도 이목을 끈다. UAM과 로보틱스 분야에서 기존 기업은 효율적 생산시스템을 이미 확보했다는 메리트가 있다. 현대는 싱가포르 스마트팩토리를 통해 사용자 주문 및 맞춤형 생산·디지털트윈·메타버스 구축 등의 생산기반을 강화해 나갈 계획이다. 전기차 - 로봇 - 플라잉카[Flying Car]를 연계한 전략도 눈에 띈다. 앞으로 모빌리티시장에서는 사용자 사용성에 맞춘 다양한 기기와 서비스 개발이 시장 주도권을 가져올 키가 될 것이다.

도시의 형태, 사람·사물의 이동을
종합적으로 고려한 발전

운전에서 자율주행으로 패러다임이 변화함에 따라 도시의 형태와 사람·사물의 이동을 종합적으로 고려한 방향 설정이 필요해졌다. 벤츠의 모빌리티 서비스가 직접운전에 초점을 맞추면서 코로나19 시국에 타격을 입었던 점을 반면교사로 삼아야 한다.

2015년에 발표된 UN의 보고서에서는 2050년이 되면 인구의 66%가 도시에 집중될 것으로 예상했으며 주요 국가의 도시 집중도가 70%를 넘을 것으로 전망했다. 최근 도시화가 더 심화되면서 80%에 이를 것이라는 전망도 나오고 있다. 도시 과밀화를 고려한 설계가 필요해지는 이유다.

최근에는 로봇친화형 빌딩의 중요성도 커지고 있다. 로봇친화형 빌딩이란 건물 내에서 사용자가 엘리베이터로 이동하는 대신 로봇이 물품을 배송해주는 형태의 빌딩이다. 건물의 대형화에 호응하여 사용자를 직접 이동시키는 로봇도 필요해질 수 있다. 실내이동로봇이나 배송로봇은 엘리베이터와의 통신을 통해 알맞은 때에 이동할 수 있다. 앞으로 빌딩 중심의 모빌리티연계 서비스를 주목해야 하는 이유이다.

테슬라의 사례처럼 사용자 사용성을 위한 혁신도 고려할 필요가 있다. 테슬라가 생산한 차량에는 이와 같은 요소가 다양하게 들어 있다. 2021년에는 국내에서 곡선도로 자율주행에 대한 이슈가 제기된 적이 있다. 기존 자동차기업의 곡선도로 주행이 국제표준을 기반으로 자동차의 속도를 유지하는 데에 초점을 맞췄다면, 테슬라의 곡선도로 주행은 속도를 줄이더라도 주행을 성공적으로 마치는 데에 초점을 두었다. 물론 대다수 자동차의 곡선 주행은 고속도로나 자동차전용도로를 전제로 설계되고 있지만, 이제는 어떤 환경에서도 관련 기능이 사용될 상황을 고려해야 한다.

앞서가는 테슬라 vs.
뒤쫓는 기존 자동차사 vs. 신생 전기차업체

CES 2022에서 확인했듯 앞으로 테슬라와 기존 기업 그리고 신생 전기차기업 간의 경쟁이 치열해질 전망이다. 테슬라의 배터리 플랫폼 구조는 폭스바겐·현대차·GM 등 주요 기업의 전기차 개발에 참고가 되고 있다.

폭스바겐과 현대차는 배터리를 아래에 두는 플랫폼 구조를 기반으로 다양한 모델을 만들어내고 있다. 여기에 자율주행-차량제어-인포테인먼트로 나뉘는 소프트웨어 구조를 설계해 테슬라 차량과 비슷한 전기·전자·소프트웨어 구조를 만든 상황이다. 폭스바겐과 현대차는 이를 바탕으로 다양한 모델을 빠르게 만들어내면서 전기차시장에서 기존 기업 중에서는 앞서나가고 있다.

테슬라는 2021년에 총 93만 6,172대를 판매하면서 2020년에 비해 87%의 판매량 증가를 기록했다. 2022년에는 베를린과 텍사스 공장이 본격적으로 가동되면서 총 생산능력 200만대 규모를 갖추게 될 것으로 보인다. 150만 대에서 200만 대 정도의 생산량과 판매량이 예상되는 상황에서 테슬라의 2022년 실적과 시장 장악력이 주목받고 있다. 폭스바겐과 현대차 등이 플랫폼 구조를 바탕으로 다양한 모델을 빠르게 생산하는 상황에서 테슬라는 모델 다양화도 고려할 필요가 있다. 마감 품질 문제해결, 소프트웨어시스템 관리 또한 관건이 될 것이다.

벤츠와 BMW의 고성능 전기차시장 도전, 미국 업체 GM·포드·크라이슬러와 여타 기업들의 시장진입으로 경쟁이 치열해졌다. 차량 가격의 약 40% 정도를 차지하는 배터리 내재화도 해결해야 할 과제이다. 게임체인저가 될 것으로 보이는 전고체배터리로의 부품 변화는 기술적으로 해결할 문제들이 많이 남아 있는 상황이다. 또한, 상용화 시기가 빨라야 2025년에서 2030년 사이로 예상되어 아직 여유시간이 남아 있다. 자동차기업들은 배터리 R&D에 투자하고 배터리 합작사를 설립하는 등 배터리의 가격을 낮추기 위한 방안을 모색하고 있다.

미국의 피스커·베트남의 빈패스트·터키의 토그·일본의 소니 같은 신생

기업의 시장진입도 주목해야 한다. 빈패스트와 토그처럼 정부지원이 뒷받침되면 자국 내에서만큼은 전기차가 주류가 되는 상황이 펼쳐질 수 있다. 기존 자동차기업에는 새로운 수출전략 수립이 필요하고 각국의 부품기업에는 새로운 기회요인이 될 수 있다.

전기차에 기반한 다양한 이동기기 확산을 위해서는 제도적 변화와 인프라 지원도 필요하다. 전기차 충전설비를 늘리고 저속 전기차의 효율적인 시장진입을 위한 도시설계와 규제완화가 고려되어야 할 것이다. 정부 투자 및 지방자치단체와 연계한 전략 수립도 필요하다.

CES 2022에는 드론·선박·자전거·소형 셔틀 등 다양한 수소연료전지 모빌리티와 수소연료전지 충전기 등도 전시되었다. 현재 수소차 관련 기술은 대형트럭·버스·선박 같은 대형 모빌리티기기에 주로 적용되면서 전기차기술 적용범위의 사각을 보완하는 형태로 친환경시장에서 성장하고 있다. 대형 모빌리티에 수소연료기술을 적용한다면 차체의 하중을 부담시킬 무거운 배터리를 쓰지 않아도 된다. 충전 인프라를 고려하여 B2C보다는 B2B 형태가 먼저 진행될 것으로 예상된다. 친환경차량이 현재의 LPG 택시를 대체하는 모습도 곧 볼 수 있을 것이다.

수소경제의 가능성도 제시되고 있다. 사막 지역에서 남는 전기로 물을 분해해 수소를 생산하고 이를 압착해 액체화한 수소연료를 수송선으로 공급하는 방식이다. 이렇게 공급된 액체수소는 수소차와 전기차에 다양하게 응용될 수 있다. 수소연료전지 측면에서는 수소차 충전과 함께 건물 내의 비상발전기·전기차용 비상발전기 등에 쓰이고 현재 디젤엔진 기반의 비상발전기도 대체할 수 있게 된다. 전기차 측면에서는 액화수소에서 전기를 생산해 전기차 충전에도 사용할 수 있다. 에너지 효율은 낮지만, 신재생

에너지 저장이 어려운 상황에서 대안으로 고려해볼 수 있다.

자율주행의 한계,
어떻게 극복할 것인가?

현재 주요 자동차기업은 고속도로 위에서 자율주행 레벨2를 안정적으로 구현했고 레벨3로의 도약을 도모하고 있다. 현재 부분적으로 상용화된 자율주행 레벨3는 2020년 UN 유럽경제위원회^{UNECE}의 자동 차선유지시스템^{Automated Lane Keeping Systems, ALKS}을 활용해 고속도로에서 시속 60km 이하까지만 주행 가능하다. 향후 속도가 시속 130km 정도로 향상되면 생활 속에서 서비스를 접할 수 있을 것으로 보인다. 2021년부터 라이다 상용화 또한 본격적으로 진행하고 있는 자동차기업들은 아직까지 주변 차량 감지·저속주행 지원을 위한 목적에서 근거리 라이다를 위주로 연구하는 중이다. 하지만 앞으로 루미나-엔비디아-볼보의 상용화 등을 통해 장거리 라이다 적용도 활성화될 것이다.

2020년 10월, 테슬라는 FSD v8을 시작으로 FSD v9·v10을 통해 고속도로와 도심주행 모두 가능한 기술을 선보였다. 기존 고속도로 주행에서 한층 더 발전한 듯했지만, 아직 복잡한 도심에서는 여전히 학습이 필요한 상황이다. 2021년에는 웨이모·루미나·벨로다인 등 경쟁자들로부터 카메라 기반의 테슬라식 방식보다 고성능 라이다나 4D 이미징 레이더 같은 고성능 센서를 사용하는 경우 안정성이 뛰어나다는 반론도 제기되었다.

자율주행트럭과 도심 자율주행셔틀 및 로봇택시 서비스도 전망이 밝다.

자율주행트럭은 광활한 고속도로를 가진 미국과 중국을 중심으로 빠르게 시장을 형성할 것이다. 자율주행셔틀이나 로봇택시 서비스 역시 전 세계 곳곳에서 시장이 형성되고 있다. 하지만 복잡한 도심에 적합한 자율주행 메커니즘, 도심인프라 개선이 필요한 상황이다.

현재 기술적으로 완전자율주행 구현을 위해 복잡한 도심 모델링, 날씨 변화, 수동주행차량과의 공존 문제를 해결해야 한다. 날씨 조건 극복을 위해서는 악천후에 강한 4D 이미징 레이더·통신기술·도로인프라 설계가 고려되어야 한다. 주변 차량 움직임에 대응하기 위한 방안으로는 차량 측면에 자율주행 센서를 설치하는 것이 주효한 것으로 보인다. 현재로는 주로 라이다 센서와 카메라 센서가 이용되고, 레이더 센서가 보조하고 있다. 4D 이미징 레이더 기술의 발전은 주변 차량 움직임 예측에도 도움을 주게 될 것으로 보인다.

테슬라 HW3.0에 대응하여 엔비디아가 볼보와 함께 차량용 AI플랫폼을 시장에 성공적으로 안착시킬 수 있을지도 주시할 이슈이다. 이 플랫폼의 성공 여부에 따라 시장 구도가 달라질 것이다. 한편 퀄컴·GM도 차량용 AI 플랫폼시장 진입을 위해 협력하려는 움직임을 보이고 있다. 최근 상장을 추진한 모빌아이의 움직임도 주목된다. 전반적으로 자율주행 AI플랫폼과 자율주행 센서의 융합이 가속화되는 모양새이다. 여기에 어댑티브 오토-클래식 오토-인포테인먼트 소프트웨어-클라우드 소프트웨어로 이어지는 차량용 소프트웨어도 크게 발전하고 있다.

주요 기업이 자율주행 레벨3에 라이다 센서를 본격적으로 적용하면서 해당 기술은 급속도로 발전하고 있다. 현재 라이다 센서는 수백 미터를 볼 수 있는 장거리 라이다와 근거리를 볼 수 있는 근거리 라이다로 적용범위가 나누어져 있다. 자율주행 레벨3에 쓰이는 라이다 센서는 주로 근거리 센서다. 루미나-엔비디아-볼보는 장거리 라이다 센서를 개발 중이다. 현재 도심을 주행하는 자율주행 셔틀이나 로봇택시의 지붕에는 장거리 라이다를 설치하고 측면에는 근거리 라이다를 설치해 두 센서를 모두 활용한다. 가격 이슈로 인해 양산차량에는 근거리 라이다부터 점진적으로 확산될 것으로 전망된다. 고정형 라이다와 눈에 안전한 1,550nm 라이다 상용화도 주요 이슈다. CES 2022에서 주요 기업이 고정형 라이다 양산을 발표한 만큼 관련 시장이 더욱 성장할 것으로 보인다.

레이더 센서 분야에서는 4D 이미징 레이더의 발전이 계속될 전망이다. 기존 레이더는 방사형으로 퍼져나가는 전파이기 때문에 가드레일·금속 캔·맨홀 등 금속물체를 구분할 수 없는 단점이 있었다. 반면 4D 이미징 레이더는 높이 정보와 좌우 정보 등을 종합적으로 고려하기 때문에 빠르고 정확하게 물체를 인식할 수 있다. CES 2022에서 피스커는 마그나의 4D 이미징 레이더를 이용해 안전성을 높일 수 있다고 밝힌 바 있다. 4D 이미징 레이더는 날씨 조건이 어려운 상황에서 단점을 보이는 카메라와 라이다 센서를 보완하며 시장을 점유해 나갈 것으로 보인다.

실내 사용성과 디스플레이도 중요해졌다. 자율주행 레벨4 이상이 되면 직접운전이 필요없기 때문이다. 좌석·디스플레이·서비스 같은 실내 설계, 다양한 디스플레이를 통해 제공할 서비스 개발이 필요한 상황이다. 스마트카-스마트홈-스마트오피스를 연결하는 공간연속성도 주요 이슈가 된다. 기존 가전기업 및 스마트폰기업의 자동차시장 진출이 활발해지는 이유이기도 하다. 우리나라 가전·IT기업도 관련 시장을 주목해야 한다. 자율주행 셔틀도 자율주행시장에서 중요한 위치를 점한다. 자율주행 셔틀은 비싼 센서를 달고 있는 자율주행차의 활용성을 극대화는 형태의 서비스이다. 사용자의 이동이 많은 도심·인구가 감소하는 한적한 시골·도로나 건물이 파손된 위험지역·접근이 어려운 배송지역 등 다양한 환경에서 다목적 자율주행셔틀을 활용할 수도 있다.

점점 더 다양해지는 모빌리티 수요

CES 2022에서는 1~2인승 차량·전동킥보드·전동스쿠터·접는 휠체어·실내이동기기·실내배송로봇·도심배송 트럭·자율주행트럭·소형 자율주행셔틀·배터리 교환형 오토바이 등 다양한 이동기기가 선보였다. 각 바퀴의 독립구동을 통해 평행주차를 구현하거나 실내에서 정밀하게 이동하는 로봇도 시연되었다.

직접운전에서 자율주행으로의 패러다임 변화는 사용자의 모빌리티기기 수요가 다양화된다는 것을 의미한다. 여러 모빌리티를 연계해 출발지에서 목적지까지, 주차장에서 빌딩까지, 빌딩 내에서의 이동 서비스가 요구될 것이다. 또 전기차가 자동으로 충전소를 찾아 충전하게 하는 서비스도 등장할 것이다. 사용자의 수요를 면밀하게 파악하고 합리적인 가격에 내놓을 상품을 개발해야 할 때이다.

인구가 감소하는 시골지역의 고령층을 위한 100원 택시 사례도 참고할 수 있다. 이 택시의 사용자는 거리에 따라 100원에서 최대 1,500원을 지불하고 나머지 요금은 지자체가 부담한다. 100원 택시 도입 후 외출이 2배로 늘면서 지역인구의 사회활동과 경제활동이 유의미하게 증가했다는 통계도 있었다. 기술발전으로 인한 다양한 이동기기의 등장은 교통약자의 이동권 증진과 경제활동에도 크게 기여할 것으로 예상된다.

앞으로 건물 내에서 이동기기는 다양한 센서로 실내공간을 정확하게 인지해 사용자의 편리한 이동이나 배송에 도움을 줄 것이다. 이 경우 거주자의 사적인 정보 제공에 대한 문제 해결이 필요하다.

현대차는 메타모빌리티 발표를 통해 사용자경험의 확장을 강조한 바 있다. 사용자가 직접 가기 어려운 지역은 로봇 개를 이용해서 탐색할 수도 있고 웨어러블로봇을 통해서 이동과 작업의 자유를 도모할 수도 있다. 하지만 그보다 단순한 자율 평행주차 하나를 구현하기 위해서도 인증·안전 기준의 재정립이 필요하다. 앞으로 다양한 이동기기를 효율적으로 활용하기 위해서는 공간 및 지리정보 제공을 위한 보안표준 개발 등의 제도적 노력이 필요할 것이다.

타 산업의 발전을 이끄는 모빌리티

코로나19로 인한 비대면 환경의 형성은 노동현장의 자동화를 가속시켰다. 모빌리티기술도 로봇기술과 함께 자동화와 밀접하게 관련되어 있다. AI·자율주행·정밀제어·일상로봇·산업로봇 등 기술의 발전은 해당 산업의 성숙도를 보여준다.

CES 2021에서 건설장비 제조기업인 캐터필러Caterpillar는 "그동안 꾸준히 개발한 IT 융합기술이 크게 쓰이지 않다가 코로나19로 비대면 요청이 많아지면서 자율주행트럭에 대한 수요가 크게 늘어났다"고 밝힌 바 있다. 또한 자율주행트럭에 대한 모니터링이 원격에서 이뤄지기 때문에 정년퇴임 직원을 임시직으로 다시 고용할 정도로 인력 수요도 증가했다고 한다. 물리적 노동에서 AI 노동이나 모니터링 노동으로의 전환이 진행되고 있다. 그에 따라 인력 전환 및 양성의 이슈도 함께 고민해볼 필요가 있다.

비대면 트렌드는 배송로봇·서빙로봇의 증가도 가져왔다. 로봇에 대한 수요가 늘면서 가격 저항선이 깨진 것이 로봇 증가 요인 중 하나였다. 고령화에 따른 인력 부족도 산업 자동화에 중요한 역할을 했다. 미국트럭협회 **American Trucking Association, ATA**의 2016년 보고서는 2025년에 트럭 운전자가 20만 명가량 부족할 것으로 전망한 바 있다. 다만 자율주행트럭이 본격적으로 상용화되면 20만 명의 공백을 대체할 뿐 아니라 더 많은 노동자를 대체할 수도 있어서 이에 대한 사회적 합의가 필요한 상황이다.

현대차는 프레스 컨퍼런스에서 AI기술·센서기술·제어기술의 발전으로 로봇의 활용이 더욱 증가할 것으로 전망했다. 앞으로 비대면 환경에서의 로봇 사용 증가 트렌드와 함께 자동화에 따른 인력 전환 및 인력 양성의 문제, 자동화 확산에 따른 사회적 합의 등을 종합적으로 고려할 필요가 있다.

모빌리티기술은 농업·건설·해양·배송·물류·쇼핑·금융·가전 등 타 산업의 발전에까지 영향을 미치고 있다. 모빌아이의 창업자인 암논 샤슈아 **Amnon Shashua** CEO는 저시력자와 시각장애인을 위한 기기를 만드는 올캠 테크놀로지**OrCam Technologies**를 창업했다. 자율주행 카메라기술과 AI기술을 안경에 응용해 사람의 얼굴·책의 문자·표지판을 인식한다. 드라마 스타트업의 눈길서비스도 공익을 위한 기술에 해당된다. 삼성의 릴루미노**Relumino**나 스타트업 하가**HAGA**의 마인드아이**MindEye**도 저시력자나 시각장애인을 위한 기술을 개발했다.

라이다 센서 관련 기업들은 이미 스마트시티 관련 산업에 많이 진출했다. 지하철 스크린도어·횡단보도 보행자감지 센서·건물 내 출입자감지 센서·농장의 동물 침입감지 센서 등 시제품은 기존 CCTV보다 높은 정밀도를 자랑한다. CES 2022에 무선충전로봇을 전시한 쿼너지^{Quanergy}는 스마트시티에 라이다를 적용한 대표 사례. 아이폰의 라이다가 실내공간 인지에 사용되면서 메타버스산업과 연계된 것처럼 라이다 센서도 공간인지에 다양하게 연계된다.

레이더 센서 관련 기업들은 차량 내 사용자감지 같은 기술을 스마트홈 사용자 모니터링 같은 영역으로 확장하고 있다. 코로나19로 노약자·독거노인·환자 등의 돌봄이 어려워지면서 모니터링 수요가 증가했다. 카메라를 사용할 경우 사생활 침해의 우려가 있기 때문에 레이더 센서로 대략적인 움직임을 감지하고 위험상황을 통보받음으로써 돌봄이 가능하도록 했다. 한국의 스마트레이더시스템을 비롯해서 많은 기업이 각국의 정부기관·병원과 협력하면서 돌봄에 도움을 주고 있다.

자율 배송로봇의 등장으로 배송·물류·쇼핑·금융시장의 변화도 나타나고 있다. 특히 금융시장에 영향이 두드러진다. 자율주행차는 정비·주유·세차 등 상황에 별도의 차량 중심 결제시스템이 필요하고, 새로운 보험상품도 개발해야 할 것이다.

차량공간에서의 스마트홈 구현도 중요한 이슈이다. TV·냉장고 등의 가전기능이 차 안으로 들어오고 있으며 앞으로 자율주행시장은 콘텐츠·서비스시장과 연계되어 발전해나갈 것으로 보인다.

자율주행차만큼의 내구도가 요구되지 않는 선에서 실내로봇·농업·건설·해양 영역에서도 관련 기술의 수요가 증가하고 있다.

무엇을 대비하고 어디에 집중할 것인가?

전기차-IT-SW 중심 혁신 필요

한국 자동차산업은 2010년부터 유럽과 미국을 중심으로 진행된 IT융합에 전반적으로 크게 뒤처져 있는 게 사실이다. 최근 현대자동차를 중심으로 빠른 변화를 보이고 있으나 주요 부품기업을 제외하고는 아직 연구개발 규모는 미미한 수준이다. 부품기업 차원에서부터 전기차-IT-SW 중심의 혁신을 도모할 필요가 있다. 연구개발이 여의치 않은 중소 부품기업에서는 스마트팩토리를 혁신에 활용하는 것도 유효한 방법이다.

테슬라는 좋은 사례이다. 테슬라는 반도체를 직접 설계하고 플랫폼에 맞는 기술을 개발하고 사용자 중심 차량설계에 치중한다. 배터리 대량생산을 통한 원가절감도 주요 전략이다. 한국의 기업들은 국내 반도체 등 IT산업계 전반과 연계해 부품 자급력을 강화하는 방안도 고려해볼 수 있다.

자율주행 센서 부품기업, 리프트업 전략 필요

한국에서도 많은 스타트업들이 센서와 부품을 개발하고 있다. 하지만 자동차기업의 요구사항을 고려하지 않은 채 개발해 자동차시장에서 의미를 갖지 못하는 경우가 많다. 정책적으로 주요 부품기업과 스타트업의 유기적 협력을 지원해야 한다. 주요 부품기업을 통해서 시장에 유연하게 대응하는 스타트업이 생산한 부품을 검증하고 이를 가지고 해외시장에 도전하는 리프트업lift-up 전략을 고려해야 한다. 정책적 지원과 스타트업·부품기업의 유기적 협력을 기대해본다.

모빌리티 발전을 위한 지자체 협력으로 도시 문제를 해결하다

모빌리티는 도시의 발전과 밀접한 관련이 있다. 최근에 끝난 미국의 스마트시티 챌린지에서는 도시문제 해결이 중요한 이슈였다. 구도심과 신도심의 격차 해소, 교통약자에 대한 모빌리티 서비스 지원, 임산부를 위한 이동 서비스 지원 등 다양한 시도가 이루어졌다.

모빌리티는 지역사회의 구체적인 수요에 호응하며 발전하고 있다. 현재 한국에서도 지자체들이 자율주행셔틀 서비스 도입을 준비하고 있다. 다만, 지방자치단체는 기술 구현의 어려움을 이해하고 너무 서두르지 말아야 한다. 수요를 발굴하고 기술 흐름에 맞춰갈 수 있도록 지방자치단체와 모빌리티기업 간의 유기적 협력이 중요해지는 상황이다.

사용자 사용성 분석, AI와 소프트웨어에 대한 고려

누구나 전기차를 만드는 시대에는 연령·나라·기후·성별에 따른 철저한 사용자 분석과 이에 맞는 모빌리티기기 및 사용자친화적인 소프트웨어를 설계할 필요가 있다. 모빌리티산업의 경쟁 구도가 다양화되는 상황에서 AI와 소프트웨어에 대한 투자는 필수이다.

사용자 스스로 자신에게 필요한 모빌리티기기나 서비스를 고민해보는 것도 좋은 방법이 될 것으로 보인다. 시장을 변화시킬 아이디어는 나로부터 시작된다.

시장 활성화를 위한 규제 개선

정부부처-업계-사용자를 종합적으로 고려하고 규제를 개선해야 할 것이다. 신기술과 새로운 서비스의 발전을 장려하는 제도 개선도 필수적이다. 이를 통해 우리 산업계는 새로운 시장을 창출할, 창조적 파괴를 보여줄 모빌리티기기와 서비스를 끌어낼 수 있을 것이다. 다양한 모빌리티기기와 자율주행기술 개발을 위한 규제 개선을 기대해본다.

PART 5

스페이스테크

:

영역 파괴와
확장을 주도해온
CES가 선정한
메가트렌드

이용덕

지난 30여 년 동안 IT 기업 전문 경영인으로 세계적인 반도체 기업에서 근무하며 이들의 혁신과 성장을 주도했다. AI, 자율주행, 빅데이터, 딥러닝 분야의 반도체 시장을 주도하는 엔비디아의 한국 지사장으로 13년간 재직했으며 세계 3대 반도체 팹리스기업 브로드컴, 반도체기업 레저리티의 초대 한국 지사장을 지내기도 했다. 이외에도 에스티마이크로일렉트로닉스, SGS-톰슨, 필립스를 거쳤다. 현재 글로벌 스타트업 액셀러레이터 드림앤퓨쳐랩스 대표, 인공지능 SW·HW 전문기업 바로AI CEO, 서강대학교 지식융합미디어대학 교수이다.

○　　　놀라운 혁신의 바람은 팬데믹이라는 불확실성의 시대에도 불고 있었다. 산업 간의 경계가 무너지고 모든 업종은 테크놀로지와의 융합으로 새롭게 태어나고 있으며 AI는 이제 산업 분야를 가리지 않고 중요한 기저 기술로 자리를 잡았다. 이른바 인공지능 융합기술^{AI Convergence Technology} 시대가 열린 것이다. 갑자기 불어닥친 오미크론이라는 복병의 출현에도 불구하고 기업들은 당당히 혁신의 바람으로 맞섰으며 CES 2022는 미래의 비전을 세상에 보여주었다. 특히 새롭게 CES에 등장한 스페이스테크, 푸드테크는 인류의 미래를 위한 청사진을 제시하여 크게 주목을 받았다. 스페이스테크와 푸드테크는 인류의 건강과 안전, 지속가능성을 끊임없이 위협하고 있는 팬데믹과 지구 온난화로 인한 기후변화의 위협에 기술로 맞서고 있다. 이 두 기술은 도전과 대안이다. 머지않은 미래에 인류를 화성에 정착시키겠다는 도전과 오늘날 전 세계 1억 6,000만 명이 식량부족으로 겪는 기아에 대한 대안이다. 하이라이트를 받으며 CES 무대에 처음으로 오른 이 두 기술과 기업들에 대해서 알아보자.

우주로 한 걸음 더 가까이

라스베이거스 CES 2022 센트럴 플라자에는 멀리서도 눈에 띄는 3층 높이의 거대한 건물이 서 있었다. 가까이 가서 보니 우주선을 전시한 스페이스

스페이스테크: 영역 파괴와 확장을 주도해온 CES가 선정한 메가트렌드

테크기업인 시에라 스페이스^{Sierra Space}의 야외 전시장이었다. CES 55년 역사 이래 처음으로 스페이스테크기업의 부스가 설치된 것이다. 그곳에 많은 관람객이 북적이는 것을 보며 변화와 혁신을 체감할 수 있었다.

2021년은 세계 스페이스테크의 획기적 이정표를 찍은 한 해였다. 일론 머스크^{Elon Musk}의 스페이스엑스^{SpaceX}, 제프 베이조스^{Jeff Bezos}의 블루오리진^{Blue Origin}, 리처드 브랜슨^{Richard Branson}의 버진갤럭틱^{Virgin Galactic}, 이 3명의 기업인이 이끄는 민간 스페이스테크기업 모두 유인 우주선을 성공적으로 쏘아 올렸기 때문이다. 그리고 이들은 곧 우주관광과 우주산업의 본격적인 포문을 열기 위해 로켓 연구개발에 더욱 박차를 가하고 있다. 이에 발맞추기라도

CES 2022에 당당히 자리한 시에라 스페이스 부스. [출처: 더밀크]

SPACE TECHNOLOGY

The technology that makes space exploration possible has an out-of-this-world influence on Earth too. Explore the breakthrough advances guiding everything from life and discovery on Mars and the moon to weather forecasting, satellite systems and long-distance communications at home.

Beyond the everyday.

CES 역사상 처음으로 공식 세션에 포함된 스페이스테크를 소개한 CES 2022 홈페이지.

하듯 2022년 CES는 스페이스테크를 CES 역사상 처음으로 공식 세션에 집어넣었고 스티브 코닝 CTA 부회장은 디지털 키노트에서 스페이스테크를 주목해야 할 4대 테크트렌드 중 하나로 발표했다.

CES 2022 홈페이지의 스페이스테크 세션에서는 "우주 탐사를 가능케 하는 기술은 지구에서와 마찬가지로 이 세상 밖으로 영향력을 발휘합니다. 화성과 달에서의 삶, 발견에서부터 일기예보, 위성시스템, 가정의 장거리통신에 이르기까지 모든 것을 이끄는 획기적인 발전을 살펴보십시오"라고 강조하며 먼 미래의 일이라고 생각했던 우주에 대한 도전과 기술이 한층 더 가시화되고 있음을 보여주고 있었다. 이번 CES 2022에 스페이스테크 기업으로 참가해 큰 반응을 끌어낸 자넷 카반디Janet Kavandi 시에라 스페이스 대표는 "NASA 우주비행사 출신으로서 전 세계의 더 많은 사람들이 우주에서 일하고 살 수 있는 순간을 기다려왔습니다. 이제 그 순간이 도래했습니다"

라고 우주산업에 대한 포부와 기대를 밝혔다.

지난 50년간 전통적으로 국가가 주도했던 우주산업은 이제 본격적으로 민간기업에게 이양되면서 비용과 기술개발의 속도 측면에서 획기적 혁신이 이루어지고 있다.

메인 세션으로
이슈가 된
스페이스테크기업들

처음으로 스페이스테크가 메인 세션으로 이슈화되면서 참가 기업은 많지 않았지만, 본격적인 우주산업의 등장을 알리는 데는 충분했다. 특히 참가 기업들의 기술개발은 오래전부터 이어져 온 것을 감안하면 오히려 늦지 않았나 생각될 정도이다. 이번 CES 참가 기업 중 주목할 만한 기업으로는 시에라 스페이스, 보쉬, 제로-G[Zero Gravity Corporation], 소니 등을 꼽을 수 있다.

우주 서비스의 미래를 보여준 시에라 스페이스

우주 서비스 비즈니스의 출발

CES 2022 센트럴 플라자에 부스를 차려 우주왕복선 드림체이서[Dream Chaser]의 축소 모형을 전시한 시에라 스페이스는 CES 2022 내내 큰 화제를 불러일으켰다. 우주왕복선부터 우주주거지 그리고 스페이스 비즈니스 파크까지 전시하고 발표한 시에라 스페이스는 아직은 생소한 우주 서비스[Space as a Service, SaaS]의 미래를 보여주었기 때문이다.

시에라 스페이스는 1963년 설립된 시에라 네바다 코퍼레이션[Sierra Nevada Corporation, SNC]을 모태로 한다. 2021년, 인류가 새로운 방식으로 우주에 가도록 돕는 전문기업으로 성장하기 위해 모회사 SNC로부터 분사해 탄생한 스페이스테크기업이 시에라 스페이스다. 새로운 우주경제를 지원하는 우주 서비스산업을 실현하기 위해 우주로의 운송, 목적지의 인프라 구축을

시에라 스페이스 부스에 전시된 우주왕복선 드림체이서 모형. (출처: 더밀크)

위한 혁신적 기술을 활용해 모듈식, 재사용 가능 및 확장 가능한 솔루션의
일괄 제공을 목표로 연구개발 중이다. 이번 CES에서 시에라 스페이스는
아래 3가지의 기술 혁신을 보여주었다.

- 우주왕복선 드림체이서
- 우주주거지 라이프Life, Large Integrated Flexible Environment
- 스페이스 비즈니스파크 오비탈리프Orbital Leaf

무인비행 우주왕복선 드림체이서

승무원과 화물을 국제우주정거장 같은 지구 저궤도 목적지로 수송하기
위해 개발된 소형 우주왕복선인 드림체이서가 크게 주목받는 이유는 기존
우주왕복선 대비 1/4에 불과한 9m의 전장, 트럭 1대 정도 중량인 약 2.5톤
의 크기로 저비용 일일 우주여행 및 배송 시대를 열 것이라는 기대 때문이
다. 추진체와 연료는 독성이 없는 친환경물질을 사용하고, 활주로 이륙 후

지구 저궤도 진입에 6시간밖에 소요되지 않으며, 향후 5.5톤까지 수송이 가능할 것으로 전해졌다. 드림체이서의 혁신은 크게 3가지로 압축된다. 첫째, 자율주행기술 채택으로 무인비행이 가능하다. 둘째, 기존 우주선과 달리 활주로에서 이착륙이 가능하다. 셋째, 15회에서 최대 25회까지 재사용 가능한 다목적 우주왕복선이다.

2016년, 미국 항공우주국^{NASA}는 드림체이서를 우주정거장에 화물을 수송할 우주선 중 하나로 선정했다. 2022년부터는 NASA의 CRS-2^{Commercial Resupply Service 2}★ 계약에 따라 우주정거장을 오가는 최소 7건의 화물운송 임무에 투입될 것으로 예상된다.

★ 상업용 재보급 서비스. 민간 스페이스테크기업의 우주선으로 국제우주정거장에 물품을 보급하는 프로젝트.

우주 모듈맨션, 라이프

이제 곧 우주인은 지구 저궤도와 달 그리고 화성, 그 너머로의 장기임무를 위해 우주에서 안전하게 생명을 유지하며 머물 수 있는 주거공간이 절대적으로 필요하다. 시에라 스페이스는 이번 CES에서 4명의 우주인이 우주에서 함께 장기간 거주할 수 있는 우주주거지인 라이프 축소 모형도 공개했다.

9m 크기의 이 모듈 같은 시설물은 지구에서 발사할 때는 부피를 줄이고자 압축 상태로 포장되어 드림체이서에 선적 후 우주에서 3층으로 팽창되어 4명이 충분히 생활할 수 있는 주거지를 제공하는 신개념 우주주거지이다. 라이프는 달이나 화성 등 행성 표면에 설치해 거주·실험·작물재배·제조·바이오 연구·위성조립·미세중력 연구 등을 위한 작업공간으로도 활용될 것이다. 라이프는 현재 NASA의 탐사 파트너십 프로그램을 위한 차세대 우주기술^{Next Space Technologies for Exploration Partnerships}의 3단계 개발과정이 진

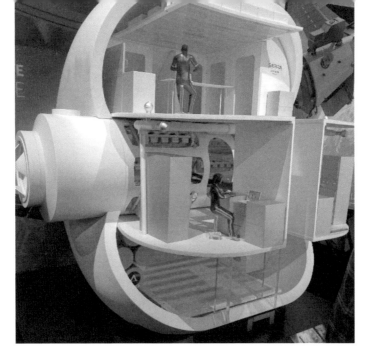

시에라 스페이스의 우주주거지인 라이프 모형. (출처: 더밀크)

행 중으로 현재 지상 프로토타입을 활용해 승무원이 우주에서 임무를 수 행할 수 있는 방법을 훈련하고 평가하는 중이다.

상업용 스페이스 비즈니스파크, 오비탈리프

시에라 스페이스는 제프 베이조스의 블루오리진과 공동으로 개발 중인 상업우주기지Commercial Off-earth Outpost 오비탈리프의 모형과 영상을 공개했다.

오비탈리프는 우주에서의 생활과 작업을 위해 새롭게 만들어지는 우주 거주지로 최첨단 연구, 숙박 심지어 영화 제작까지 고객의 목적에 맞게 공 간·전력·냉각·고대역폭 통신·보안·로봇 서비스·물류 등 토털 서비스를 제공하는 새로운 SaaS 비즈니스를 목표로 하고 있다. 즉 스페이스 비즈니 스파크로서 지구 저궤도에 위치할 상업용 우주정거장으로 10년 내 서비스

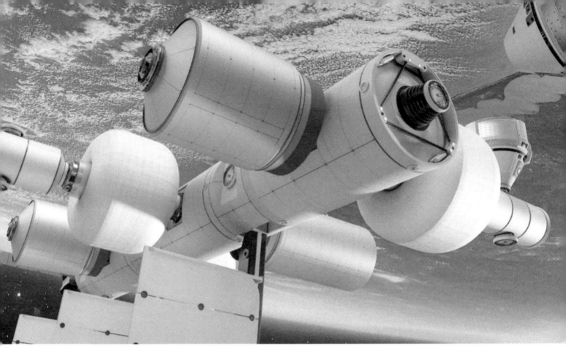

상업우주기지 오비탈리프. (출처: 시에라 스페이스)

제공을 목표로 개발 중이다. 시에라 스페이스 부스에서는 VR로 오비탈리프 내부를 체험할 수 있도록 했다.

보쉬의 탐사로봇

로봇이 보쉬와 함께 달을 향해 쏘다

보쉬는 NASA와 함께 우주 비행사가 우주 공간과 국제우주정거장에서 보다 안전하고 효율적으로 일하고 생활할 수 있도록 지원하는 방법에 대해 연구개발을 진행해 왔다. 이번 CES 2022에서는 로봇에 장착하여 우주 정거장의 각종 기계에서 나오는 소음 분석을 통해 기계 및 장치의 결함을

AI로 소리를 분석하는 사운드시가 탑재된 아스트로비. [출처: 보쉬]

식별하는 AI 센서시스템 사운드시^{SoundSee}를 공개했다.

우주정거장용 사운드시 기술은 보쉬와 미국의 우주로봇 전문기업인 애스트로보틱^{Astrobotic}과 공동으로 개발 중이며 로봇에 달린 마이크로기기 및 실험장비에서 발생한 소리를 파악한 뒤 이를 AI로 분석해 평소와 다른 소음이 발생하면 알리는 방식으로 우주비행사가 우주정거장의 전체 시스템을 효율적으로 유지·관리할 수 있도록 한다. 사운드시는 지난 2019년 4월 NASA에서 개발한 큐브 모양의 미니로봇인 아스트로비^{Astrobee}에 탑재되어 우주정거장으로 보내졌고 현재 테스트가 활발하게 진행되고 있다. 또한 사운드시 기술을 의료에도 활용하기 위해 미국 피츠버그에 위치한 헬스케어기업인 하이마크^{Highmark}와 함께 테스트 중이다. 마이크 맨수에티^{Mike} ^{Mansuetti} 보쉬 북미 사장은 온라인 컨퍼런스에서 "호흡기에서 나는 특이한

스페이스테크: 영역 파괴와 확장을 주도해온 CES가 선정한 메가트렌드

소리를 분석하여 소아들의 호흡기 질병을 탐지하는 데 활용할 수 있을 것" 이라며 올해부터 임상시험을 시작할 예정이라고 밝혔다. 인류의 우주 탐사가 현실화되면서 우주의료라는 화두가 던져진 가운데 향후 우주의료에도 사운드시를 활용할 수 있을 것이다.

달 탐사 로봇을 위한 지능형 네비게이션 및 무선충전시스템

보쉬는 NASA·애스트로보틱·와이보틱^{WiBotic}·워싱턴대학교와 공동으로 NASA의 티핑포인트 프로그램^{Tipping Point Program}에서 580만 달러(약 70억 원)을 지원받아 달에서 운용할 소형 로봇을 개발해 지능적으로 탐색하고 로봇을 무선으로 충전하는 기술을 연구개발하고 있다. 달에서 활동하는 작은 소형 로봇은 보완전원이 필요하다. 또한 달의 가혹하고 예측할 수 없는 기후와 환경적 여건 때문에 GPS가 없는 환경에서 무선 도킹스테이션까지 가능케 하기 위해 지능형 자율 네비게이션 기술이 절대적으로 중요하다. 보쉬는 달 표면에서 로봇의 자율주행을 가능하게 하는 AI 기반 지능형 데이터 분석 및 무선 연결 솔루션 부분을, 애스트로보틱은 NASA 케네디우주센터와 공동 개발한 초경량 충전식 행성탐사로봇인 큐브로버^{CubeRover}를, 와이보틱은 무

애스트로보틱의 달 탐사 로봇 큐브로버·와이보틱의 무선 충전시스템(박스 안). (출처: 각 사)

선충전시스템을 담당해 2023년에 실제 테스트를 진행하기 위한 시스템을 개발하고 있다.

우주관광기업 제로-G의 무중력체험

미국 우주관광기업 제로-G는 일반인을 대상으로 우주에서만 경험할 수 있는 무중력상태의 체험 서비스를 하고 있다. 제로-G는 보잉 727기를 개조한 지포스원^{G-Force One}의 포물선 비행으로 무중력상태를 경험하게 하는 서비스를 매달 2~4회 제공하고 있다. 한 사람 당 8,200달러(약 980만 원)의 비용을 받는 이 프로그램을 이번 CES 2022에서는 VR을 활용해 체험해보도록 했다. 또한 인간의 움직임을 그대로 따라하는 원격제어로봇 솔루션도 함께 전시했는데 우주에서 느낄 수 있는 무중력을 로봇을 제어할 때도 느낄 수 있도록 한 것이다.

촬영용 나노위성 스타스피어 공개한 소니

소니는 CES 2022에서 스페이스테크 분야로의 진출을 선언하면서 세계 최고 수준인 광학기술을 활용한 우주촬영위성의 콘셉트를 발표했다. 도쿄대학교와 일본 우주항공연구개발기구^{JAXA}가 공동으로 개발한 촬영용 나노위성인 스타스피어^{Star Sphere}는 사용자가 시뮬레이터를 이용해 빌트인 카메라를 컨트롤할 수 있는 기능이 포함되어 누구나 스타스피어 위성을 제어

제로-G의 무중력체험 모습(왼쪽)·소니가 발표한 촬영용 나노위성 스타스피어(오른쪽) (출처: 제로-G, 더밀크)

해 원하는 시간·장소·앵글로 지구와 천체의 모습을 촬영할 수 있도록 했다. CES 2022에서 처음 공개된 스타스피어는 2022년 내에 우주로 쏘아 보낼 계획이다. 아직 자세한 서비스 내용은 밝혀지지 않았지만, 위성을 제어할 수 있는 촬영 시뮬레이터는 앱 형식으로 제공될 것이라고 한다.

빅3
자이언트 기업의
놀라운 기술들

○   2016년 4월, 미국 실리콘밸리 산타클라라 사무실에서 겪었던 일이다. 갑자기 직원들이 삼삼오오 TV 앞으로 모여들기에 무슨 일인가 해서 따라가 TV를 보니 일론 머스크가 이끄는 스페이스테크기업 스페이스엑스의 팰컨9^{Falcon 9} 로켓 발사가 생중계되고 있었다. 카운트다운이 끝나자 로켓은 굉음과 함께 하늘을 향해 발사되었고 잠시 후 로켓 상단과 하단이 분리되면서 상단은 우주를 향해, 하단인 1단 추진로켓은 400m²(약 120평) 밖에 되지 않는 작은 바지선에 정확하고 안정된 모습으로 착륙했다. 바로 드론쉽^{Drone Ship}이 탄생하는 위대한 순간이었다.

로켓이 지상으로 귀환하는 모습을 목격한 모든 사람들이 환호성을 질렀고 나 역시 일론 머스크라는 기업인의 우주에 대한 혁신의 도전에 존경의 박수를 보냈다. 재미있게도 이 드론쉽의 이름은 "Of course I Still Love You^{물론 아직도 너를 사랑해}"였는데 일론 머스크의 드론쉽 프로젝트에 대한 갈망을 엿볼 수 있는 대목이지 않나 싶다. 팰컨9의 첫 귀환은 2015년 12월에 이미 성공했지만 당시는 지상 착륙 플랫폼에서 이루어진 것으로 2016년의 사례는 로켓 발사 후 연료가 충분하지 않을 경우 사용되는 해상 착륙 플랫폼이라는 점이 다르다. 이 바지선은 자율주행 무인선박 플랫폼^{Autonomous Spaceport Drone Ship, ASDS}으로 1단 추진 로켓의 착륙 비행에 맞춰 350km까지 이동할 수 있다.

로켓 발사비용의 70%를 차지하는 1단 추진로켓은 발사 후 대기권 도달 후 그대로 버려졌는데 이를 회수해 재활용할 수 있다면 우주선 비용을 획

드론쉽에 안전히 착륙한 팰컨9 1단 로켓. (출처: 스페이스엑스)

기적으로 줄일 수 있을 거라는 일론 머스크의 생각에서부터 이 프로젝트가 시작되었다. 스페이스엑스 내에서도 불가능할 거라는 의견이 팽배했지만 엔지니어를 설득해가며 수많은 실패를 통해 이 시대 최고의 기술융합으로 결국 성공했고 원가절감을 통한 경제성 확보라는 놀라운 결과를 가져왔다. 스페이스엑스는 2006년 이후 로켓을 97번 발사했는데 그중 57개의 1단 추진로켓을 회수했다.

로켓을 낚는 메카질라

2022년 1월, 일론 머스크가 트위터에 놀라운 소식을 올렸다. 1단 추진로켓을 발사대나 드론쉽에서 회수해 비용을 획기적으로 절감한 것도 모자라 지상의 탑에서 착륙 중인 로켓을 로봇팔로 낚아채 발사대에 올려놓겠다는 것이다.

1단 추진로켓을 지상의 발사대나 바다 위 드론쉽에 착륙시키기 위해서는 1단 추진 로켓에 역추진분사시스템과 착륙 시 펼쳐질 다리가 탑재되어야 했는데 비용은 물론이고 무게가 증가한다는 단점이 있었다. 이 문제를 120m 높이의 메카질라Mechazilla라는 탑에 로봇팔을 설치해 해결하겠다는 것이다. 게다가 로봇팔이 회

스페이스엑스의 메카질라 예상도.
[출처: @ErcXspace's video Tweet]

수한 1단 추진로켓은 바로 옆 발사대 위로 옮겨져 1시간 내에 점검과 연료 주입을 마치고 상단로켓을 연결해 다시 발사한다는 계획을 세우고 있다. 메카질라는 현재 스타쉽을 개발하고 있는 미국 텍사스주 스페이스엑스 스타베이스 시설이 있는 곳에 지상 120m 높이로 세워져 연구 개발을 진행 중인 것으로 전해지고 있다.

본격 우주관광의 시대가 열렸다

한국 시간 2021년 7월 20일 밤 10시 11분. 제프 베이조스를 비롯해 6명의 우주인을 태운 블루오리진의 우주선 뉴셰퍼드New Shepard가 우주를 향해 발사되었다. 유튜브 라이브 중계를 보면서 21세기 최고의 기술은 블루오리진의 제프 베이조스, 스페이스엑스의 일론 머스크, 버진갤럭틱의 리처드 브랜슨 이 3명의 CEO가 이끌고 있는 우주 프로젝트일 것이라고 되뇌면서

블루오리진의 뉴셰퍼드. (출처: 블루오리진)

화면을 주시했다.

블루오리진의 뉴셰퍼드가 우주를 향해 성공리에 발사되어 지상 100km

★ 지구의 대기권과 우주의 경계. 국제항공연맹은 지구 평균 해수면의 100km 상공부터를 우주라고 정의한다.

상공인 카르만 라인Kármán Line★에 도달한 후 추진로켓

은 지상으로 무사히 귀환했다. 6명의 우주인이 탑승한

캡슐로켓은 약 5분 가량 무중력상태로 우주를 비행한

뒤 텍사스 사막에 무사히 착륙했다. "인생 최고의 날

이었다"라는 말과 함께 캡슐의 해치를 열며 승리의 웃음을 한껏 머금고 마

중나온 직원들과 하이파이브를 하는 제프 베이조스를 보면서 미래에 대한

도전에 한 사람의 기업인으로서 존경과 감사의 박수를 보냈다. 2000년 창

업 후 매년 100억 달러(약 12조 원)를 연구개발비로 투자해온 제프 베이조스

는 이미 고등학교 때 한 언론사와의 인터뷰에서 "지구는 유한하고 세계 경

제와 인구가 계속 팽창하려면 우주만이 갈 길이다"라고 말하며 우주에 대

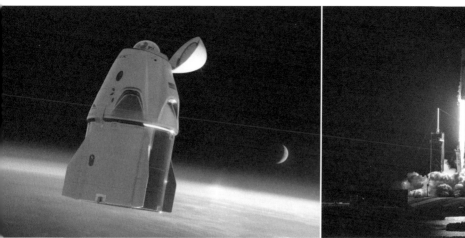

궤도를 도는 인스퍼레이션4(왼쪽)·인스퍼레이션4를 탑재한 팰컨9의 발사 모습(오른쪽). (출처: 스페이스엑스)

한 꿈을 키워왔다. 그리고 첫 번째 도전인 우주여행 도전을 무사히 성공한 것이다. 그것도 본인이 직접 탑승해서 말이다.

뉴셰퍼드 발사 성공 2개월 후, 또 다시 놀라운 도전이 이루어졌다. 2021년 9월 15일, 일론 머스크가 이끄는 스페이스엑스의 인스퍼레이션4$^{Inspiration 4}$가 우주를 향해 쏘아 올려졌다. 놀라운 것은 전문 조종사 없이 4명의 민간인 탑승자들이 NASA에서 5개월 간 우주비행 프로그램을 이수한 후 직접 우주선을 조종해 우주비행에 나섰다는 점이다. 4명의 탑승자는 지상에서 575km 고도까지 올라가 3일간 지구를 15바퀴 넘게 돈 후 플로리다 앞바다로 무사히 돌아왔다. 이들의 귀환 직후 스페이스엑스는 앞으로 매년 6번씩 우주관광선을 쏘아 올릴 계획이라고 밝히며 본격적인 우주여행이 시작되었음을 알렸다.

로켓을 먼저 완성하는 사람이 비즈니스를 장악한다

2021년 한 해 동안 유인우주선은 총 13번 발사되었는데 그중 8번이 일반인의 우주여행이었다. 특히 빅3 스페이스테크기업인 스페이스엑스·블루오리진·버진갤럭틱이 일반인 우주여행을 시작하면서 예년에 비해 크게 증가했다. 블루오리진은 2021년 12월 11일 텍사스 서부에 있는 블루오리진 전용 발사장에서 유료 승객 4명을 포함해 모두 6명을 태운 뉴셰퍼드 로켓의 세 번째 발사를 진행했다. 2022년에는 6번 이상 또는 2개월 간격으로 우주비행을 정례화한다고 발표했다. 버진갤럭틱은 2021년 7월 11일에 리처드 브랜슨 CEO를 우주비행선 유니티Unity에 태우고 우주여행을 성공리에 마쳤다. 총 2번에 걸쳐 우주 준궤도 여행에 성공했으나 우주비행선에 쓰이는 재료의 강도 문제로 추가 우주비행은 2022년 4분기로 연기한 상태이다.

현재 우주여행의 선두는 단연 일론 머스크가 이끄는 스페이스엑스이다. 블루오리진과 버진갤럭틱은 카르만 라인 부근인 준궤도에서 10분 내외로 무중력을 경험하고 지구로 돌아왔지만, 스페이스엑스는 국제우주정거장보다 더 높은 지상 575km 저궤도에서 3일 동안 음속의 22배인 시속 2만 7,359km로 지구궤도 비행에 성공했다. 스페이스엑스는 2021년 9월 첫 비행 성공 직후 연 6회의 우주관광선 발사 계획을 밝혔지만 이후 일론 머스크는 더 나아가 2022년부터 매달 우주선을 띄운다고 발표했다. 이제 우주관광 시대의 서막은 이미 올라갔다. 아직 고비용이라는 문제는 남아 있지만 2023년부터 본격적으로 달 여행을 시작한다고 공언한 블루오리진, 2024년에 화성에 우주인을 보내겠다고 공언한 스페이스엑스는 계획대로

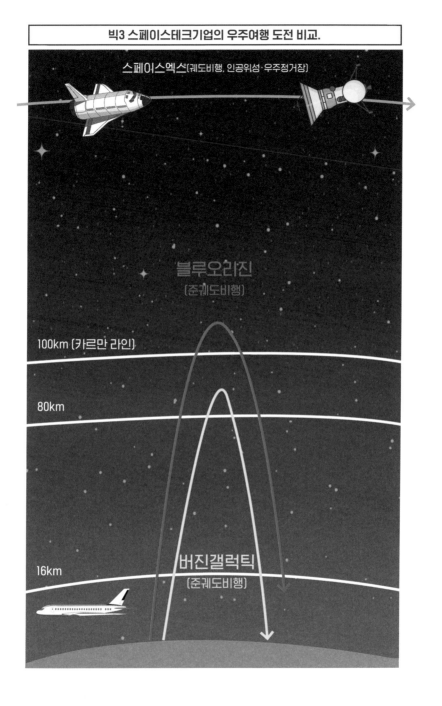

빅3 스페이스테크기업의 우주여행 도전 비교.

스페이스엑스(궤도비행, 인공위성·우주정거장)

블루오리진
(준궤도비행)

100km (카르만 라인)

80km

버진갤럭틱
(준궤도비행)

16km

우주를 향해 한 발씩 전진해나가고 있다.

"언젠가 화성에서 죽는다고 해도 여한이 없다. 착륙 때문만이 아니라면 말이다"라고 말한 일론 머스크는 이 시대의 스페이스 비즈니스를 이끌고 있는 리더임이 틀림없다. 기업을 설립하고 이끌어가는 일은 많은 도전과 고난의 연속이다. 그리고 미래를 향한 비전을 만들고 구성원에게 제시하여 목표를 향해 이끌어가는 것은 분명 기업가로서 가져야 할 역할이다. 특히 현 시대는 기술의 기하급수적 발달로 기술을 이해하고 기술을 도입해 발빠르게 시장에 적용하는 스피드까지 필요한 시대가 아닌가!

2000년 이후 제프 베이조스, 일론 머스크, 리처드 브랜슨 이 3명의 기업인이 스페이스테크기업을 세우고 우주여행을 실현하고 달과 화성에 인간을 정착시키겠다고 발표하며 우주 프로젝트를 시작했을 때 세상은 터무니없는 짓이라고 비아냥거리기도 했다. 그러나 불과 20년 만에 이들은 보란 듯이 비전을 향한 계획을 하나씩 실현하고 있다. 막대한 연구비와 인력 때문에 국가가 주도했던 우주 프로젝트가 이들의 도전 덕분에 성공적으로 민간에 넘어가게 된 것이다. 이제 민간이 주도하는 우주산업은 새로운 경제와 삶의 패러다임을 만들어갈 것이다. 저렴한 비용의 로켓 서비스·우주관광·위성 서비스·우주자원 채굴·우주팩토리·딥스페이스 탐사 등 먼 미래의 일이라고만 생각했던 우주시대의 서막이 이렇게 열리고 있다.

달의 여신에게 보내는 아르테미스 프로그램

인류는 달에서부터 본격적인 우주 개척의 장을 열어, 우주에서의 거주를 시도하고, 본격적으로 우주에서의 삶을 시작하려고 준비를 하고 있다. 바로 이 프로젝트가 달의 여신 이름을 딴 아르테미스 프로그램^{Artemis Program}이다. 아르테미스 프로그램은 2017년부터 NASA 주도로 시작된 국제 유인 달 탐사 프로그램으로 2024년까지 여성 우주인을 최초로 달에 보내고, 2028년까지는 달에 지속가능한 유인기지를 건설하겠다는 계획이 수립되어 있다. 인류를 달에 보내고 상주 기지를 짓는 첫 프로젝트는 2022년 2월에는 무인으로, 2024년 5월에는 유인으로 달 궤도 비행 후 2025년에는 유인 우주선이 달의 남극에 착륙하는 것을 목표로 하고 있다. 2028년에는 달 궤도에 우주정거장인 루나게이트웨이^{Lunar Gateway}를 우주인이 머물도록 해 2030년 이후부터는 화성으로 가는 전초기지로 사용할 계획이다. 루나게이트웨이의 핵심 임무는 달 기지에 쓸 핵심 자원인 물을 찾는 것이다. 이미 달의 남쪽에서 얇은 얼음층을 발견하면서 가장 중요한 물 문제가 해결될 것이라는 기대감이 아르테미스 프로그램에 대한 관심을 높이고 있다. 아르테미스 프로그램에는 2021년 5월에 열 번째로 합류한 대한민국을 포함해 총 15개 국가[★]가 참여하고 있다. 우주선은 스페이스엑스의 스타쉽을 사용할 예정으로 캐나다는 기지 건설용 로봇인 캐나다암^{Canadarm}, 유럽우주국은 거주용 모듈, 일본은 도요타와 함께 탐사로봇으로 참여

★ 미국·영국·일본·이탈리아·호주·캐나다·룩셈부르크·아랍에미리트연합·우크라이나·대한민국·뉴질랜드·브라질·폴란드·멕시코·이스라엘(이상 아르테미스 약정 서명일 순).

예정이다. 대한민국은 2022년 8월에 발사 예정인 한국형 달 궤도선^{KPLO}에 NASA의 새도우캠^{ShadowCam}을 실어 달 탐사에 기여할 예정이다. NASA의 새도우캠은 착륙 후보지역 탐색을 위한 달 극지방 영구 음영지역 촬영을 주 목표로 하고 있다.

아르테미스 프로그램은 홈페이지에서도 언급하고 있듯 안전하고 평화

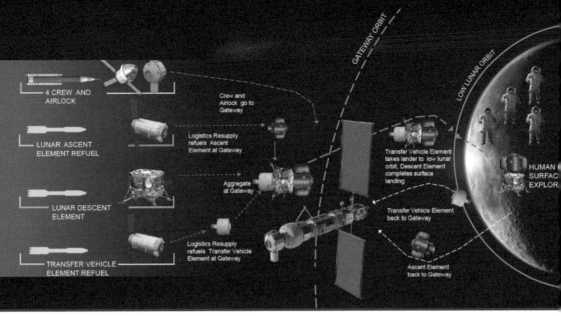

아르테미스 프로그램에 사용될 우주선과 탐사 개요. (출처: NASA)

롭고 풍요로운 미래를 위한 원칙을 슬로건으로 참여 국가들을 NASA의 파트너 국가로 규정해 미래 우주개발을 위해 공유할 원칙을 자세히 설명하고 있다. 여기에는 우주공간의 평화적 활용·응급상황 시 상호 구조·우주자원 활용·상호 갈등방지 등이 담겨 있다. 미국과 NASA 중심의 연합체 구성에 중국과 러시아는 반기를 들면서 우주 탐사를 위한 상호협력 체제를 구성해 대립각을 세우고 있다. 특히 중국은 2022년까지 자체 우주정거장 텐궁天宮의 완성을 호언장담할 정도로 스페이스테크에서 기술적 성과를 보여주고 있어 미국 중심의 아르테미스 프로그램 참여 국가와 중·러 간의 대결은 불가피할 것으로 예상된다.

　2024년에 예정대로 여성 우주인이 달에 착륙해 달의 여신인 아르테미스를 조우하게 된다면 인류의 우주를 향한 행보에 일대 획을 긋는 새로운 역사가 시작될 것이다.

　　스페이스테크: 영역 파괴와 확장을 주도해온 CES가 선정한 메가트렌드

스페이스
비즈니스의
미래

○　　　　스페이스엑스, 블루오리진 등 민간 스페이스테크기업이 이끄는 새로운 우주산업인 뉴스페이스^{New Space}가 본격적으로 시작되었다. 과거 국가 주도로 진행된, 올드스페이스^{Old Space}라 불리는 우주 프로젝트들은 실질적 우주개발과 탐사보다는 가시적 결과만을 남기는 데 초점이 있었다. 게다가 NASA와 협력했던 보잉^{Boeing}과 록히드마틴^{Lockheed Martin} 같은 대기업도 비용절감이나 혁신과는 거리가 멀었다. 민간기업에게 익숙한 치열한 혁신이나 비용절감을 통한 수익창출이 이뤄질 수 없는 시스템 자체의 문제였다.

뉴스페이스 2.0의 시작

NASA는 그동안 위성을 쏘아 올리기 위해 큰 비용을 지불했다. 보잉과 록히드마틴의 합작기업인 유나이티드 런치 얼라이언스^{United Launch Alliance, ULA}는 NASA를 대신해 약 110회 정도 위성을 발사하면서 1회당 3억 8,000만 달러(약 4,600억 원)를 요구해왔다. 하지만 스페이스엑스는 1/3도 되지 않는 1억 달러(약 1,200억 원)를 미국 의회와 NASA에 제시했고 결국 2015년부터 군사위성과 우주선을 수송하는 사업을 하고 있다. 그후 1단 추진로켓의 재활용 성공으로 발사비용은 더욱 드라마틱하게 감소하게 되었다. NASA의 2019년 보고서에 따르면 NASA가 자체 우주왕복선을 이용해 2만

7,500kg의 화물을 우주정거장이 위치한 지구 저궤도에 올리는 데 150억 달러(약 18조 원)가 필요할 것으로 예측되었다. 하지만 스페이스엑스의 팰컨9 로켓으로 2만 2,800kg의 화물을 지구 저궤도에 올리는 데는 620만 달러(약 74억 원)이면 충분하다. NASA가 팰컨9을 개발한 스페이스엑스에 투자한 3억 9,600만 달러(약 4,750억 원)를 감안해도 비교할 수 없이 낮은 수준이다. 이렇게 혁신을 통해 우주 탐사 및 운송에 투입되는 비용 중 가장 큰 비중을 차지하는 로켓 제작 및 발사비용을 기하급수적으로 낮추었다. 이제 시대가 바뀌었다. 우주개발 영역에 민간기업이 뛰어들어 기술과 아이디어의 혁신으로 새로운 스페이스 비즈니스 시대를 만들어가고 있다.

스페이스테크 혁신의 또 다른 예로는 스타트업 렐러티비티 스페이스Relativity Space를 들 수 있다. 최초로 3D 프린팅기술을 활용해 로켓을 생산하는 데다 한 번도 로켓을 발사한 경험이 없음에도 불구하고 미국 투자자들로부터 큰 관심을 받고 있다. 렐러티비티 스페이스는 2022년 초 발사 예정인 테란1Terran 1 로켓으로 이미 많은 기업과 계약을 체결해 로켓 발사 전 가장 많은 투자를 받은 기업이 되었다. 지금까지의 총 투자액은 13억 달러(약 1조 5,600억 원)로 투자자에는 미국 국방부와 NASA도 포함되어 있다. 민간 스페이스테크기업 중 기업가치 1위를 달리고 있는 스페이스엑스(추정 시가총액 1,000억 달러, 약 120조 원)에 비하면 기업 규모(추정 시가총액 42억 달러, 약 5조 원) 면에서는 아직 크게 못 미치지만, 그럼에도 렐러티비티 스페이스가 스페이스엑스의 대항마로 부상하고 있음을 알 수 있다. 3D프린팅·AI·자동화로봇기술을 적용하여 혁신의 선두주자로 평가받고 있는 렐러티비티 스페이스는 생산기술의 수직적 통합과 공급체인 단순화를 통해 기존 로켓보다 1/100 수준의 부품만으로 60일 내에 생산할 수 있다고 하니 로켓산업

랠러티비티 스페이스에서 3D 프린팅기술로 부품을 생산하는 모습. (출처: 랠러티비티 스페이스)

을 시작부터 혁신적인 아이디어로 접근하고 도전해 이뤄낸 결과물이다.

인류가 우주로 한 발자국 더 나아가기 위해서는 로켓제작 및 발사비용을 낮춰야 했고 스페이스엑스는 결국 해결책을 찾아냈다. 처음에는 NASA 뿐만 아니라 모든 스페이스테크기업이 일론 머스크의 로켓 재활용 계획을 비웃었으나 이제는 그들이 스페이스엑스를 따르고 있다. 스페이스엑스는 액체연료 로켓을 지구 궤도로 발사했고 인간을 우주정거장에 보냈다. 이것은 모두 민간기업으로는 최초의 성과다. 이제 더 많은 국가나 단체, 스타트업이 직접 스페이스 비즈니스에 뛰어들 토대가 마련되었다. 스페이스 비즈니스는 여전히 진행 중이며 갈 길 또한 먼 것도 사실이지만 분명한 것은 우주를 향한 혁신의 바람이 거세게 불고 있다는 사실이다.

미국과 중국을 필두로 스페이스 비즈니스의 주도권을 잡기 위한 국가 차원의 패권경쟁도 불이 붙고 있다. 미국은 중국의 괄목할 만한 성장을 견제하고자 2011년에는 정보 및 보안의 이유로 중국의 국제우주정거장 참여를 불허했다. 미국의 이러한 태도가 기폭제가 된 것인지 중국은 2019년에 인류 최초로 달 뒷면에 탐사선 창허 4호를 착륙시켰고, 2021년 4월에는 자체 우주정거장 건설을 위해 모듈 톈허天和를 발사했다. 이어서 2021년 5월에는 세계에서 세 번째로 화성탐사선 톈원天問 1호를 화성 궤도에 무사히 진입시켜 화성 표면에 탐사 로봇 주룽祝融을 착륙시키는데 성공했다. 2022년 혹은 2023년에는 우주정거장 톈궁도 완성할 예정이다. 현재 미국과 러시아가 공동으로 운영하고 있는 국제우주정거장이 예정대로 2024년 퇴역하게 되면 중국의 우주정거장만이 지구 저궤도에서 운영될지도 모른다. 이에 많은 국가와 기업들이 톈궁에서 프로젝트를 함께 진행하기를 원하고 있다고 한다. 이렇게 뉴스페이스 2.0 시대는 민간기업의 아이디어와 기술혁신 그리고 미국과 중국의 거대한 자금을 바탕으로 우주의 주도권을 잡기 위한 패권경쟁으로 본격화되고 있다.

1조 달러 시장이 열린다

방위 및 항공우주분야 시장조사기업 마켓포케스트Market Forecast는 전 세계의 우주 관련 시장이 2026년에 5,580억 달러(약 670조 원) 규모로 형성될 것이라고 전망했다. 모건스탠리**Morgan Stanley**는 2040년이 되면 1조 달러(약 1,200조 원) 규모로 성장할 것으로 예측하고 있다. 이에 편승하듯 투자 또한 폭발적으로 이루어지고 있다. 지난 2021년 8월, 한국무역협회 국제무역통상연구원에서 발간한 우주산업 관련 보고서에 따르면 2009년부터 2021년 2분기까지 스페이스테크기업에 대한 민간의 투자 규모가 총 2,000억 달러(약 240조 원)에 달한다고 분석했다. 특히 2021년 2분기에만 138개 기업에 100억 달러(약 12조 원)이 투입되어 코로나19 팬데믹과 상관없이 우주산업에 대한 투자는 증가 추세를 보이는 것으로 나타났다. 투자 대상이 된 국가를 살펴보면 미국 49%, 중국 25.2%, 영국 5.1% 순으로 3개국의 비율이 전체의 80%에 달하고 있다. 한국은 4억 1,900만 달러(약 5,000억 원)으로 0.2%를 차지하고 있다.

모건스탠리는 위성 발사·위성인터넷·심우주탐사 등 10대 스페이스 비즈니스가 2040년 1조 달러 산업을 만들 것이라고 예측했다. 뉴스페이스 시대의 스페이스 비즈니스는 지구를 위한 우주경제**Space for Earth Economy**와 우주를 위한 우주경제**Space for Space Economy**로 나눌 수 있다. 지구를 위한 우주경제는 '지구에서 사용할 목적으로 생산된 제품이나 서비스'를 뜻하는 것으로 통신·인터넷 인프라·지구 및 우주 관측장비·보안위성 등을 포함한다. 우주를 위한 우주경제는 '우주에서의 사용을 목적으로 생산된 제품과 서비스'를 뜻하는 것으로 우주 거주인프라·소행성 채굴 등을 포함한다. 2019년 기준으로 우주산업에서 발생한 총 매출 3,660억 달러(약 440조 원) 중 95%가 지구를 위한 우주경제에서 발생했다. 현재 호황을 누리고 있는 지구를 위한 우주경제는 로켓 발사비용이 획기적으로 낮아지면서 미래 비즈니스 전망 또한 낙관적인 상황이다. 우주를 위한 우주경제는 현 상황에

위성 발사	위성을 가까운 우주나 지구의 낮은 궤도로 보내기 위한 기술과 인프라 개발.
위성 인터넷	저궤도위성·무선 광대역인터넷·광통신 등의 기술을 통해 지구의 인터넷 음영지역 제거.
심우주 탐사	인간과 화물을 대기권을 넘어 달·화성 또는 그 너머로 운송하는 수준의 기술 개발.
달 착륙	달 탐사·달 탐사를 위한 제품과 인프라 구축.
지구 관측	기후·해양 데이터 모니터링을 위해 GPS·이미징·추적 및 분석 기술 개발.
소행성 채굴	지구 근처 소행성에서 물·희귀 광물 및 금속 등을 추출.
우주 연구	우주 및 우주기술을 연구하고 탐사·교육 진행.
우주 파편	새로 발사될 위성·우주선과의 충돌 방지를 위해 인공위성 등 우주 잔해의 추적·분석.
우주선·엔진 제조	우주선·엔진 등 하드웨어의 설계 및 개발.
우주여행	우주 탐험가나 민간인을 대상으로 한 우주 모험 프로그램 등 포괄적 우주여행사업 운영.

모건스탠리가 예측한 10대 스페이스 비즈니스

서는 미미한 규모지만 미래를 향한 출발선상에 놓여 있다고 말할 수 있다. 지금까지의 성과 덕분에 더 많이 우주로 향하고 지구 밖에 정착하게 된다면 그들이 필요로 하는 제품과 서비스 비즈니스가 탄생할 것이다.

현재 스페이스테크기업이 이끄는 비즈니스는 대부분 지구를 위한 우주경제로 그 중심엔 로켓이 있다. 로켓이 있어야 인간을 우주에 보내 탐사를 하고, 물자를 보내 주거지를 만들고 비즈니스를 형성할 수 있다. 현재 우주에는 소수만이 지구 저궤도에 위치한 단 하나의 우주정거장에 체류하고 있다. 달 그리고 화성에 인간이 도착해 탐사와 거주를 시작하기 위해서는 로켓과 중간 기착지인 우주정거장이 필요하다. 로켓과 우주정거장을 개발 및 확보하기 위해서는 최고의 기술력과 거대한 자금이 필요하다.

보이는
모든 것이
찬스다!

뉴스페이스 시대 그리고 2040년에 1조 달러 규모를 만들어낼 10대 스페이스 비즈니스는 각국 정부의 주도로 국가기관, NASA를 중심으로 한 연합체 그리고 자본과 기술로 무장한 거대기업이 이끌고 있다. 이미 퍼스트무버First Mover가 선점한 스페이스 비즈니스는 메이저 플레이어들의 리그가 되어 버렸다. 우리 대한민국은 2021년 10월, 누리호KSLV-2로 1.5톤 중량의 더미위성을 저궤도에 올리려 했지만 아깝게도 실패했다. 만약 성공했다면 미국·러시아·EU·중국·일본·인도 다음으로 중대형 위성을 우주로 보낸 7번째 국가가 되었을 것이다. 그러나 2022년 5월로 예정된 2차 발사, 12월로 예정된 3차 발사를 포함해 2027년까지 총 7번의 발사를 계획하고 있고 2022년 8월, 한국형 달 궤도 탐사선 발사도 앞두고 있다. 이제 한국의 스페이스 비즈니스는 우리의 자체 기술력으로 본격적인 도약을 시도하고 있다. 퍼스트무버가 이끌어 가고 있는 로켓·우주정거장 및 우주 인프라·위성 등의 분야처럼 거대규모의 시장 외에 한국의 중소기업·스타트업이 바라볼 수 있는 분야는 무엇일까?

스페이스테크 패스트팔로워 전략

"화장실이 문제였다. 그래서 우리는 결국 성인용 기저귀를 차고 귀환길에 올랐다."

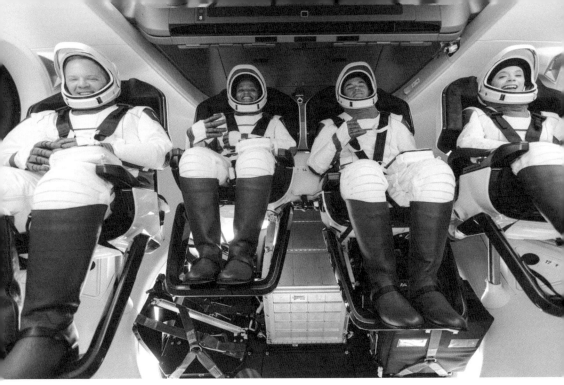

첫 유인 우주여행 우주선인 크루드래곤 탑승객. (출처: 스페이스엑스)

    2021년 9월 15일, 스페이스엑스의 인스퍼레이션4가 3일 간의 우주여행을 마치고 무사히 귀환한 뒤 우주선 탑승객이 전한 말이다. 당시 운항 중 화장실에 문제가 생겨 사용을 금지시켜야 했고 탑승객들은 우주용 속옷이라 불리는 성인용 기저귀를 착용한 채로 지구에 복귀했다.

    우주선 안에 화장실을 만드는 데 드는 비용이 1,900만 달러(약 227억 원)이라면 믿어지는가? 실제로 NASA가 2021년 국제우주정거장에 설치한 화장실의 가격이다. 사실 우주비행사에게는 화장실 이용이 우주 생활에서 가장 힘든 부분이라고 한다. 인간의 생리현상은 가장 기본적으로 해결해야 할 중요한 문제인데 앞으로 우주여행·우주정거장 그리고 달과 화성에서 체류할 계획을 준비하고 있는 현 상황에서 더 저렴하고 더 효율적인 우주 화장실을 설계 및 제작할 수 있다면 우주여행객과 우주비행사는 더욱 편안하게 달과 화성으로 여행을 떠날 수 있을 것이다. 여기에 중소기업·스타트업에 기회가 있지 않을까? 기존 비용의 1/100에 만들 수 있다면 어떻게 될까? 이제 패스트팔로워**Fast Follower**가 되보자. 인간이 우주로 여행을 떠나거나 체류하는 데 있어 가장 절대적으로 필요한 것이 무엇일까? 주변을 한번 돌아보자. 우리가 사용하는 모든 도구와 모든 시설이 우주선으로, 우주주거지로 옮겨가면 어떻게 될까? 못 하나까지 말이다. 지구에서 가져갈 건지, 아니면 우주에서 만들 건지, 어떤 재료로 어떻게 생산할 건지 모두 새로운 비즈니스의 기회이다.

크루드래곤 탑승객들은 가장 맛있었던 우주 음식이 무엇이었냐는 기자의 질문에 "피자가 가장 맛있었어요"라고 답을 했다. 우주에서 먹는 피자는 우리가 흔히 먹는 피자와 무엇이 다를까? 우주에서 장기간 거주할 경우 스페이스 피자는 어떻게 만들 수 있을까? 스페이스 피자는 어떻게 조리를 해서 먹을 수 있을까? 아마 초기에는 지구에서 도우를 가져갈 수도 있을 것이다. 향후 장기간 거주할 경우에는 지구로부터 우주택배운송을 통해 수시로 받거나 아니면 직접 밀농사를 지어 밀가루를 생산한 뒤 도우를 반죽해 조리기구에서 구워서 먹을 것이다. 바로 스페이스푸드의 미래다. 우주에서는 가장 먼저 식재료가 다채롭지 않고 또 부족할 것이다. 그리고 물이 부족할 것이다. 그다음으로는 조리기구가 문제일 것이다.

여기서 화성에서의 생존에 대한 영화 〈마션〉의 한 장면이 떠오른다. 주인공 마크 와트니가 화성에 홀로 남아 식량문제를 해결하기 위해 감자 농사를 짓는 과정과 특히 농사에 쓸 물을 만드는 과정을 보면서 단지 영화로만 생각했는데 이제 우리 인류가 고민해야할 미래가 되어버렸다. 이 고민을 아이디어와 기술로 준비를 해나간다면 기회일 것이다. 스페이스푸드를 살펴보면 스페이스 애그테크^{Ag Tech, Agriculture Technology}. 스페이스 물·스페이스 조리 디바이스까지 과학과 기술의 융합으로 해결해야 할 것이다. 즉 스페이스 푸드테크^{Space Food Tech}로 확장시켜 생각해보면 식재료 해결을 위한 초고속성장 식물(쌀·밀·채소 등)의 재배공장(스페이스 버티컬농장)·고수질 초소형 물 생산기·저전력 고효율 조리기기·초고속 음식 3D 프린터 등을 생각해볼 수 있다. 더 나아가서 최근 개발 중인 배양육·배양생선 등을 만들 수 있는 초고속 세포 배양기기까지 생각해볼 수 있다. 어쩌면 스페이스 푸드테크는 오히려 중소기업·스타트업에게 미래 비즈니스 기회를 많이 가져다주지 않을까? 우주는 우리가 경험해보지 못한 곳이다. 전통과 경험에 의한 판단은 오류를 범할 수 있다. 무한한 상상력과 주저하지 않는 도전 그리고 적극적인 문제해결로 임한다면 또 다른 미래의 기회가 열릴 것이다.

달과 화성에 도착하면 가장 먼저 생존을 위해 필요한 것은 거주지일 것이다. 이 거주지를 어떻게 만들 것인가는 CES 2022에서 시에라 테크놀러지가 공개한 우주주거지에서 힌트를 얻을 수 있다. 주거지의 외벽은 우주에서 스며들 방사선을 차단해야 하고 우주쓰레기·운석 파편 등과 충돌해도 견디도록 차단성과 내구성이 높은 고강도 재료가 필요하다. 그래서 강철보다 강하고, 방사선을 완전 차단할 수 있고, 가벼운 소재인 직물·나일론·우레탄을 세 겹으로 만들어 외벽을 만들었다. 또한 로켓에 실어 운송할 때 문제가 될 것으로 예상되는 부피 때문에 박스처럼 접어서 보낸 후 우주에서 펼쳐서 사용하도록 설계했다. 지난 10년 이상의 시간을 20~30년 후 미래의 스페이스 비즈니스 기회를 바라보고 연구해온 결과이다.

우주주거지에 있어서 중요한 파트는 주거지 및 전체 시스템 운영에 필

우주주거지 상상도. (출처: 마스 원)

요한 전기일 것이다. 이 전기는 태양광으로 만들 수 있다. 지구에서 태양광으로 에너지를 만들 때 약 30%는 지구에 도달하기도 전에 반사되어 손실이 발생되는데 우주는 24시간 태양광으로 전기를 생산할 수 있어서 지구에서 보다 약 10배 이상의 전기를 생산할 수 있다. 즉 우주주거지에서 사용할 수 있을 만큼의 소형·고효율 우주주거지용 태양광 발전소를 만들 수 있을 것이다. 초소형 태양전지판으로 생산된 전기에너지를 고밀도 에너지 저장장치Energy Storage System, ESS에 저장해 사용할 수 있다. 그리고 에너지 저장장치의 전기를 마이크로파로 변환해 각종 기기에 전송할 수도 있을 것이다. 이제는 우주주거지 내부를 살펴보자. 가구·조명·화장실·식기구 등 우주에서 살아가는 데 반드시 필요한 것들이다. 그런데 퍼스트무버가 되기 위해서 이것을 보고 이미 움직인 기업이 있다.

화성 사막 연구기지에 이케아 연구팀이 왜?

사막 한가운데에 화성을 재현했다. 뜨거운 대기와 흙먼지, 풀 한 포기조차 없고 지형마저 붉은 색깔을 띠는 것이 화성과 거의 흡사하다. 6명의 우주인은 실제 화성에서처럼 혹독한 생활을 겪으면서 태양광패널로 전기를 만드는 작업부터 거주지 건설, 땅속에 있을지 모를 수분 탐색, 생명체 흔적 탐사 등의 활동을 하게 된다. 직경 8m인 작은 원통형 주거지에서 전기·음식·산소·물 등 제한된 물자로 살아가면서 필요한 모든 것을 기지 내에서 만들고, 고치며, 교환해야 한다. 외부에서 작업할 때는 항상 우주복 시뮬레이터를 착용해야 한다. 헬멧·점프수트·부츠·각반·장갑·산소 공급팩·물 공급팩이 포함되어 있으며 헬멧에 장착된 휴대용 라디오는 주거지 통신기지 및 외부 동료들과 통신에 사용된다. 안전상의 이유로 주거지에는 항상 한 명의 우주인이 남아야 한다.

이것은 미국 유타주 행크스빌에서 북서쪽으로 11km 떨어진 산 라파엘 스웰San Rafael Swell에 세워진 화성 사막 연구기지Mars Desert Research Station, MDRS의 모습이다. 이 연구는 화성 연구를 위해 만들어진 비영리단체인 마스 소사이어티The Mars Society가 화성 탐사에 필요한 핵심 지식을 개발하기 위해 시작한 프로젝트이다. 이 프로젝트는 환경적 제약 확인, 현장 전술 개발, 서식지 설계 기능과 도구의 테스트, 승무원 선택 프로토콜 시뮬레이션을 주 목표로 한다. 차세대 우주탐험가 양성도 핵심 목표 중 하나다. 일반적으로 과학자·천문학자·물리학자·생물학자·지질학자·엔지니어에 가끔 기자들이 지원을 하는데 이 연구기지에 일반 기업들이 다녀가고 있다. 스웨덴의 세계적 가구기업 이케아IKEA는 미래에 화성에서 사용할 우주 생활가구를 연구하기 위해 이곳에 연구팀이 머물도록 했다. 미래에 펼쳐질 화성에서의 비즈니스의 기회를 선점하기 위한 시도였다. 이 프로젝트에 참여했던 한 연구원은 극도로 좁은 공간에서의 생활과 제품 사용법에 대해 배울 수 있었으며 지속 가능한 우주생활에 대해서도 많은 지식을 쌓을 수 있었다고 말했다. 이케아는 프로젝트 결과를 바탕으로 MDRS의 주거지에 유연하고 작지만, 기능적 특성을 확보한 가구를 제작해 설치해주었다. 그리고 더 나아가 이를 바탕으로 대도시의 초소형 주택을 겨냥해 룸티드^{Rumtid}와 로그난^{Rognan} 라인을 런칭했다.

미래를 대비한 이케아의 이러한 변화와 실행은 스페이스 비즈니스를 준비하는 데 도움이 될 것으로 생각한다. 전 세계의 그 어떤 가구기업도 화성 연구기지에서 직접 체험하면서 미래를 준비하지 않기 때문이다. 대한민국 기업인들에게 화성 사막연구기지, 그리고 화성 연구 북극기지에 꼭 가보라고 권하고 싶다. 나 또한 기회를 만들어 학생들과 꼭 가보려고 한다. 우주는 아직 우리가 경험을 해보지 못한 곳이기 때문이다. 무거운 우주복과 헬멧을 쓰고 극한의 추위와 더위 그리고 주거지를 포함한 모든 환경 속에서 직접 경험을 하면서 여러분의 비즈니스, 제품의 미래를 그려보면 어떨까?

민간주도 우주산업이 거대한 생태계로

지금까지 스페이스테크 분야의 주요한 비즈니스 기회부터 중소기업과 스타트업의 미래를 위한 기회까지 살펴보았다. 특히 가장 기본적인 의식주에 초점을 맞춘 이유는 아이디어와 연구로 충분히 실행에 옮길 수 있다고 생각했기 때문이다. 물론 막연할 수 있다. 아니 당연히 막연하다. 하지만 이 막연함은 전 세계 모든 기업인에게도 마찬가지이다. 새로운 길을 개척하는 데는 반드시 위험과 보상이 공존한다. 인류는 코로나19 팬데믹으로 지난 2년 동안 무방비 상태로 일격을 맞았다. 이 때문에 삶의 스타일도 완전히 바뀌었다. 도시와 국경이 수시로 폐쇄되었고, 사람들을 온라인으로 만날 수밖에 없었고, 학생들은 온라인으로 등교했다. 이제는 가상세계, 가상인간의 메타버스 시대로 넘어가고 있다. 미중 패권 다툼은 세계를 긴장하게 만들고 자국 중심의 민족주의와 보호주의를 심화시키고 있다. 2022년 1월 현재 세계 인구는 78억 명에 다다르고 있다. UN은 2040년대에 세계 인구가 90억 명에 도달하면 1/3은 식량과 물이 부족에 시달릴 것이라고 전망한다. 전 세계는 이상기후로 신음하며 수많은 인명과 재산을 잃었다. 그래서 일론 머스크는 2035년 화성에 첫발을 내딛고 2050년 이후 화성에 100만 명이 사는 우주도시를 건설하겠다고 호언장담을 하는 것일까.

이러한 이유로 CES는 스페이스테크를 주목할 기술로 선정해 대대적인 홍보를 했다. 하지만 참가 기업은 많지 않았다. 물론 오미크론의 갑작스러운 확산도 저조한 참여의 이유 중 하나일 것이다. 시에라 스페이스의 우주선 목업과 소니의 스타스피어가 등장했지만, 이것만으로는 CES에서 스페이스테크를 주목한 이유라고 보기에는 한계가 있었다.

여기에 CES의 주관사인 CTA의 큰 전략이 숨어 있다. 가전 위주의 CES가 모든 디지털제품과 디스플레이를 아우르는 전시회가 되었고, 모터쇼를 대신하는 모빌리티 혁신의 장으로까지 확장되었으며, 모바일제품도 이미 CES에 자리를 잡았다. CES는 민간기업 주도의 우주산업이 머지않아 거대한 생태계로 성장할 것을 예측해 트렌드를 선점한 것이다.

CES와 스페이스테크는 2022년에 미래 기회를 잡기 위한 첫발을 내딛었다. 이렇게 미래는 도전하는 자만이 취할 수 있는 것이다.

PART 6

푸드테크

:

이미 정해진 미래,
지속가능을 위한
선택

이용덕

지난 30여 년 동안 IT 기업 전문 경영인으로 세계적인 반도체 기업에서 근무하며 이들의 혁신과 성장을 주도했다. AI, 자율주행, 빅데이터, 딥러닝 분야의 반도체 시장을 주도하는 엔비디아의 한국 지사장으로 13년간 재직했으며 세계 3대 반도체 팹리스기업 브로드컴, 반도체기업 레저리티의 초대 한국 지사장을 지내기도 했다. 이외에도 에스티마이크로일렉트로닉스, SGS-톰슨, 필립스를 거쳤다. 현재 글로벌 스타트업 액셀러레이터 드림앤퓨쳐랩스 대표, 인공지능 SW·HW 전문기업 바로AI CEO, 서강대학교 지식융합미디어대학 교수이다.

○　　　약 300만 년 전 최초의 인류가 지구상에 등장하고 현 인류의 조상인 호모사피엔스의 출현을 거쳐 오늘날까지 인류가 혹독한 기후와 환경 속에서 살아남을 수 있었던 절대적 이유는 인류의 생존에 가장 필수적인 의식주가 충족되었기 때문이다. 의식주 중에서 '식'은 에너지와 영양을 공급받기 위해 섭취하는 음식과 관련한 모든 생활문화를 일컫는데 인류의 삶에 가장 큰 영향력을 행사하고 있다고 해도 과언이 아니다.

인류의 삶에 가장 중요한 식생활은 21세기 최첨단 기술이 펼쳐지는 지금도 여전히 풍요와 부족, 비만과 기아, 수확과 파괴 등 상반된 문제에 직면해 있으며 역사 속에서 반복되는 문제이기도 하다. 특히 기아 문제는 인류가 함께 풀어가야 할 가장 심각한 문제로 과거로부터 현재 그리고 미래에도 계속 이어질 위협이다.

UN 산하 식량농업기구Food and Agriculture Organization, FAO의 보고서에 따르면 2020년 기준 기아 인구는 세계 인구의 약 10%인 8억 1,000만 명에 달하며 기후·전쟁·코로나19 팬데믹 때문에 2019년 대비 20% 증가했다. FAO는 인류의 기아 문제 해결을 위한 지속적 노력의 일환으로 2030년 기아 제로Zero Hunger 달성을 목표로 전 세계의 결의를 끌어냈지만, 2021년 10월 발표한 〈2021 세계 기아 지수Global Hunger Index〉 보고서 첫머리에서는 2030년 기아 제로 목표 달성은 실패할 것이며 47개국에서의 실패는 더욱 두드러질 것이라고 전망하고 있다. 소말리아를 필두로 주로 아프리카 국가의 문제가 심각한 상태로 주 원인으로는 기후변화로 인한 식량 생산량 감소와 코로나19 팬데믹

　　　푸드테크: 이미 정해진 미래, 지속가능을 위한 선택

그리고 전쟁을 꼽았다. 취둥위 FAO 사무총장은 "FAO는 포괄적 협력 플랫폼이자 회원국, 이해관계자의 중요한 파트너로 기아 종식을 위한 구체적 기여를 하도록 역할을 강화해 나갈 것"이라고 밝혔지만 앞서 언급한 기아의 주 원인이 정책으로 해결하기 어렵다는 점에서 문제가 심각하다고 볼 수밖에 없다.

기후변화 위기와 푸드테크의 역할

2021년 10월 31일부터 11월 13일까지 영국 글래스고에서 개최된 제26차 유엔기후변화협약UN Climate Change Conference 당사국총회COP26: 26th Conference of the Parties에서 FAO는 놀랄 만한 자료를 공개했다. 2019년 온실가스 전체 배출량에서 농업 및 식량 관련 산업이 차지하는 비중이 31%에 달하며 이는 1990년 대비 17%나 증가했다는 것이다.

지구온난화에 더욱 심각한 영향을 미치는 온실가스의 주범은 이산화탄

제26차 유엔기후변화협약. (출처: 유엔기후변화협약)

소보다 메탄과 이산화질소다. 메탄의 대부분은 소·돼지 같은 축산 동물의 트림과 배설물에서 발생하는데 열을 가두는 효과를 비교하면 메탄은 이산화탄소 대비 약 80배에 달한다. 또한 식품의 가공·포장·저장·운송·유통 과정에서 온실가스 배출이 증가하고 있으며 농업 분야 전체 배출량의 절반에 달한다.

2015년 9월, 빌 게이츠는 지구 온난화 방지를 위해 전 세계 26명의 투자자·인도주의단체·시민단체 등을 모아 브레이크스루 에너지^{Breakthrough Energy}라는 단체를 만들었다. 청정에너지를 위한 연구·개발·투자를 주목적으로 결성된 이 연합은 총 46억 달러(5조 5,000억 원)의 투자금을 확보했다. 브레이크스루 에너지의 조사에 따르면 매년 발생하는 온실가스는 약 510억 톤으

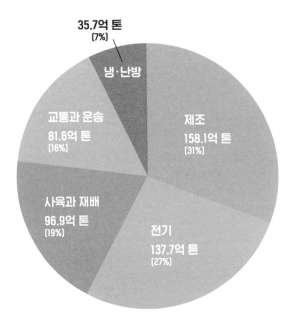

산업별 온실가스 배출량. 각각의 수치는 직접 생산으로 배출되는 온실가스의 양이며 연료를 태운 뒤 발생하는 온실가스는 교통과 운송의 항목에 포함. (출처: 브레이크스루 에너지)

로 부문별 배출 비중은 아래의 그림과 같다.

510억 톤이라 하면 얼마나 큰 규모인지 잘 느껴지지 않을 수 있다. 빌 게이츠는 《빌 게이츠, 기후재앙을 피하는법》에서 유럽의 탄소 배출권 거래를 통해 탄소발자국이 매년 1,700만 톤 감소하지만, 이는 전체 배출량 510억 톤의 0.03%에 불과하다고 역설한다. 510억 톤 중 농업·임업·축산업·비료·삼림벌채 등을 포함한 농업 및 식량산업의 비율은 세 번째로 큰 97억 톤으로 전체 배출량의 19%를 차지한다. 앞서 언급한 대로 기아의 주 원인 중 하나는 기후변화로 인한 식량 생산량 감소인데 식량 부족 해결을 위해 생산량을 늘릴수록 온실가스 배출량이 증가해 뫼비우스의 띠처럼 악순환이 반복될 것이다.

지구 온실가스의 주범, 소고기와 쌀

미국 일리노이대학교의 대기과학과 교수인 아툴 자인Atul Jain 연구팀은 2007년부터 2013년까지 전 세계 200여 국가에서 171종의 농작물을 재배하고 16종의 가축을 사육하면서 배출한 온실가스를 분석한 결과를 《네이처 푸드Nature Food》에 발표했다. 이 자료를 보면 57%는 육류 식품 생산에서, 29%는 식물 기반 식품 생산에서, 14%는 면화나 고무 등 비식용 농산물 생산에서 발생한 것으로 확인된다. 앞서 브레이크스루 에너지의 조사 결과로 확인된 농업 및 식량산업의 온실가스 배출량 97억 톤에 이 비율을 대입해보면 축산업에서 약 55억 톤, 농업에서 약 29억 톤, 비식용 농산물 생산에서 약 14억 톤이 배출된 것으로 볼 수 있다. 인류의 식량 소비 중 비중이

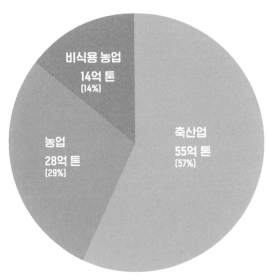

농업 및 식량산업의 온실가스 배출량.

높은 소고기와 쌀이 가장 많은 온실가스를 배출하는 주 원인이라는 점은 아이러니한 현실의 단면이다.

미국 스탠퍼드대학교와 UC버클리 연구팀은 향후 15년 내에 가축 사육과 사료재배산업을 중단하면 2100년까지 이산화탄소 배출량을 68% 줄이는 효과를 얻을 수 있다는 연구 결과를 《플로스 기후변화PLoS Climate》에 발표했다. 이 연구는 앞으로 15년 동안 가축에서 생산되는 육류를 모두 대체육으로 바꾸고 사료재배용 토지를 숲이나 초원처럼 이산화탄소 흡수지로 복원하는 것을 가정해 총 4단계의 시나리오로 결과를 분석했다. 이 논문의 공동 저자인 스탠퍼드대학교 생화학과 명예교수이자 임파서블 푸드Impossible Foods CEO인 패트릭 브라운Patrick Brown 박사는 가축 사육과 사료재배산업을 15년 내로 중단하고 다른 분야의 온실가스 배출량이 그대로 유지된다면 온실가스 배출량은 30년간 증가세를 멈출 것이며, 21세기 말까지 온실가스로 인한 가열 효과를 70%까지 감소시킬 수 있을 것으로 내다봤다. 즉 인류가 대체육으로 식단을 바꾼다면 온실가스 배출 증가를 멈추고 지구온난화 방지에 중대하게 기여하는 것은 물론, 더 나아가 인류의 10%가 처한 기아문제를 해결할 수도 있다는 것이다.

1,000억 달러 규모, 대체육 시장이 온다

코로나19 팬데믹 이후 음식에 대한 안전성과 건강에 대한 관심이 높아졌고, 환경에 대한 사회적 이슈로 인해 푸드테크의 중요성이 부각되면서 미래 식량산업을 이끌어갈 중요한 기술로 성장하고 있다. 인류를 위한 푸드테크의 역할은 식량부족 해결, 온실가스 감소, 안전한 음식 공급, 영양 공급의 4가지로 압축할 수 있다. 이를 위해 현재의 푸드테크는 인공지능, 빅데이터, ICT, 클라우드 등을 바탕으로 생산 혁신에서부터 대체육·맞춤 영양을 통한 헬스케어·서빙 및 조리로봇·배달산업·음식물쓰레기 처리·버티컬 농장★ 등으로 확산되면서 다양한 제품과 서비스가 등장하며 눈부신 성장을 이루고 있다. 일례로 벤처캐피탈·사모펀드 자본시장 데이터 서비스기업인 피치북

★ 층층이 쌓아올린 구조로 실내에서 작물을 기르는 방식. 도시의 좁은 공간을 활용해 밀도 높은 농사를 지을 수 있다.

PitchBook에 따르면 전 세계 푸드테크 스타트업에 2021년 상반기에만 160억 달러(약 192조 원)의 투자금이 몰렸다. 이는 2020년에 푸드테크분야에 집행된 전체 투자액의 86%에 달하는 수준으로 푸드테크를 대상으로 투자가 활발하게 이루어지고 있음을 확인할 수 있다. 대체육시장의 성장세에 발맞추

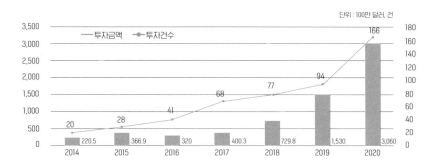

대체 단백질 식품 스타트업 투자 추이

단위 : 100만 달러, 건

대체육 스타트업 투자 추이. [출처: 무역협회]

어 그래프에서처럼 2020년 대체육의 스타트업 투자는 30억 6,000만 달러(약 3조 6,700억 원)으로 급성장했으며 투자 또한 2030년에는 전 세계 육류시장의 30%를 차지하고 2040년에는 60% 이상을 점유할 것으로 전망된다.

대체육 분야의 투자가 더욱 활발히 진행되는 것은 다음과 같은 5가지 이유 때문이다. 첫째, 축산업이 1년 동안 배출하는 55억 톤의 온실가스를 줄임으로써 지구온난화에 따른 이상기후 문제를 해결할 수 있기 때문이다. 둘째, 식량부족 문제 해결의 실마리가 될 수 있다. 셋째, 채소로 만든 대체육은 영양이나 칼로리 측면에서 건강한 식생활에 도움이 된다. 넷째, 동물복지 등 육류 생산의 윤리적 문제를 해결할 수 있다. 다섯째, 갈수록 증가하는 채식주의자의 대안이 될 수 있기 때문이다. 식물 추출·동물세포 배양·미생물 발효 등의 방법을 통해 단백질을 인공적으로 만들어 맛과 식감을 재현한 대체육은 일찍이 글로벌 시장에 진출한 비욘드미트[Beyond Meat]나 임파서블푸드가 주도하고 있고 국내외 많은 스타트업이 연구개발 중이다.

미국의 마켓 리서치기업 CFRA에 따르면 2018년 약 22조 원 규모였던 대체육 시장은 2030년에 1,000억 달러(약 120조 원) 규모로 5배 넘게 성장할 것으로 예측된다.

CES 2022에서 만난
푸드테크
선두 기업들

◎　　　CES 2022가 열린 컨벤션센터 센트럴 프라자 광장을 많은 사람이 채운 가운데 유독 길게 줄이 늘어선 한 부스에서 시식용 음식을 나누어 주고 있었다. 사람들이 "원더풀"을 외치며 먹은 음식은 영화 기생충에 등장한 짜파구리를 포함해 닭과 연어구이까지 3가지였다. 식품 관련 이벤트에서 시식하는 모습은 흔히 볼 수 있었지만, 한국의 스타트업 비욘드허니컴Beyond Honeycomb 부스에는 푸드테크의 현주소와 미래를 보여주는 놀라운 비밀이 숨겨져 있었다. 바로 세계 최초로 선보인 AI 셰프가 조리한 음식이 제공되었기 때문이다. 부스 전면에 새겨진 "어디에서나 셰프의 요리를 경

AI 쿠킹로봇이 조리한 음식을 선보인 비욘드허니컴 부스. (출처: 비욘드허니컴)

험할 수 있습니다^{Chef's Dish Everywhere"}라는 슬로건처럼 전문 셰프의 레시피를 AI와 로봇을 이용해 어디에서든 맛볼 수 있게 한 것이다.

CES를 주관하는 CTA는 사상 처음으로 푸드테크를 카테고리에 추가했다. 새롭게 떠오르는 기술^{Emerging Technology} 중 하나로 푸드테크를 선정하고 공식 섹션에 포함한 이유는 바로 인류를 위해 지속적 성장세를 보이는 미래의 기술과 시장을 보았기 때문이다. 이번 CES에 참가한 푸드테크기업을 살펴보면 대체식·로봇·음식물쓰레기 처리·AI와 데이터의 4가지 기술 분야로 요약할 수 있다. 특히 전 분야에 걸쳐 한국의 스타트업 참가가 두드러졌고 SK를 비롯한 국내 대기업의 해외 푸드테크 기업에 대한 투자도 활발히 이루어지고 있음을 확인할 수 있었다.

비욘드허니컴

삼성리서치 출신 연구진들이 공동 설립한 AI 및 로봇 스타트업 비욘드허니컴은 AI와 쿠킹로봇 기반의 셰프 솔루션을 공개했다. 앞서 소개한 것처럼 CES 2022 현장에서 AI 셰프로봇이 조리한 음식의 시식 기회를 제공하며 많은 인기를 누렸다. 당시 시연을 위해 특별히 설치한 조리기구에서 적정 온도·조리 제어 등을 고성능 센서가 세밀하게 분석해 셰프가 만든 음식을 쿠킹로봇이 그대로 재현해냈다.

비욘드허니컴의 AI 셰프 솔루션은 푸드센서가 셰프가 조리하는 식재료의 음식 성분의 변화를 분자 단위로 분석하고 수치화해 AI로 학습한 후 쿠킹로봇이 그에 맞춰 자동으로 조리하는 과정을 거친다.

오른쪽 검은색 큐브 형태 기기에서 음식이 조리된다. (출처: 비욘드허니컴)

이제는 비욘드허니컴의 셰프로봇만 있으면 전 세계 어디에서나 미슐랭 가이드에 소개된 스타 셰프들의 음식으로 멋진 다이닝을 즐길 수 있다. 기존의 아날로그 방식의 주방은 이렇게 디지털 플랫폼으로 전환되고 있음을 확인할 수 있었다.

누비랩

현대자동차 선행기술 개발팀 출신 김대훈 대표가 창업한 푸드테크 스타트업 누비랩Nubilab은 AI와 빅데이터를 활용해 음식 실물을 스캔하면 중량·영양성분·칼로리·식사시간 등을 자동으로 기록 및 분석하는 오토 AI 푸드 다이어리Auto AI Food Diary를 발표했다. 오토 AI 푸드 다이어리는 0.5초 만에

누비랩의 AI 푸드 다이어리. (출처: 누비랩)

분석한 음식 정보를 바탕으로 사용자의 영양 관리와 식습관 개선을 도와 균형 잡힌 식생활을 유지하게 도와준다. 특히 환자나 어린이의 식단 조절 과 다이어트 등 건강관리에 유용한 헬스케어 솔루션으로 간편하고 빠르게 분석된 정보는 사용자의 스마트폰에 설치된 앱 또는 웹으로 손쉽게 확인 할 수 있다. 또한 배식량·섭취량·잔반량 측정 기능으로 적정 음식량을 예 측해 낭비되는 식자재와 음식물 쓰레기를 줄일 수도 있다. 유엔세계식량 계획World Food Programme, WFP에 따르면 매년 전 세계에서 만들어지는 음식의 1/3이 버려지는데 금액으로 환산하면 무려 1조 달러(약 1,200조 원)에 달하 며 처리 과정에서도 환경에 악영향을 끼친다. 또한 음식물 쓰레기 1,000kg 을 줄이면 1,700kg의 온실가스 감축 효과를 거둘 수도 있다. 이처럼 오토 AI 푸드 스캐너는 자원낭비 해결과 온실가스를 감축에 중요한 역할을 할 것으로 인정받아 CES 2021에서는 '헬스케어'와 '지속가능성'의 2개 부문에서 혁신상을 받기도 했다.

양유

외식 브랜드인 청년떡집·우주인피자와 반려동물 식품 브랜드 맘앤대디를 운영하는 푸드테크 스타트업 양유는 식물성 단백질로 만든 비건 치즈를 선보였다. 양유의 미국 자회사인 비건식품 제조기업 아머드프레시 **Armored Fresh**가 개발한 비건치즈는 아몬드밀크를 베이스로 자체 개발한 발효기술 적용으로 부드러운 식감과 고소한 풍미를 재현했다. 이뿐만 아니라 동물성인 일반 치즈와 비교해도 손색없는 단백질 함량(100g당 최대 20%)을 장점으로 내세웠다.

CES 2022에서는 슬라이스·슈레드·포션·스프레드·까망베르·부라타 등 치즈 6종에 플레인·딸기·블루베리·시트론·갈릭허브·스파이시 할라피뇨·

아머드프레시의 비건치즈. (출처: 아머드프레시)

인절미·솔티드 카라멜 앤드 초콜릿 등 8가지 맛을 가미한 비건치즈를 선보였다. 또한 양유의 브랜드 청년떡집의 비건 대상 아침햇살 크림떡은 K-컬쳐 바람을 타고 부드럽고 쫄깃한 한국식 디저트의 인기가 높아진 요즘 더 큰 바이럴 효과를 기대하게 한다.

베어로보틱스

베어로보틱스**Bear Robotics**는 구글 엔지니어 출신인 하정우 대표가 미국 실리콘밸리에 창업한 레스토랑 서빙로봇기업이다. 2021년 4월, 미국프로농구**NBA** 휴스턴 로케츠의 경기가 열린 휴스턴 홈구장에서 서빙로봇 서비**Servi**가 등장했다. 휴스턴 로케츠는 경기 후 공식 유튜브 채널을 통해 "로봇을 이용한 경기장 내 최초의 음식·음료 서비스"라는 자막과 함께 서비를 영상으로 소개해 큰 주목을 받았다. 서비는 베어로보틱스 최초의 양산형 제품으로 라이다 센서를 갖춘 AI 자율주행 로봇이다. 장애물을 회피하고 최적의 동선으로 음식을 테이블에 서빙하는 서비는 고객이 트레이에서 음식을 가져가면 무게 변화를 감지, 다시 주방으로 복귀한다. 매장 상황, 동선 등에 따라 로봇을 손쉽게 커스터마이징이 가능하며 클

베어로보틱스의 서빙용 로봇 서비.
〔출처: 더밀크〕

푸드테크: 이미 정해진 미래, 지속가능을 위한 선택

라우드 기반으로 활동을 모니터링하고 서빙 횟수나 이동 거리 등의 리포팅도 가능하다. 퇴식과 음료 서빙에 최적화된 서비 미니 라인도 있다. 현재 공항·호텔·카페 등에서 서비를 사용하고 있다.

엔씽

엔씽^{N.Thing}은 2014년 설립된 애그-푸드테크^{Agriculture-Food Technology} 기업으로 IT와 데이터를 접목해 농업 분야와 푸드 밸류체인 혁신을 주도하고 있다. CES 2022에서는 모듈형 수직농장 큐브^{CUBE}와 작물 재배 솔루션인 큐브 OS^{CUBE OS}로 기술력을 인정받아 지속가능성, 에코디자인 및 스마트 에너지 부문에서 혁신상을 수상했다. 스마트팜 큐브는 40피트 컨테이너에서 수경재배로 농작물을 재배하는데 수직 또는 수평으로 원하는 만큼 유연하게 확장 가능한 모듈 형태가 특징이자 최대 장점이다. 자체 개발한 스마트 OS는 습도·온도·조도뿐만 아니라 산소·이산화탄소 농도 등을 분석한 데이터로 재배 환경을 최적화하는 운영 소프트웨어 플랫폼으로서 기후·지형·토양 등과 상관없이 어디에서나 같은 품질로 재배가 가능하다.

이천·용인·아부다비 등에서 큐브 농장을 가동 중인 엔씽은 하드웨어와 소프트웨어에 더해 재배 기술자 교육 및 유지관리 프로그램도 제공하고 있다. 서울 도산공원 인근에서는 고급 부티크형 스마트팜 스토어 '식물성 도산'을 운영하면서 대중과 직접 만나고 있기도 하다. 또한 큐브에서 재배한 채소를 프리미엄 레스토랑 붓처스컷·블루밍가든·썬더버드에 직접 공급하고 있으며 가정에서 인테리어 용품처럼 실내에서 채소를 재배할 수

엔씽의 콘테이너 수직농장 큐브. (출처: 엔씽)

있는 엔씽 프레임Frame도 갖추고 있다.

팬데믹과 이상기후 등으로 안전한 먹거리 확보는 인류의 중요한 이슈 중 하나가 되었다. 엔씽의 스마트팜 기술은 친환경·효율적 농법으로 안전하면서도 대량으로 먹거리를 공급할 수 있는 기회를 제공한 점에서 미래를 향한 애그테크와 푸드테크의 방향을 제시했다.

지금까지 소개한 기업 외에도 풀무원의 미국 자회사 나소야는 일본 푸드테크 기업 요카이 익스프레스Yo-Kai Express와 손잡고 음식 조리 자판기를 선보였다. 이 기기는 실온 보관이 가능한 식음료를 단순히 판매하던 기존 자판기와 달리 우동이나 스파게티와 같은 음식을 기기 내부에서 조리해 제공한다.

피자로봇을 생산하는 피크닉Picnic은 가입형 로봇 서비스Robotics-as-a-Service, RaaS 모델로 피자로봇 서비스를 제공한다. 피크닉은 레스토랑·엔터테인먼트·테마파크 등 다양한 형태의 업종에서 피자로봇 시험 운영하며 본격 판매에 들어갔다.

피크닉의 피자로봇. (출처: 피크닉)

이 외에 식품 및 영양 데이터 분석 서비스를 제공하는 이다맘^{Edamam}, 맞춤 레시피 제공 및 온라인 쇼핑을 연계해주는 스웨덴의 노스포크^{Northfork}, UVC 자외선으로 유통기한을 연장하는 저장 시스템을 개발한 우베라^{Uvera}, 와인과 증류주를 혼합해 음료를 만들어주는 엔드리스 웨스트^{Endless West} 등 다수의 스타트업도 CES 2022에 참여했다.

실리콘밸리는
이미 푸드테크
전쟁 중

◉　　　2019년 5월 2일, 미국 나스닥을 들썩이게 하는 일이 벌어졌다. 공모가 25달러였던 주식이 상장 첫날 163% 급등해 65.75달러로 마감한 것이다. 이는 2008년 이후 나스닥 상장 첫날 최대 상승폭이었다고 한다. 혁신적인 기술을 보유한 실리콘밸리의 IT기업의 사례라고 생각하겠지만 주인공은 뜻밖에도 식물성 대체육 제조기업 비욘드미트**Beyond Meat**다. 미국 CNBC에 따르면 식품기업의 통상적인 기업가치는 매출 대비 2배 안팎에서 설정되는데 비욘드미트는 2018년 매출액(8,800만 달러, 약 1,056억 원) 대비 무려 170배를 달성했다(2019년 최고치 기준). 이는 비욘드미트가 실리콘밸리의 IT 스타트업 수준으로 평가받고 있다는 의미로 해석할 수 있다.

　그렇다면 비욘드미트가 이렇게 급성장하고 높이 평가받을 수 있었던 이유는 무엇일까. 바로 푸드테크의 성장 가능성 때문이다. 육류의 영양과 맛 그리고 향과 육즙까지도 그대로 재현해낸 대체육은 콩 같은 식물성 재료로 만들기 때문에 육류 섭취로 인한 질병 등의 문제에서 자유롭다. 또한 개인적·종교적 신념이나 동물복지, 생명윤리를 이유로 채식을 실천하는 사람들에게 새로운 가치를 만들어낼 수 있다. 또한 인구 증가로 인한 식량문제 해결에도 기여할 수 있다.

비욘드미트의 제품. (출처: 비욘드미트)

빌 게이츠도 사랑한 대체육

2009년, LA 인근에서 시작한 비욘드미트는 2013년 4월에 식물성 단백질을 원료로 닭고기 대체육을 선보인 이후 2014년에는 소고기 대체다짐육을, 2015년에는 햄버거용 패티를, 2020년에는 소시지까지 출시하며 시장을 확대하고 있다. 현재 비욘드미트의 대체육은 미국 내 3만 5,000여 곳의 레스토랑·대형마트·식료품점에서 판매하고 있으며 한국을 비롯해 캐나다·중국·유럽·중동 등 전 세계로 판로를 확장하고 있다. 특히 한국에서는 2021년에 맥도날드·버거킹에서 비욘드패티를 사용한 햄버거를 판매하기도 했고, 맥도날드와는 향후 3년 동안 식물성 패티를 이용한 메뉴의 공동개발에 합의했다. 또한 펩시와는 식물성 음료의 공동개발을 위해 합작

법인을 설립하였고, 피자헛과 KFC를 소유한 얌브랜드^{Yum! Brands}와는 식물성 메뉴 개발 계약도 체결했다.

2019년 처음 CES에 참가한 임파서블푸드^{Impossible Foods}는 당시 많은 스포트라이트를 받았다. "기술전시회에 웬 햄버거 브랜드가…?" 같은 질문 앞에 식물로 만든 인공 고기, 대체육이 무엇인지 설명하고 시식 기회까지 제공하며 화려한 데뷔 무대를 치렀다. 임파서블푸드의 등장은 푸드테크라는 용어가 널리 쓰이게 된 출발점이기도 했다.

앞서 소개한 비욘드미트와 함께 대체육으로 인기를 끌고 있는 임파서블푸드는 2011년, 미국 스탠퍼드대학교 생화학과 교수였던 패트릭 브라운이 설립했다. 밀·감자·아몬드 등을 재료로 완성된 인공 고기는 코코넛오일로 육즙까지 재현해 이른바 '피 흘리는 채식 버거'라는 별칭도 얻었다. 특히 초기 투자자로 참여한 빌 게이츠는 "가짜 고기가 진짜보다 더 맛있다. 음식의 미래를 맛보았다"고 극찬하기도 했다.

현재 임파서블푸드는 레스토랑 프랜차이즈 매장 4만여 곳, 미국 슈퍼마켓 프랜차이즈 점포 2만여 곳에 납품하고 있다. 대체육을 넣은 임파서블버거는 버거킹·스타벅스 등 약 7,000개의 브랜드에서 판매 중이며 홀푸드·코스트코·월마트 등 대형 유통채널로도 확장하고 있다. 2020년 9월에 출시한 인공 돼지고기는 홍콩에서 실시한 블라인드 테스트 결과 참가자 중 54%로부터 실제 돼지고기보다 더 맛있다는 평가를 받기도 했다.

임파서블푸드의 누적 자금조달 규모는 20억 달러(약 2조 3,700억 원)에 달한다. 특히 한국에서는 미래에셋금융그룹이 2020년 1,800억 원, 2021년 8월 3,000억 원을 투자한 데 이어 그해 11월에는 5억 달러(약 6,000억 원) 규모의 유상증자에 참여해 약 10%의 지분을 보유한 것으로 알려졌다. 현재 임파서블

임파서블버거. (출처: 임파서블푸드)

푸드의 기업가치는 70억 달러(8조 4,000억 원) 정도로 평가받고 있는데 예정대로 2022년 중에 상장하게 되면 시가총액이 100억 달러(약 12조 원) 이상이 될 것으로 기대되고 있다.

비욘드미트와 임파서블푸드가 만든 인공 패티는 소고기 패티와 유사한 맛과 향을 내다 보니 채식주의자뿐만 아니라 채식을 지향하는 사람들에게도 인기를 끌고 있다. 특히 코로나19 팬데믹 속에서 더욱 강한 성장세를 유지하고 있다. 미국 식물기반식품협회PBFA에 따르면 2020년을 기준으로 미국 내에서 식물로 만든 대체육 판매액은 14억 달러(약 1조 6,800억 원)로 2019년 대비 45% 이상 증가했다고 한다.

이처럼 대체육의 인기가 높아지자 많은 기업이 대체육 개발에 나서고 있다. 미국에서는 대형 육가공기업인 타이슨푸드Tyson Foods를 포함해 네슬

레^{Nestlé} · 유니레버^{Unilever} · 다농^{Danone} · 크래프트하인즈^{Kraft Heinz} · 제너럴밀스 ^{General Mills} · 콘아그라브랜즈^{ConAgra Brands} 등이, 한국에서는 롯데푸드·풀무원· 바이오믹스테크^{VioMix tech}가 나섰다. 패스트푸드 체인 롯데리아와 샌드위치 체인 퀴즈노스^{Quiznos}는 식물성 고기로 만든 버거와 샌드위치를 판매하고 있다.

식물로 만든 대체육의 최대 강점은 저렴한 가격과 대량생산이 가능하다는 점으로 시간이 지날수록 실제 육류와 거의 흡사한 맛과 향을 가진 대체육이 개발될 것으로 보인다.

실험실에서 만드는 고기, 랩 그로운 미트

마당에 닭 한 마리가 분주하게 움직이고 있다. 이 닭의 이름은 이안. 연구원 한 사람이 이안에게서 떨어진 깃털 하나를 주웠다. 화면이 실험실로 바뀌자 화학실험 시 사용하는 플라스크들이 천천히 움직이고 있다. 마치 무엇을 섞는 것처럼. 몇 주 후 이 플라스크 안에는 닭고기가 자라고 있다. 연구원들은 이 고기로 치킨너겟을 만들어 맛있게 먹고 그 옆으로는 이안이 분주히 돌아다닌다.

요즘 실리콘밸리에서 가장 뜨거운 관심을 받고 있는 푸드테크 스타트업 잇저스트^{Eat JUST}의 홍보영상이다. 영상에는 "이 고기는 닭의 가슴살·날개살·다리살을 섞은 육질의 고기입니다"라는 자막이 나온다. 최근 미국 방송이나 신문 혹은 유튜브를 보면 'Lab-Grown Meat'라는 단어를 종종 볼 수 있다. '실험실에서 자란 고기'라는 뜻처럼 말 그대로 실험실의 비커 안에

잇저스트의 배양육 홍보영상. [출처: 잇저스트]

소·돼지·닭에서 추출한 줄기세포로 근섬유를 배양해 잘 성장할 수 있는 온도에서 산소와 당분을 공급한다. 이렇게 만들어진 배양육은 환경보호에 도움이 되고 건강에도 좋다. 2020년 12월, 잇저스트는 싱가포르 식품청으로부터 인공 닭고기로 만든 너겟의 판매인가를 취득했는데 이는 전 세계 최초로 배양육이 공식 인가를 받은 사례다. 또한 2021년 12월에는 싱가포

푸드테크: 이미 정해신 미래, 지속가능을 위한 선택

저스트 배양육 치킨. [출처: 잇저스트]

르 식품청으로부터 인공 닭고기 신제품 판매 허가도 취득했다. 잇저스트는 싱가포르 현지의 제조기업과 굿미트^{Good Meat}라는 브랜드로 협업을 진행하고 있고 제조공장 설립 계획도 세웠다. 투자활동 데이터 분석기업인 CB인 사이트^{CB Insights}에 따르면 잇저스트는 대체 단백질 관련 직간접 특허를 30개 출원했으며 그중 12개가 승인되었다고 한다. 2021년 9월에는 9,700만 달러 (약 1,164억 원)의 투자를 받아 미국·싱가포르·카타르의 생산시설 확대와 생산비용 절감에 총력을 다하고 있다.

미국의 잇저스트·멤피스미트^{Memphis Meat}, 네덜란드의 모사미트^{Mosa Meat}, 이스라엘의 알레프팜스^{Aleph Farms}·수퍼미트^{Super Meat}, 일본의 인테그리컬쳐 ^{Integriculture} 등이 현재 배양육 개발을 진행하고 있다. 한국에서는 2019년 3월 에 창업한 스타트업 셀미트^{CellMEAT}가 배양육 연구 및 개발을 시작했다. 앞으로 더 많은 기업이 참여할 것으로 예상하는데 그 이유는 동물 도축의 윤리적 문제와 사육 시 발생하는 환경오염이 거의 제로라는 점 때문이다. 현재 배양육은 대량생산의 어려움으로 가격이 높아 상품화가 쉽지 않지만

2022년부터는 미트볼·버거·소시지 등 육가공품 형태로 상품화될 것으로 전망된다. 그리고 향후 식물성 대체육보다 더 크게 성장할 것으로 예측된다.

분말 형태의 식물성 계란, 저스트에그

잇저스트는 40개 국가에서 식물 원료 1만 5,000여 종의 성분을 추출해 실험한 끝에 10여 종에서 계란과 유사한 단백질을 찾아냈고 2013년 2월, 분말 형태의 식물성 계란을 개발해 첫 상품으로 내놓았다. 우리와 친숙한 녹두를 이용한 분말 형태의 식물성 계란은 물에 녹으면 질감과 색상이 계란과 흡사해진다. 식물성 계란은 조류 인플루엔자 감염 우려가 없으며 잔여 항생제·살모넬라균 감염·살충제 오염으로부터 자유로워 안전성이 보장된다는 장점이 있다. 또한 계란 알레르기·고혈압 환자도 자유롭게 섭취할 수 있으며 콜레스테롤이 전혀 없다. 조쉬 테트릭Josh Tetrick 잇저스트 CEO는 저스트에그JUST egg가 콜레스테롤을 함유하고 있지 않으면서 단백질 함유량은 일반 계란 대비 22% 높아 건강에 좋다고 강조한다. 또한 저스트 에그는 일반 계란 생산 대비 물 소비량이 98% 적고, 탄소 배출량은 93% 적으며, 동물사료를 필요로 하는 기존 생산방식 대비 토지를 86% 적게 사용해 지구환경에도 긍정적 역할을 하고 있다. 잇저스트는 저스트에그를 활용한 마요네즈·드레싱·쿠키 도우 등을 개발해 미국 전역에서 판매 중이며 미국·유럽·홍콩·싱가포르·중국 등 30여 국가에 수출하고 있다.

2019년 미국에서 첫 출시된 저스트에그는 2020년 7월 기준으로 전 세계 판매량 1억 6,000만 개를 달성했다. 중국에서는 알리바바의 온·오프라

잇저스트의 저스트에그. [출처: 잇저스트]

인 슈퍼마켓 하마선생에서 출시했고, 한국에서는 SPC삼립과 전략적 파트너십을 맺고 청주 SPC 공장에서 저스트에그를 독점 생산하기 시작했으며, 2020년 9월부터는 파리바게뜨 등에서 저스트에그를 공식 출시했다. 이후 계열 브랜드를 시작으로 기업 간 거래도 계획 중이다.

국내 토종 푸드테크 스타트업 더플랜잇The PlantEat은 국내산 약콩과 두유로 100% 순식물성 마요네즈인 콩으로마요를 만들었다. 2년여의 연구개발 끝에 탄생한 콩으로마요는 제로 콜레스테롤·저칼로리·저지방·저나트륨으로 계란을 주 원료로 하는 기존 마요네즈보다 영양분이 우수하다는 평이다.

해산물도 세포 배양으로 만드는 시대

이제는 인공 생선이다. 인공 고기로부터 시작된 관심은 이제 바다로 향하고 있다. 2020년 3월, 영국 BBC는 〈인공 물고기가 더 많아지는 날이 올까?)라는 제목의 기사를 게재했다. 이 기사는 "언젠가 우리는 공장에서 세포에서부터 키워낸 생선을 먹게 되는가?"라는 질문을 던졌다.

어류는 전체 동물성단백질 섭취의 20%를 차지한다. 또한 FAO 보고서에 따르면 무분별한 어획으로 전 세계적으로 어종 감소가 심각한 수준이지만 전 세계 어류 소비량은 사상 최대를 기록하고 있다. 이 때문에 보고서에서는 지속가능한 어류 생산을 고민해야 한다고 경고하고 있다.

이 문제의 해결은 미국의 푸드테크 기업 오션허거푸드Ocean Hugger Foods에서부터 시작한다. 이 기업은 비건들을 위해 토마토를 이용한 인공 참치를 생산해 아히미Ahimi라는 브랜드로 미국의 대표적인 유기농 전문 슈퍼마켓 체인 홀푸드Whole Foods에서 판매하고 있다. 현재 식물성 재료를 사용한 인공 연어와 장어도 개발 중이라고 한다. 또한 미국 스타트업 굿캐치푸드Good Catch Food는 콩에서 식물성 단백질을 추출해 해바라기 씨와 해초류를 첨가해 실제 참치와 비슷한 맛과 질감을 구현해 생선 없는 참치Fish-Free Tuna라는 제품을 출시했다.

다음으로는 랩 그로운 피쉬Lab-Grown Fish를 살펴보자. 캘리포니아주 버클리에 자리한 스타트업 핀레스푸드Finless Food는 인공 참치를 생산하고 있다. 바로 실험실에서 참치 세포를 배양하는 배양육 참치이다. 와일드타입Wild Type의 경우 인공 연어를 생산한다. 2021년 6월, 와일드타입은 샌프란시스코에 연 22.7톤의 초밥용 연어를 생산할 수 있는 $715m^2$(약 217평) 규모의 시범공장을 열었다. 와일드타입의 배양육 시설은 규모가 작아서 도심 한가운데에도 운용할 수 있어 시내의 초밥집으로 빠르게 공급할 수 있고 운송과정에서 발생하는 온실가스를 줄일 수 있다는 것이 장점으로 꼽힌다.

2018년, 캘리포니아주 샌디에이고에서 설립된 블루날루BlueNalu는 전갱

아히미 인공 참치로 만든 다양한 메뉴. (출처: 오션허거푸드)

이과에 속하는 부시리를 배양, 투자자들을 대상으로 시식회를 진행했을 때 일반 생선과 차이가 없다는 호평을 받았다. 2020년, 한국의 풀무원이 2,000만 달러(약 240억 원) 규모의 시리즈A 투자에 참여했으며 향후 블루나루와 손잡고 배양육 시제품 출시를 준비하고 있다고 알려져 있다. 이 외에 시퓨처 서스테이너블 바이오테크Seafuture Sustainable Biotech등의 기업이 배양 해산물을 개발하고 있다.

미국 비영리기구인 굿푸드인스티튜드Good Food Institute에 따르면 2020년 기준 미국 내 대체해산물 매출규모는 2019년 대비 23% 성장한 1,200만 달러(약 144억 원) 정도이며, 2021년 상반기를 기준으로 집계한 투자액은 7,000만 달러(약 840억 원) 정도로 2019~2020년 2년 동안 집행된 투자액과 비슷한 규모였다고 밝혔다.

새우도, 랍스터도 세포 추출 후 배양해 원하는 해산물을 생산하는 시대가 다가오고 있다. 아직은 인공 생선을 만드는 기술이 시작 단계여서 식탁 위에 오르려면 더 많은 시간과 연구가 필요하지만 짧은 시간 내에 많은 진전이 있을 것으로 예상할 수 있다. 클린미트Clean Meat라고 불리는 배양육과 배양생선은 안전을 담보할 수 있기 때문인데 보통 해산물에서 발견되는 바이러스 같은 문제가 발생하지 않고 지구환경도 해치지 않으면서 먹을 수 있기 때문이다.

건강과 환경을 지킬
식탁 위의 혁명,
푸드테크

◐　　　2019년 4월 중순, 스탠퍼드대학교 교정에서 이 대학의 교수이자 푸드디자인 디렉터, 푸드테크 전문가로 유명한 김소형 박사를 만났다. 한참 푸드테크에 대해 대화를 나누던 중 잠시 후 시작할 김 박사의 푸드디자인 수업에 참석하라는 제안을 받았다. 선뜻 수락하기 망설여졌지만, 푸드테크에 관심이 많았고 무엇보다 푸드디자인이라는 생소한 과목명에 호기심이 생겨 대학생으로 가득한 강의실 한편에 자리를 잡았다. 그날의 강의 주제는 '기능성음료'였다. 당시 미국의 기능성음료시장 규모가 58억 달러(약 7조 원) 정도라는 설명을 듣고는 예상보다 훨씬 큰 규모에 놀랐었다. 에너지음료·스포츠음료·건강음료 등을 포괄하는 기능성음료시장은 체중 관리 및 웰빙과 영양 섭취를 목적으로 하는 소비자 덕분에 매년 약 3%씩 꾸준히 성장하고 있었지만, 탄산음료와 주스시장은 반대로 매년 약 3%씩 역성장하고 있었다. 따라서 새로운 기능성음료 소재를 개발하는 것이 실리콘밸리에서는 중요한 화두였다. 한 예로 당시에는 차 제품이 인기를 끌고 있었는데 그중 하나인 콤부차는 디톡스 및 다이어트와 면역력 개선 효과가 있어 탄산음료의 대체제, 식습관 개선 목적에서 각광을 받고 있다는 것을 강의를 통해 알게 되었다. 이처럼 기능성음료시장은 웰빙과 영양음료에 초점이 맞춰져 전개되고 있었다.

　2시간 동안 진행된 푸드디자인 강의는 자유로운 분위기 속에서 김소형 박사를 포함한 3명의 교수와 학생들 사이의 토론으로만 진행되었다. 나는 이 강의에서 신선한 충격을 받았다. 바로 이 수업은 '푸드디자인'이라는 강의명에서도 엿볼 수 있듯 미래 먹거리에 대한 아이디어를 디자인하는 수업이었기 때문이다. "음식은 단순히 먹는 행위로 끝나는 것이 아닌 재료 선정에서부터 조리 과정·음식을 먹을 식당·서비스까지의 총체적 경험의 과정이기에 이러한 경험을 혁신하는 것이야말로 음식의 미래"라는 김소형 박사의 말을 되새기며 강의실을 나섰다. 이렇듯 실리콘밸리는 음식의 미래를 아이디어에서부터 시작해 기술까지 푸드테크의 미래를 하나씩 '디자인'하고 있었다.

세계 최초의 배양육 공장

2018년, 이스라엘 히브리대학교의 생의학공학 교수 야콥 나미아스^{Yaakov Nahmias}가 설립한 푸드테크 스타트업 퓨처미트 테크놀로지^{Future Meat Technologies}는 2021년 6월, 세계 최초로 일일 500kg의 배양육을 생산할 수 있는 공장을 가동하기 시작했다. 연간 기준으로 약 18만kg을 생산할 수 있게 된 덕분에 닭가슴살 배양육의 가격을 1kg당 66.4달러에서 15달러까지 획기적으로 낮추고 배양육 시장을 더욱 확장할 수 있을 것이라 예상된다. 특히 업계 평균보다 10배 높은 생산량을 보이면서도 기존 축산업에서의 육류 생산 대비 99% 작은 토지면 충분하고, 물 소비량이 96% 적으며, 온실가스 배출은 80% 적다. 퓨처미트는 본격적인 대량생산을 위해 3억 4,700만 달러(약 4,164억 원)의 투자 유치에 성공해 공장 부지를 물색 중이며 2022년에는 공사를 시작할 예정이다.

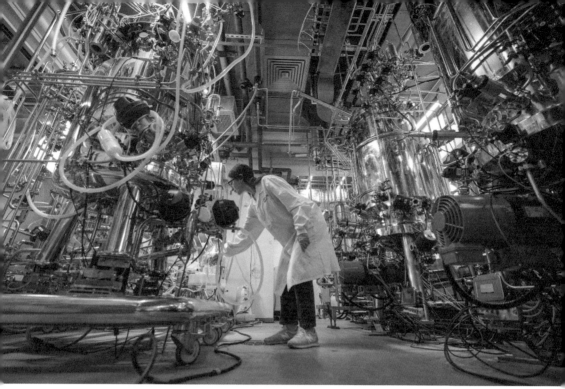

퓨쳐미트 테크놀로지의 배양육 공장. (출처: 퓨쳐미트 테크롤로지)

주목해야 할 K-푸드 스타트업

지난 몇 년 사이 대한민국 푸드테크 스타트업의 약진이 놀랍다. CES 2022 현장 취재에서 보았듯 많은 스타트업이 참가해 세계에 기술을 선보였다. CES에는 참가하지 않았지만, 큰 잠재력을 가지고 있는 스타트업을 살펴보자.

리빙진

한천으로 미국 아마존에서 젤라틴 분야 판매 1위를 달리고 있는 리빙진 Livingjin은 한국의 청정해역에서 생산되는 우뭇가사리를 원료로 분말 한천

리빙진의 식물성 비건 치즈. (출처: 리빙진)

을 생산해 한국 시장을 건너뛰고 바로 동물성 젤라틴이 대부분인 미국 시장에 진출해 정면승부를 하며 성공을 거두었다. 아마존 젤라틴 분야에서 80%에 달하는 점유율을 달성한 것은 손편지 같은 감성마케팅 전략을 구사하며 진심을 담아 고객과 적극적으로 소통한 것이 주효했기 때문이다. 리빙진은 전 세계 고객 대상으로 정기적인 젤라틴 디저트 레시피 대회를 개최해 고객과의 커뮤니케이션·창작 레시피 수집 및 공유 등 차별화 정책을 펼쳤다. 최근에는 식물성 원료로 비건용 치즈를 개발해 미국 시장에 홍보를 시작했다. 리빙진의 특허인 한국 토종식품에서 추출한 발효균주로 치즈 발효 시 깊은 맛을 구현했고 가루로 만들어 긴 유통기한과 편리한 보관이 장점이다. 또한 리빙진이 개발한 파우더에 물을 섞어 끓인 후 치즈 제

푸드테크: 이미 정해진 미래, 지속가능을 위한 선택

작 키트에 넣어 식히면 간단하게 식물성 치즈도 즐길 수 있다.

씨위드

DGIST 출신들이 설립한 씨위드^{Seawith}는 한우 배양육을 개발하는 스타트업이다. 씨위드는 배양육 배양 시 필요한 배양액과 지지체를 바다에서 흔히 구할 수 있는 해조류로 대신해 소의 태아 혈청으로 만들어온 배양액의 높은 비용 문제를 해결했다. 특히 일반 배양육은 유전자조작이 필요해 유전자변형 농수산물^{GMO} 식품이 될 수밖에 없었다. 하지만 세계 최초로 해조류를 지지체로 사용하는 씨위드의 차별화된 기술은 해조류 지지체 위에 근육 조직이 형성되기 때문에 유전자조작이 필요치 않아 GMO 문제를 피할 수 있었다. 또한 실제 고기와 동일한 조직이 형성되어 맛과 식감 또한 매우 유사해진다. 2022년 말에는 자체 레스토랑을 열어 여러 형태의 배양육 시식 기회를 제공할 예정이고 우주에서도 신선한 고기를 먹을 수 있도록 개발할 계획도 가지고 있다. 씨위드는 상용화 및 생산시설 확충을 위해 총 65억원의 시리즈A 투자 유치를 완료했다.

에스와이솔루션

에스와이솔루션^{SY Solution}은 14년간 육가공 사업을 해온 박서영 대표의 경험을 바탕으로 '농부가 씨를 뿌린 고기'라는 이름의 대체육 패티를 내놓았다. 이 패티는 콩·새송이버섯·당근·브로콜리·마늘 등을 배합한 것을 주성분으로 해 실제 고기와 흡사한 맛·식감을 구현했다. 트랜스지방과 콜레스테롤이 함유되어 있지 않으면서 단백질은 14g인 고단백 대체육이다. 에스와이솔루션은 돈까스도 출시했으며 향후 미트볼·다짐육·닭가슴살도 출

에스와이솔루션의 대체육 상품인 농부가 씨를 뿌린 패티. (출처: 에스와이솔루션)

시할 예정이다.

　해조류가 미래음식으로 중요한 이유는 고기에 비해 2배 이상의 단백질을 함유하고 있고 바다나 강에서 채취할 수 있기 때문에 땅이 필요하지 않으며 콩을 대체할 수 있기 때문이다. 해조류를 활용한 푸드테크 스타트업의 적극적인 연구개발을 기대해본다.

대체육과 푸드테크의 미래

2019년 6월, 미국의 글로벌 컨설팅기업 AT커니[AT Kearney]가 보고서를 하나 내놓았다. 업계 전문가 인터뷰를 토대로 만들어진 이 보고서에서는 2040년이 되면 육류 식품에서 인공 고기가 60%, 도축 고기가 40%를 차지할 것이라고 예측했다. 60%를 차지할 인공 고기 중에서는 식물성 인공 고기인 대체육이 25%, 연구소에서 생산할 배양육이 35%를 차지할 것으로 내다봤다. 60% 이상이 인공 고기로 대체될 것이라니 놀라운 일이다. 물론 20년 뒤의 미래를 어떻게 알 수 있겠는가 하는 의문을 가질 수 있다. 하지만 무엇이 미래의 트렌드가 될 것인지는 미리 알 수 있다. 현재 인공 고기 중심의 푸드테크 트렌드를 거스를 수 없는 이유는 영양·안전·환경 등 전 지구적 이슈에 큰 가치를 제공해주기 때문이다. 특히 코로나19 팬데믹 때문에 이러한 이슈는 더욱 중요해졌으며 앞으로 더 심화될 것으로 예상된다.

우선 환경문제를 살펴보면 서두에서 언급했듯 도축 시 배출되는 이산화탄소량은 화물운송산업의 배출량과 비등하다. 식량용 소 1마리를 인공 고기로 대체한다면 토지는 99%, 물 사용량은 95% 절약할 수 있다. 식량부족 해결을 위해서라도 푸드테크는 계속 발전해나갈 것이며 환경 측면에서의 기여로 발전은 더욱 가속화할 것이다.

지금 인류는 각종 공해와 바이러스에 노출되어 있다. 그 어느 때보다 음식에 대해 안전과 영양을 기대하고 있다. 그리고 채식주의의 확산과 채식주의자의 증가도 중요한 이슈가 되었다. 국제채식인연맹International Vegan Union, IVU은 2017년을 기준으로 전 세계의 채식 인구를 1억 8,000만 명, 비건을 5,400만 명으로 추정하고 있다. 그리고 할랄 음식을 소비하는 전 세계의 무슬림 약 18억 명에게도 식물성 고기의 선택권이 주어지게 될 것이다.

CES 2022에서 푸드테크가 처음으로 공식 세션으로 인정받은 이유는 무엇인가? 글로벌 시장조사기업 이머전리서치Emergen Research는 전 세계 푸드테크시장 규모가 2019년의 2,200억 달러(약 264조 원)에서 오는 2027년까지 연평균 성장률 6%를 기록하며 3,425억 달러(약 411조 원)까지 증가할 것이라 예상했기 때문인가? 사실 지난 100년간의 푸드테크는 어떻게 해야 잘 키우고 잘 자라게 해서 단위면적당 최대의 수확량을 올릴 수 있는가에 초점을 맞추었다. 하지만 향후 100년을 이끌어갈 푸드테크는 아이디어와 기술로 새롭게 만드는 것, 즉 가치를 탄생시키는 것에 초점을 맞춰야 한다. 식량문제와 환경문제 그리고 영양까지 새로운 가치를 만들어가는 푸드테크는 빠르게 다가올 식탁 위의 혁명이다.

2019년 5월, 지하철 5호선 답십리역에 약 50평 규모로 스마트팜인 메트로팜Metro Farm이 오픈했다. 지하철 식물공장은 서울교통공사와 농업기업 팜에이트Farm8가 합작해 만든 스마트 농업 브랜드로 IoT·빅데이터·클라우드 등 ICT를 활용해 재배용 LED와 배양액 덕분에 3무(무농약·무GMO·무병충해) 환경 속에서 청정 채소를 24시간 365일 재배하고 있다. 2명의 직원이 관리하는 메트로팜의 수확 기간은 약 38일로 노지재배 시 필요한 기간의 절반 수준이다. 홍보를 위해 대중교통 중 가장 많이 이용하는 지하철 역사에 설치했는데 홍보 효과가 좋다고 한다. 또한 메트로팜은 작물만 재배하는 것이 아니라 시민들이 직접 미래형 농업을 체험할 수 있도록 팜 카페와 팜 아카데미 같은 체험을 할 수 있는 문화복합공간도 갖춰놓았다.

메트로팜이 아직은 적자로 운영되고 있지만, 이 사례에서 미래의 단면을 엿볼 수 있다. 수도권의 지하철 역사 약 300곳에 메트로팜을 설치하고 수확 기간을 좀 더 단축할 수 있다면, 클라우드와 AI로 모든 메트로팜을 일괄 관리해 비용을 절감할 수 있다면 시민들이 퇴근길에 예약했던 신선한 채소를 구입하는 비즈니스 모델도 가능하지 않을까? 전 세계에서 유일한

메트로팜에서 자라고 있는 청정 채소. (출처: 서울시)

지하철 스마트팜인 메트로팜은 상상력에서 시작한 아이디어를 디자인해 기술로 해결한 사례로 한국 스타트업이 미래의 푸드테크를 디자인한 좋은 예가 될 것이다. 스탠퍼드대학교 푸드디자인 강의에서 받았던 영감을 답십리역 메트로팜에서 다시 확인해본다.

PART 7

ESG와
비즈니스모델
혁명

초변화, 대전환
시대에서의
생존 전략

주영섭

서울대학교 졸업 후 카이스트에서 석사학위를, 펜실베이니아 주립대학교에서 산업공학 박사학위를 받았다. 대우자동차, 대우조선, 대우전자를 거쳐 GE써모메트릭스 코리아 대표이사 겸 아태총괄 사장, 현대오토넷 대표이사 사장을 역임했으며 지식경제부 R&D전략기획단 주력산업총괄 MD, 서울대학교 초빙교수와 14대 중소기업청장을 지내면서 '산·학·연·정'을 두루 경험했다. 현재 한국디지털혁신협회 회장, 서울대학교 특임교수이다.

◉ 　　지난 수년간의 CES에 이어 이번 CES 2022에서도 비즈니스모델의 혁명적 변화 이슈에 주목해야 한다. 비즈니스모델 혁명은 소비자 기술 중심의 CES뿐만 아니라 산업기술 중심의 하노버 산업박람회·자동차 중심에서 모빌리티 중심으로 진화한 뮌헨모터쇼 등 최근 세계적 기술전시회의 공통적 트렌드이다. 이러한 트렌드를 이해하려면 급변하고 있는 시대적 맥락을 이해해야 한다. 우리는 늘 변화를 얘기하고 있지만, 2020년대의 변화는 과거의 변화와는 속도·규모·범위 면에서 차원이 다르다. 4차 산업혁명이 세상을 바꾼다고 한 지 얼마 되지 않아 이제 코로나 바이러스가 세상을 바꾸고 있고, 기후위기에 대응하기 위한 탄소중립 정책이 엄청난 변화를 예고했다. 기술·세계경제환경·세대·자본주의·경영철학·코로나19 팬데믹·기후위기 등 모든 면에서 동시에 대변혁이 일어나고 있다. 이러한 초변화와 대전환에 대응하기 위해서는 기업 비즈니스모델의 혁명적 혁신이 필연적으로 요구될 수밖에 없다. 따라서 CES 2022를 비롯한 최근 CES에서 제시된 비즈니스모델 혁명에 대한 정확한 이해를 위해서는 현재 진행되고 있고 향후 진행될 엄청난 초변화의 본질에 대한 심층적 이해가 선행되어야 할 것이다.

먼저 비즈니스모델 혁명을 촉발한 시대적 대변혁을 분석하고, 이에 대응하는 비즈니스모델 혁명의 전략적 방향을 제시하고자 한다.

세계는 지금 초변화, 대전환 중

○ 　　　세계는 지금 전에 경험하지 못한 전대미문 격변의 시대를 맞고 있다. 변화의 크기·범위·속도 면에서 모두 단순한 변화를 넘어선 초변화·대전환 시대이다. 우선 기술의 변화가 광속으로 진전되며 기술 패권이 세계의 산업은 물론 국가 판도까지 결정하고 있다. 기술변화가 기업 및 산업의 모든 비즈니스모델을 혁명적으로 바꿈에 따라 이제 기술에 대한 경쟁력 없이는 어떠한 기업도, 국가도 생존할 수 없는 시대가 되었다. 세계경제환경도 급변하고 있다. 기술혁신이 촉발한 4차 산업혁명은 산업은 물론 우리의 생활과 사회를 바꾸고 있다. 세계경제는 10여 년 전 글로벌 금융위기를 겪으며 고성장·저실업에서 저성장·고실업으로 바뀐 뉴노멀이 고착되고 있다. 세대가 바뀌니 사람이 바뀌고 있다. MZ세대라 불리는 밀레니얼세대와 Z세대는 기성세대와 전혀 다르게 생각하고 행동한다. 세계경제의 근간인 자본주의는 변화하고 있고 이에 따라 정부 정책도 변화한다. 사회가 기대하는 기업의 역할이 바뀌면서 경영철학도 바뀌고 있다. 여기에 2020년 초부터 지금까지 전 세계를 뒤흔들고 있는 코로나19 팬데믹은 전대미문의 변화를 가져오고 있다. 기후위기에 대한 세계의 경각심이 커지며 각국의 탄소중립 정책도 기업과 사회 전반에 큰 변화를 예고하고 있다. 이러한 변화가 어떻게 전개될지, 또 어떤 변화가 찾아올지 모르는 초변화·대전환 시대에 우리는 살고 있다.

　　초변화·대전환 시대를 만드는 주요 요소에 대한 정확한 분석으로 효과적 대응에 성공하는 기업과 국가가 바로 이 시대의 승자가 될 것이다. 다음에서는 초변화·대전환 시대 변화의 핵심을 정리하고, 이에 대한 대응 방향을 제시한다.

기술의 변화, 모든 기업의 테크기업화

기술의 변화가 광속으로 진전되고 있다. 4차 산업혁명과 디지털 트랜스포메이션을 견인하고 있는 AI·데이터·5G·로봇 등 기술혁신이 급진전하면서 모든 산업과 기업의 비즈니스모델을 혁명적으로 바꿔가고 있다. 2년 전, 미국 라스베이거스에서 열린 세계 최대의 기술전시회 CES 2020에서는 향후 10년을 '데이터의 시대'라고 규정했다. 현재 인터넷을 통한 사물 간 연결인 사물인터넷, 즉 IoT **Internet of Things**가 5G 통신으로 사물 간 초연결로 발전하고, 초연결에서 나오는 엄청난 규모의 데이터를 AI의 초지능이 분석하고 판단하여 새로운 가치를 창출하는 또 다른 의미의 IoT **Intelligence of Things**, 즉 사물인텔리전스가 '데이터의 시대'를 연다고 전망하였다. 인터넷을 통한 사물 간 연결이 지능과 결합하여 사물인텔리전스로 발전함으로써 새로운 가치와 성장동력을 만들게 된다. 빅데이터 기반의 디지털 트랜스포메이션이 견인하고 있는 4차 산업혁명도 같은 맥락이다.

사물인텔리전스의 핵심은 AI와 빅데이터이다. 빅데이터 기반의 AI가 모든 소비자 제품에 적용되기 시작하고 있다. 음성·사물·안면 인식을 넘어 첨단 성능 구현, 실시간 데이터 분석 및 예측 등 새로운 가치 창출로 산업 전반은 물론 모빌리티·헬스케어·금융·미디어·스마트홈 등 우리 생활 전반에 대변혁을 가져다줄 전망이다. AI와 빅데이터 기반의 사물인텔리전스

역량 확보가 미래의 성공요건이 될 것이다.

CES 2022에서도 AI와 빅데이터가 주도하는 데이터의 시대가 가속되고 있음을 보여주었다. 스마트폰 등 소비자 기술 중심으로 시작된 5G 통신이 올해 산업·의료·공공 등 기업 또는 기관 중심으로 대폭 확산되고, 산업 IoT의 초연결성이 만드는 엄청난 데이터를 보관하고 처리할 클라우드 인프라도 대폭 확충될 전망이다. 이 추세는 AI 활용을 전 산업으로 확산시킴으로써 디지털경제를 가속하게 될 것이다. 이제 '모든 기업의 테크기업화'의 화두는 기업 차원을 넘어 '모든 국가의 테크국가화'라는 국가 차원의 화두가 되고 있다. AI 활용의 전면적 확산, 데이터 모델링 및 체계 구축 등 사물인텔리전스 역량 확보를 통한 데이터 시대 대비가 더욱 중요해졌다. ICT가 만드는 신산업만이 아니라 전통 제조업이나 서비스업도 '모든 기업의 테크기업화', 즉 디지털 트랜스포메이션을 통한 비즈니스모델 혁명이 시급하다.

4차 산업혁명은 개인화·맞춤화다

2011년, 독일에서 '인더스트리 4.0'을 주창하며 시작된 4차 산업혁명은 2016년 다보스포럼에서 논의되면서 세계 각국의 주목을 받게 되었다. AI·빅데이터·IoT·5G·로봇 등 기술혁신이 촉발한 4차 산업혁명은 디지털 트랜스포메이션을 중심으로 모든 산업과 기업은 물론 의료·금융·행정·일상까지도 대변혁을 가져오고 있다. 4차 산업혁명이 산업과 기업에 주는 영향은 기술혁신도 중요하지만, 기술혁신이 만드는 비즈니스모델 혁신이 더욱

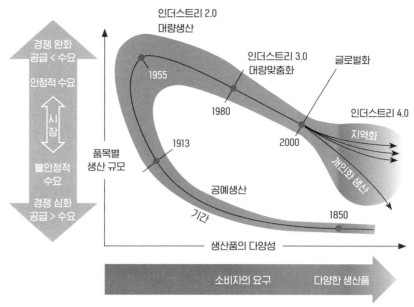

산업 패러다임의 변화와 인더스트리 4.0의 목표. (출처: 요람 코렌, *The Global Manufacturing Revolution*, 2010)

중요하다. 미국과 함께 4차 산업혁명을 선도하고 있는 독일이 국가적 산업 혁신 전략으로 중점 추진 중인 인더스트리 4.0도 요체는 결국 비즈니스모 델 혁명이다.

2000년대에 접어들며 독일에서는 대량생산 체제로는 원가경쟁력에서 중국을 이길 수 없다고 판단하여, 시장의 경쟁을 대량생산·소비 체제에서 개인화 및 맞춤화 생산·소비 체제로 바꾸며 시장지배력을 확보하려는 국 가적 경쟁력 제고 플랜에 착수했다. 즉, 4차 산업혁명의 기술혁신을 통해 소비자의 다양한 개인적 니즈를 만족시키되, 원가는 대량생산 수준으로 유지하는 비즈니스모델 혁명이 인더스트리 4.0의 기본 정신이자 목표이 다. 거대한 내수시장을 바탕으로 한 대량생산의 효율성으로 무장한 중국을 이기기 위해서는 시장의 다양성 요구를 만족시키면서 기술혁신으로 다양성과 효율성의 두 마리 토끼를 다 잡겠다는 비즈니스모델 혁명이 필요했던 것이다.

우리나라도 글로벌 시장에서의 경쟁을 고려하면 산업별로 정도의 차이는 있으나, 독일과 같은 입장이다. 기존의 대량생산 기반의 비즈니스모델을 다품종 소량의 개인화 및 맞춤화 비즈니스모델로 혁신해야 한다. 다양성과 효율성을 공동으로 추구한다는 면에서는 같은 맥락이나 산업 특성 및 기업 유형을 고려하고 우리의 강점 및 약점, 기회 및 위협 등을 파악해 우리 여건에 맞는 비즈니스모델 혁신을 추진하는 것이 시급하다.

CES 2022에서도 대부분의 참가기업이 전반적으로 개인화 및 맞춤화 기반의 제품 혁신을 포함한 비즈니스모델 혁명에 나서고 있음을 보여주었다. 인텔, 퀄컴 등 시스템반도체 기업부터 삼성전자, GM 등 각종 완성품 기업까지 4차 산업혁명의 디지털 트랜스포메이션을 통한 다양한 혁신적 개인화 및 맞춤화 비즈니스모델이 제시되었다.

포스트 금융위기와 세대의 변화

2008년 리먼브라더스 사태로 촉발된 글로벌 금융위기의 여파로 세계경제는 장기간의 고성장·저실업률 시대에서 뉴노멀이라 불리는 저성장·고실업률 시대로 접어들게 되었다. 고성장 경제를 견인하던 글로벌 금융버블이 꺼지면서 저성장이 고착화되기 시작했다. 저성장 시대에는 경제 파이의 성장이 정체되면서 새로운 일자리 창출이 어렵게 된다. 이에 따라 세계는 한 나라의 일자리가 늘어나면 다른 나라의 일자리가 줄어드는 일자리 제로섬 현상이 생기고 있다. 이에 따라 전 세계는 일자리 전쟁에 돌입하고, 일자리 보호를 위해 영국의 브렉시트**Brexit**·미국의 아메리카 퍼스트**America First**등 자국우선주의와 보호무역주의가 부상하며 급기야 미국과 중국의 G2 무역전쟁, 더 나아가 패권경쟁으로 세계경제가 요동치고 있다.

구조적으로 대외의존도가 큰 한국 경제에 악재가 아닐 수 없어 이를 타개할 대책이 시급하다. 다시 논의하겠으나 결론적으로 국내에서 제조하여 해외에 판매하는 종래의 독식형 수출 전략을 현지 기업과의 협력을 통한 동반성장형 수출로 발전시키는 등 보호무역주의에 대한 대응책이 필요하다. 이 또한 해외사업의 비즈니스모델 혁신이다.

한편 세대의 변화는 바로 사람의 변화를 의미한다. 기업은 물론 국가적으로 경제·정치·사회 전반에 있어 가장 중요한 변화이자 모든 변화의 시작일 수 있다. 세대의 변화는 늘 있었지만, 최근 세대의 변화는 과거 대비 극명하고 빠르게 진행되고 있다. 태어나면서부터 디지털 환경에서 자란 20대 후반에서 30대 초반의 밀레니얼세대와 10대 후반에서 20대 전반의 Z세대는 사고·행동·가치관 측면에서 볼 때, 아날로그 환경에서 자란 60대의 베이비부머세대는 물론 4050의 X세대와도 확연히 다르다.

이제 MZ세대가 사회 주역으로 진입하고 있다. 기업 입장에서는 소비자·고객·직원·이해관계자 등의 구성원이 모두 바뀌는 것이기에 그 영향은 지대하다. MZ세대가 소비자의 주류로 부상함에 따라 기성세대와 다른 취향에 맞춰 비즈니스모델 혁신은 물론 마케팅 및 영업 전략을 전면 재조정해야 한다. 특히, 개인화와 맞춤화에 관한 관심이 늘어나고 친환경이나 공정성 등 사회·환경 문제에 민감한 MZ세대 소비자들의 마음을 얻는 전략이 중요하다. 내부적으로도 MZ세대가 직원의 주류로 부상하면서 기존 세대와 많이 다른 그들의 사고 및 성향에 맞도록 인사관리 전략을 전면 개편하는 등 기업 경영전략 전반에 대한 총체적 혁신이 요구된다. 말 그대로 기업의 모든 것을 다 바꿔야 한다는 의식 전환을 가지는 것이 시급하다. 과거의 성공이 오히려 미래의 실패 원인이 되기 쉬운 시대이다. 특히 조직의 리더일수록 이러한 세대 변화를 직시하여 과거의 경험에만 의존하지 않고 비즈니스모델 혁신을 비롯한 모든 경영전략을 혁신해야 한다. 이는 기업뿐만 아니라 국가 경영을 비롯한 모든 조직 경영에 전부 적용되어야 하는 시대적 변화이다.

CES 2022에서도 대부분의 참가기업들은 MZ세대의 성향 및 취향에 맞는 다양한 제품을 제시하였다. 특히 친환경·공정성 같은 환경·사회 문제에 민감한 MZ세대가 주목하고 있는 ESG$^{Environmental \cdot Social \cdot Governance}$에 대한 관심이 대폭 확대된 바 있다.

자본주의 4.0과 ESG의 부상

세계 경제체제의 근간이 되어온 자본주의가 변화하고 있다. 세계경제가 금융위기를 겪으며 저성장 기조의 뉴노멀 시대에 접어든 2010년 영국의 이코노미스트 아나톨 칼레츠키$^{Anatole\ Kaletsky}$는 저서 《자본주의 4.0》에서 정부와 시장의 유기적 상호작용을 강조한 '따뜻한 자본주의', '포용적 자본주의'를 주창하였다. 다음 표와 같이 정부가 시장에 개입하지 않는 자유방임주의의 '자본주의 1.0'이 1930년대 대공황을 맞았다. 이후 정부가 시장에

분류	시기	주요인물	특징
자본주의 1.0	애덤 스미스~ 1929년 세계대공황	애덤 스미스, 해밀턴, 막스 후버	자유방임주의 "정부는 시장에 개입하지 않는다."
자본주의 2.0	1930년대 뉴딜정책 ~1970년대 석유파동	루즈벨트, 케인즈, 닉슨, 카터	수정자본주의 "정부가 경제를 살렸다. 정부는 언제나 옳다."
자본주의 3.0	1980년대 신자유주의 ~2008년 금융위기	대처, 레이건, 부시, 그린스펀	신자유주의 "시장은 언제나 옳다."
자본주의 4.0	2008년 금융위기 이후	아나톨 칼레츠키	따뜻한 자본주의 "정부는 시장과 유기적인 상호작용을 이뤄가야 한다."

자본주의 4.0 시대 : 정부 정책의 변화. (출처: 예금보험공사)

적극적으로 개입하는 수정자본주의의 '자본주의 2.0'으로 바뀌고, 위기 극복 이후 다시 시장 중심 신자유주의의 '자본주의 3.0'으로 바뀌게 된다. 세계경제가 글로벌 금융위기 이후 지속가능한 경제가 되기 위해서는 승자독식이 아닌 포용적 자본주의로 전환해야 한다는 논리가 설득력을 얻게 되어 다시 정부의 시장 개입이 커지는 '자본주의 4.0'이 세계적 화두가 되고 있다. 2년 전 다보스포럼에서 기존의 주주 중심 자본주의Shareholder Capitalism는 향후 주주 외에도 소비자·직원·파트너·지역사회 등 이해관계자 중심 자본주의Stakeholder Capitalism로 변화 발전해야 한다고 천명한 것도 같은 맥락이다. 우리 정부가 혁신성장과 함께 포용성장을 경제 기조로 삼고 있는 것도 세계적인 정부 정책의 변화와 궤를 같이하고 있다.

이제 기업은 자본주의의 변화에 따른 정부 정책의 변화를 기업의 경영전략에 고려할 필요가 있다. 정부 입장에서는 기업의 혁신을 촉진하면서 동시에 이에 따른 승자독식으로 사회 불균형 및 양극화가 심화되는 것도 막아야 함을 이해해야 한다. 2년 전, 많은 논란을 일으킨 '타다' 사태'도 처음부터 포용적 자본주의 흐름과 정부의 사회 양극화 해소 노력을 고려하여 대처했다면, 전혀 다른 결말이 이루어졌을 수도 있었다. 우리나라만이 아니라 세계적 현상인 자본주의의 변화와 이에 따른 정부 정책의 변화에 발맞춰 경영전략과 비즈니스모델의 혁신이 중요한 시대이다.

자본주의 변화에 발맞춰

기업 경영철학의 기조가 변화하고 있다. 사회가 바라보는 기업의 역할과 명분이 변화하고 있기 때문이다. 특히, 포용적 자본주의가 시대정신으로 부상하고 코로나19 팬데믹과 함께 국제사회 전반적으로 기후위기·사회양극화·공정성 등 환경 및 사회문제에 대한 인식이 높아짐에 따라 ESG 열풍이 급속도로 확산되고 있다. 아울러 MZ세대가 소비자와 기업 구성원의 주류로 진입하면서, 이들이 민감하게 주목하는 환경·사회·공정성 이슈를 잘 다루고 있는 기업에 열광하고 있다. 기업에 새로운 역할과 명분을 기대하며 ESG 열풍을 한층 더 가속하고 있다.

ESG 열풍의 본질을 잘 분석해보면, 결국 ESG경영의 핵심은 기업 입장에서는 고객, 국가 입장에서는 국민의 마음을 얻는 것이다. 기업은 환경·사회·지배구조 측면을 경영의 핵심에 두는 ESG경영으로 고객의 감동을 끌어내는 것이 요체이다. 기업이 기업의 목표인 고객 만족을 넘어 고객 감동, 더 나아가 소위 말하는 팬덤을 얻으면 매출과 수익성은 저절로 얻게 되는 것은 자명한 사실이다. ESG를 통해 기업·국민·국가가 공동 발전하는 포용 성장, 지속 가능한 발전이 가능해지는 것이다. ESG는 기업 내 ESG경

경영철학의 변화와 ESG의 부상

영팀이나 위원회 등 일부의 일이 아니라 CEO부터 사원에 이르기까지 전 구성원이 참여하는 비즈니스모델 혁신의 기반이 되어야 한다.

ESG는 CES 2021에 이어 CES 2022에서도 삼성전자·GM 등의 기조연설은 물론이고 참가 기업 대부분의 핵심 메시지로 자리잡았다.

코로나19, 디커플링, 기후위기

2020년 초부터 본격적으로 시작된 코로나19 팬데믹은 지난 2년간 전 세계를 전대미문의 엄청난 혼란과 변화의 소용돌이에 빠뜨리고 있다. 최근 오미크론 변이와 같은 새로운 변이의 지속적 출현으로 팬데믹의 끝을 가늠하기 어려운 상황이다. 각국 정부가 다양한 정책을 취하고 있지만, 궁극적으로 백신과 치료제 외에는 별다른 해법이 없다. 변이에도 효과적인 백신과 치료제를 개발하는 것에 팬데믹 종식 여부가 좌우된다고 볼 수 있다.

코로나19 팬데믹이 산업은 물론 사회 및 생활 전반에 엄청난 변화를 만들고, 그 변화를 가속하고 있다. 첫째, 4차 산업혁명의 디지털 트랜스포메이션이 급속도로 가속되고 있다. 코로나19 팬데믹 이전부터 진행되고 있던 온라인화, 플랫폼화가 급가속되면서 비대면 경제를 대폭 활성화했다. 전자상거래·배달서비스·스트리밍·원격의료·원격근무·원격교육 등 팬데믹이 아니었으면 10년이 넘게 걸렸을 수도 있는 온라인 디지털 서비스의 보편화가 불과 1~2년 만에 전 세계적으로 확산된 것이다. CES 2022에서도 디지털 헬스케어에 대한 관심이 고조되는 등 코로나19 팬데믹의 영향은 매우 두드러졌다. 둘째, 글로벌 공급망이 급속도로 재편되고 있다. 미중 갈등과 코로나19 팬데믹 여파로 그동안 세계의 공장이라는 표현도 과언이 아닐 정도로 글로벌 공급망의 핵심이었던 중국에서 미국 본국이나 아세안·대만·한국·인도 등 주변국으로 생산기지나 구매선을 이전하는 미중 디커플링*이 두드러지게 나타나고 있다. '차이나 엑소더스'라고 불릴 만큼 확산되고 있는 미중 디커플링 추세는 우리 경제로서는 절호의 기회이자 동시에 위협이다. 한국으로서는 미국 및 서방국의 탈중국 및 자국 유턴 추세를 오히려 글로벌화 확대의 기회로 삼아야 한다.

★ 인접 국가나 보편적 세계 경제의 흐름과 다른, 탈동조화되는 현상.

기후변화에 따른 우려가 기후위기로 격상되고 있다. 기후위기가 현실로 닥칠 경우, 코로나19 팬데믹과는 비교할 수 없는 대재앙이 지구에 닥칠 수 있다는 점에서 세계인의 경각심이 커지고 있다. 2016년 발효된 파리협정

이후 121개국이 '2050 탄소중립 목표 기후동맹'에 가입하면서 미국·EU·한국·일본 등 주요국이 앞다퉈 '2050 탄소중립'을 선언하였고, 중국도 '2060 탄소중립' 선언으로 뒤따른 바 있다. 탄소중립은 이산화탄소 배출 저감이나 흡수로 배출되는 탄소량과 흡수되는 탄소량을 같게 해 순배출이 0이 되게 하는 것으로 '넷제로'라고 부르기도 한다.

탄소 배출이 가장 큰 분야는 제조로 전체의 31%, 다음은 발전 27%, 사육과 재배 19%, 교통 및 운송 16%, 냉난방 7% 순이다. 따라서 탄소중립 정책이 환경규제·무역규제 등으로 확대된다면 제조업 의존도가 높은 우리나라나 중국의 경우 많은 어려움이 예상된다. 기후위기 대응을 위한 탄소중립 정책도 저탄소화를 위한 우리나라 산업 및 기업의 총체적 비즈니스모델 혁신이 요구되고 있다.

비즈니스모델
혁명의 시대

● 　　초변화·대전환 시대에는 모든 면에서 과거에 경험하지 못한 엄청난 변화가 광속으로 전개된다. 기업 경영은 물론 국가 경영까지도 그 여파가 지대하여 과거의 경험이 통하지 않고 제로베이스로 총체적 대혁신이 필요한 시대이다. 초변화·대전환 시대에 대응하는 기업 혁신으로 디지털 트랜스포메이션에 기반한 비즈니스모델·기업시스템·기술·인재·시장 등의 총체적 혁신이 필수적이다. 앞에서 초변화를 이루는 각 변화에 대한 대응책으로 가장 중요하게 제시된 혁신이 바로 비즈니스모델 혁신이다. 가히 단순한 점진적 혁신이 아니라 혁명적 혁신이 필요하다.

　이제 세계는 비즈니스모델 혁명의 시대를 맞이했다. 세계는 물론이고 국내에서도 기업의 비즈니스모델이 급변하고 있어 이 변화의 방향에 대응하지 못하면 기업이 몰락하고 결국 국가도 쇠락하게 될 것이다. 과거의 비즈니스모델 혁신은 제품 및 서비스 혁신 중심으로 성능·품질·가격·납기 등이 주요 대상이었다. 하지만 초변화 시대에는 제품 및 서비스는 물론 고객·프로세스·수익모델 등 비즈니스모델의 요소 전체가 혁신 대상이 되고 있다. 예를 들면, 자동차 산업의 경우 과거 성능·품질·가격·납기 중심으로 비즈니스모델 혁신이 이루어졌다. 최근 전기차·스마트카·자율주행차 등이 부상하면서 IT·서비스·에너지 등 타 산업과의 융합이 확대되고 모빌리티 서비스[Mobility as a Service, MaaS]·클라우드 서비스·구독모델 등 새로운 수익모델이 급부상하는 등 과거와는 차원이 다른 비즈니스모델 혁명이 이루어지고 있다. 2021년 4월, 온라인으로 열린 하노버 산업박람회에서 소개된 생산 수량당 과금Pay per Part 모델은 공작기계 등 제조장비시장의 경쟁 구도를 바꿀 혁명적인 비즈니스모델 혁신의 좋은 사례이다. 고가의 공작기계를 살 때 대금을 전액 또는 분할 지불하는 것이 아니라 제조한 부품만큼 지불하는 방식이다. 만일 주문량이 많아 계약된 수량보다 2배의 생산이 이루어지면 계약 대금의 2배를 내고, 주문이 없어 생산하지 않으면 한 푼도 안 낸다. 구매한 기업 입장에서는 고정비 부담이 큰 시설투자를 생산에 따른 변동비로 완전히 바꿀 수 있어 부담이 대폭 줄어든다. 이러한 혁신적 비즈니스모델을 구사하는 기업을 그렇지 않은 기업이 이길 수 없게 되는 것이다.

기업 경쟁에서 승패를 가를 중요한 요소인 비즈니스모델 혁명을 이해하려면 비즈니스모델에 대한 이해가 시급하다. 비즈니스모델에 대한 정의는 국내외적으로 다양해 오해의 소지가 다분한 것이 사실이다. 기업인이나 경영학자 간에도 해석이 분분해 정부나 일반 국민은 이해하기가 더욱 쉽지 않다. 단순히 '기업이 돈을 버는 방법'이나 '비즈니스 전략'으로 이해되는 경우가 많은데 비즈니스모델의 정의는 그보다 훨씬 복합적이고 구조적이다.

비즈니스모델은 기업 경영활동의 핵심요소를 집합한 것으로 고객·제품 및 서비스·운영모델·수익모델이 그 핵심 요소이다. 목표 고객이 누구인지, 목표 고객을 만족시킬 수 있는 가치를 제시하는 제품 및 서비스가 있는지, 제품 및 서비스의 개발·생산·판매 등 운영모델이 어떠한지, 수익을 창출하는 수익모델이 무엇인지 등을 의미한다. 비즈니스모델은 모든 기업의 성패를 좌우하는 기반으로 지속적으로 분석하고 혁신해야 하는 핵심이다.

비즈니스모델에 대한 이해를 바탕으로 비즈니스모델 혁명의 추진 방향

비즈니스모델의 개요 및 핵심 4요소. (출처: 올리버 가스만 외, *The Business Model Navigator*, 2014. 저자 보완)

을 제시해보면 다음의 3가지 방향으로 정리할 수 있다. 첫째, 데이터 기반의 디지털 트랜스포메이션을 통한 비즈니스모델 혁명, 둘째, ESG 기반의 비즈니스모델 혁명, 셋째, 협력 기반의 비즈니스모델 혁명. 이 3가지 추진 방향과 함께 CES 2021과 CES 2022에서 전시되거나 발표된 제품이나 기술을 사례로 제시하고자 한다.

디지털 혁신으로 달라진 비즈니스의 모든 것

디지털 트랜스포메이션 기반의 비즈니스모델 혁명은 앞에서 설명한 4차 산업혁명이 가져온 기업의 비즈니스모델 혁명과 일맥상통한다. 4차 산업혁명의 핵심인 데이터 기반의 디지털 트랜스포메이션이 비즈니스모델의 4가지 핵심 요소인 고객·제품 및 서비스·운영모델·수익모델에 가져다줄 혁신적 변화에 주목해야 한다. 즉, 현재의 고객·제품 및 서비스·운영모델·수익모델을 데이터 중심으로 분석하여 디지털 트랜스포메이션을 적용한 새로운 고객·제품 및 서비스·운영모델·수익모델 조합으로 혁신해야 한다.

목표 고객 측면의 혁신

먼저, 목표 고객 측면에서의 전면적 혁신이 시작점이다. 4차 산업혁명의 디지털 트랜스포메이션 결과로 비즈니스모델이 대량 생산·소비 중심에서 개인화 및 맞춤화 생산·소비 중심으로 바뀌고 있다. 독일의 4차 산업혁명인 인더스트리 4.0도 이에 대응하는 비즈니스모델 혁명이다. 과거 대량 생산·소비 시대에는 불특정 다수의 고객을 대상으로 하였으나, 초변화·대전환 시대에는 개인화·맞춤화 추세에 따른 시장 세분화로 명확한 목표 고객 설정과 고객 성향에 대한 정확한 이해가 필수적이다. AI 및 데이터 중심의 디지털 트랜스포메이션이 이를 가능하게 해주는 것이다. 마케팅의 핵심인 STP^{Segmentation, Targeting, Positioning}전략에서도 S(세분화)와 T(목표설정)가 중요한데, 디지털 트랜스포메이션을 통해 목표 고객의 데이터 확보 및 분석으로 이 과정을 획기적으로 혁신하고 있다.

우리 기업의 일반적 상황을 보면 기업을 고객으로 둔 B2B의 경우 목표 고객에 대한 데이터를 어느 정도 보유하고 있으나 여전히 목표 고객의 만족하지 못한 니즈^{Unmet Needs}나 숨은 니즈^{Hidden Needs}에 대한 데이터가 충분하지 않은 경우가 많다. 직접적 고객인 기업의 요구에만 그치지 않고 그 기업의 고객이 되는 일반 소비자의 니즈에 대한 관심과 이해도 필요하다. 일반 소비자를 고객으로 둔 B2C의 경우에는 많은 기업이 여전히 대량 생산·소비 사고에 머물러 있다. 따라서 고객 세분화를 통한 목표 고객 설정과 원하는 가치 제공에 필수적인 데이터 확보 및 분석 역량이 해외 선진 기업 대비 많이 부족하여 이에 대한 혁신이 필요하다. 데이터 중심의 목표 고객 혁신은 아무리 강조해도 지나치지 않다.

제품 및 서비스 측면의 혁신

제품 및 서비스 측면에서 목표 고객이 원하는 가치를 제공할 수 있도록 혁신해야 한다. 디지털 트랜스포메이션의 진전으로 고객의 구매 성향·패턴·경로 등의 파악이 쉬워지고, 고객과의 직간접 소통이 활발해졌다. 이렇게 데이터 기반으로 파악된 목표 고객의 니즈를 제품 및 서비스 개발 및 운영에 반영하는 프로세스의 혁신이 중요하다. 이것이 STP 전략 중 P(포지셔닝)의 시작이다. 데이터 기반으로 우리 제품 및 서비스가 목표 고객이 원하는 가치를 제공하고 있는지 지속적으로 분석하고 혁신해야 한다.

CES 2022를 분석할 때는 CES 2020, 2021부터 강해지고 있던 것이 완연한, 세계적 추세인 개인화 및 맞춤화에 주목할 필요가 있다. CES 2020에서 로레알L'Oréal의 개인화 화장품 페르소Perso 등 많은 주목을 받았던 개인화 및 맞춤화 추세는 CES 2022에서는 고객 취향에 대한 데이터와 AI 기반으로 사실상 모든 제품 및 서비스 분야로 확산되었다. 아울러 친환경·사회 문제 등에 민감한 MZ세대가 소비자의 주류로 진입함에 따라 이들의 취향을 만족시키면서 세계적 열풍처럼 불고 있는 ESG에 대응하는 제품 및 서비스 혁신이 시급하다. CES 2021에 이어 CES 2022에서도 삼성전자·LG전자·GM·보쉬 등 대부분의 기업이 ESG를 핵심 기조로 부각했다.

운영 모델 측면의 혁신

목표 고객이 원하는 가치를 제공하는 제품 및 서비스를 구현하기 위한 기획·개발·생산·판매·서비스 등 운영 모델을 디지털 트랜스포메이션으로 전면 혁신해야 한다. 가치사슬 전반의 최적화 및 효율화로 성능·품질·가격·납기 혁신은 기본이다. 역시 데이터와 AI 중심의 디지털 트랜스포메이션이 운영 모델의 전반적인 혁신을 이끌고 있다.

오프라인 중심의 판매 채널을 가진 기업은 온라인으로의 전환이 시급하다. 수요자와 공급자를 연결하는 디지털 온라인 플랫폼이 대세가 되는 추세에서 글로벌 플랫폼기업과의 협력 및 경쟁이 동시에 요구되고 있다. 또한 GAFAM이라 불리는 구글·아마존·페이스북(메타)·애플·마이크로소프트 등 세계적 플랫폼 기업들의 시장지배력이 날로 커지고 있는 상황에서 우리 기업들의 현명한 대응책도 요구된다. CES 2022에서는 오미크론 확산 등의 이유로 이들이 직접 참가하지 않았으나, 여전히 플랫폼기업으로서 향후 전망이나 그들의 협력기업들을 통한 존재감은 여전히 강력하였다고 볼 수 있다. 한국의 기업들의 존재감보다 글로벌 플랫폼기업들의 보이지 않는 존재감이 더 강력함을 읽고 대응책을 만들 수 있어야 한다. 이것이 바로 비즈니스모델 혁명의 힘이다.

독일의 인더스트리 4.0과 우리나라의 스마트 제조혁신 등이 생산 및 제조분야의 혁신으로 큰 주목을 받고 있다. 제조분야는 데이터 및 AI 기반의 디지털 트랜스포메이션이 가장 효과적으로 적용될 수 있는 대표적 분야이다. 현대자동차는 CES 2022에서 미국의 3D 엔진 플랫폼기업인 유니티와 협력하여 싱가포르 글로벌혁신센터 건설과 함께 디지털 트윈 및 메타버스 기반의 메타팩토리를 구축한다고 발표하였다. 국내에서 해외 공장을 실시간으로 원격운영 및 관리하는 것이 가능해지고 계획 단계에서 시뮬레이션을 통해 획기적으로 사전 검증·오류 방지·원가 절감이 실현된다.

가치사슬 측면에서 전반적으로 디지털 트랜스포메이션과 함께 글로벌화 혁신도 여전히 중요한 과제이다. 미중 갈등과 코로나19 팬데믹의 결과로 탈세계화가 사실상 탈중국화로 이루어지고, 글로벌 공급망 재편으로 이어지면서 우리 기업에는 위기인 동시에 절호의 글로벌화 확대 기회가 되고 있다. 세계의 공장 역할을 하던 중국에서 미국·유럽 등 서방국의 제조공장 이전이나 구매선의 변경이 중국 밖으로 추진되면서 우리 제조기업에 큰 기회가 오고 있다. 아울러, 자국우선주의 및 보호무역주의가 확산되면서 대외무역 의존도가 높은 우리나라로서는 큰 위기가 되고 있다. 하지만 이에 대한 대응으로 독식 구조의 수출 일변도 전략을 현지 기업과의 동반성장을 추구하는 글로벌 분업 및 동반성장 모델로 전환하면 오히려 획기적인 글로벌 시장지배력 확대를 기대할 수 있을 것이다.

수익모델 측면의 혁신

수익을 창출하는 수익모델도 디지털 트랜스포메이션 기반으로 다양한 혁신이 필요하다. 기존의 제품 판매 중심의 수익모델에 그치지 않고 제품의 판매수익과 함께 제품 전주기 사용단계의 서비스로 확대하여 지속적인 수익을 창출하는 제품의 서비스화Everything as a Service, XaaS가 대표적 사례이다. 사지 않고 일정 기간 정액 사용료를 내고 쓰는 구독모델, 사용한 만큼 지불하는 페이 퍼 유즈Pay per Use, 페이 퍼 파트Pay per Part 등 다양한 수익모델이 도입되고 있다. 우리 기업들도 종래의 수익모델 중심에서 속히 탈피하여 해외 성공 모델 도입은 물론 새로운 수익모델의 개발이 시급하다. 이를 위해서는 IoT·5G·빅데이터·AI 등 디지털 트랜스포메이션 기술은 물론 선진 금융기법 등 타 산업과의 융합이 필수적으로 요구된다.

CES 2022에서도 CES 2020, 2021에 이어 전시와 컨퍼런스를 통해 많은 수익모델 혁신 방향이 제시되었다. 현대자동차, GM 등 자동차기업들이 기존의 자동차 판매 중심의 수익모델에서 탈피하여 모빌리티 서비스를 통해 수익모델을 혁신한 것이 좋은 사례이다. GM은 전기차 플랫폼 얼티엄^{Ultium} 기반의 전기차를 확충하고 여기에 종합적인 서비스 플랫폼 얼티파이^{Ultifi}를 연결하여 제품과 서비스의 융합을 통한 수익모델 혁신 계획을 발표하였다. LG전자의 수익모델 혁신 사례로는 AI를 기반으로 냉장고 등 가전제품의 판매 이후 고장을 예측하고 사전 서비스 등을 제공하는 PCS^{Proactive Care Service}가 제시되었다.

이상과 같이 목표 고객·제품 및 서비스·운영모델·수익모델의 4가지 요소별로 제시된 디지털 트랜스포메이션 기반의 비즈니스모델 혁명의 전개 방향으로 혁신 계획을 신속히 실행해야 한다. 비즈니스모델 혁신은 기업의 사활이 걸려있는 가장 중요한 과제로 CEO가 직접 지휘하고 전 직원이 참여하여 실행되어야 한다. 비즈니스모델 혁신 방향은 모든 기업 및 산업에 일률적으로 적용되는 것이 아니라, 기업 및 산업의 특성을 감안해 추진해야 함은 이론의 여지가 없을 것이다.

비즈니스모델, 이렇게 바뀌고 있다

비즈니스모델 혁명에 대한 정확한 이해를 바탕으로 시장 니즈 및 트렌드·기술트렌드·기업 및 산업 특성을 고려하여 다양한 비즈니스모델을 개발하는 데 주력해야 한다. 비즈니스모델의 주요 혁신 사례는 제품 및 서비스 혁신(P/S)·제품과 서비스의 융합(P+S)·플랫폼화(ΣP)·제품과 금융의 융합(P+F) 등이 있고, 이 외에도 데이터 기반 비즈니스모델·O2O 비즈니스모델·특허 등 지적재산권 기반 비즈니스모델 등 다양한 비즈니스모델이 개발되어 적용되고 있다. 초변화·대전환 시대에 디지털 혁신을 통한 경쟁력이 있는 비즈니스모델 개발 및 적용에 기업과 국가의 성패가 달려있다 해도 지나치지 않다. 주요 비즈니스모델 추진 사례를 다음과 같이 정리하고 CES 2022에서 제시된 사례를 요약하고자 한다.

제품 및 서비스 혁신(P/S)

비즈니스모델 혁명이 다양한 방향으로 전개된다 해도 기본은 제품 및 서비스 혁신이다. 제조기업은 제품 혁신이 기본이고 서비스 기업은 서비스 혁신이 기본이다. 앞서 강조했던 바와 같이 디지털 트랜스포메이션을 통하여 목표 고객을 설정하고 목표 고객이 원하는 가치 및 니즈를 파악하여 그것을 만족시키는 제품 및 서비스를 고객에 제공하는 것이 혁신의 기본이다. 과거 대량생산 및 소비 시대에는 불특정 다수의 고객에게 공통적인 제품 및 서비스를 제공하였으나, 이제는 데이터 및 AI 기반의 디지털 트랜스포메이션을 통해 목표로 하는 특정 소수의 고객 또는 개인 고객별로 맞춤형 제품 및 서비스 제공이 가능해진다. 고객의 신상·기호·성향·구매 및 사용 이력 등 목표 고객 데이터 확보가 경쟁력의 핵심이 된다.

우리나라도 해외시장에서 중국 기업과 힘겨운 경쟁 현황을 감안하면 산업별로 정도의 차이는 있으나, 대량생산 기반의 비즈니스모델로는 어렵고 다품종 소량의 맞춤화 및 개인화 비즈니스모델로의 혁신이 필요하다. 기존의 효율성 중심에서 디지털 트랜스포메이션 기반으로 다양성과 효율성의 동시 추구로 전환하되, 우리의 강점 및 약점, 기회 및 위협 등 우리 여건에 맞고 산업 특성 및 기업 유형, 시장별로 차별화된 제품 및 서비스 혁신 전략이 시급하다.

산업 유형은 일관생산의 프로세스산업^{Process Industry}과 개별 생산의 이산산업^{Discrete Industry}으로 나누고, 기업 유형을 기업이 고객인 B2B와 일반 소비자가 고객인 B2C로 나눌 수 있다. 이에 따라 산업을 B2B 프로세스산업(철강·화학 등)·B2B 이산산업(자동차부품·전자부품 등)·B2C 프로세스산업(화장품·식음료 등)·B2C 이산산업(휴대폰·패션의류 등)의 4개 유형으로 분류하고 각 유형의 제품 혁신의 전략을 제시할 수 있다.

B2C 이산산업은 개인화 및 맞춤화 추세가 매우 강하다. B2B 프로세스산업은 아직도 대량생산 범주에 있으나 일부 맞춤화가 진행되고 있으며, B2C 프로세스산업과 B2B 이산산업은 중품종·중량생산 수준의 맞춤화가 진행되고 있는 추세다. 우리 기업들은 제품은 물론 서비스·의료·교육·관광 등의 개인화 및 맞춤화 추세를 고려해 제품 및 서비스 혁신 전략을 수립할 필요가 있다. CES 2022에서도 고객의 취향과 소비 성향에 대한 데이터인 디지털 흔적^{Digital Footprint}, AI를 통한 개인 맞춤형 제품과 서비스가 대세로 나타난 바 있다.

아울러, 소비자의 주류로 부상하고 있는 MZ세대의 취향에 맞는 제품 및 서비스 혁신도 중요하다. 밀레니얼세대와 Z세대도 서로 다르고 독특한 취향과 소비 성향을 보여 이들 세대에 대한 정확한 이해와 분석이 필요하다. MZ세대는 디지털과 정보화에 능하여 환경·사회문제·공정성 등에 민감하다. 그 때문에 이들의 마음을 잡을 수 있는 친환경 등 ESG 측면을 잘 반영한 제품 및 서비스 혁신이 중요하다.

또한, CES 2022에서는 예견된 바와 같이 코로나19 팬데믹에 따른 소비자들의 건강에 대한 고조된 관심과 달라진 생활 방식에 대응하는 디지털 헬스케어와 스마트 홈이 크게 부상하였다. 홈코노미^{Homeconomy}라는 신조어가 나올 정도로 전 세계적으로 재조명되고 부각된 집 중심의 경제활동에 대응하는 홈 엔터테인먼트·스트리밍·홈 트레이닝·슬립테크·홈 헬스케어 등에서의 제품 및 서비스 혁신도 주목할 추세이다.

제품과 서비스의 융합(P+S)

제품과 서비스의 융합이 중요한 비즈니스모델로 부상하고 있다. 비즈니스모델이 단순히 제품 판매에 그치지 않고, 제품 판매와 함께 제품의 전全 주기 사용단계에서 서비스로 확대되는 제품의 서비스화$^{Everything as a Service,}$ ^{XaaS}는 세계적 추세로 대응이 시급하다. 이 역시 제품의 전 주기 사용 데이터를 통해 새로운 부가가치나 성장동력 창출이 가능해진다. 다음 그림에서처럼 자동차산업이 자동차 중심에서 탈피해 자동차는 물론이고 자동차와 관련된 제반 서비스를 망라하는 대규모 모빌리티 산업으로 발전하는 것이 좋은 사례이다.

CES 2022에서도 사실상 전 산업에서 제품과 서비스 융합 추세는 대세로 나타났다. GM의 CEO 메리 바라 회장은 기조연설을 통하여 GM의 전기차 플랫폼인 얼티엄을 기반으로 2025년까지 30개 이상의 전기차를 출시하고, 이와 함께 GM의 새로운 소프트웨어 및 서비스 플랫폼인 얼티파이로 최고의 고객 서비스 및 경험을 제공하겠다고 발표하였다. GM의 얼

자동차 산업의 서비스 융합 비즈니스모델 혁신.

티엄 기반 전기차와 얼티파이 서비스의 융합을 통한 자동차 및 모빌리티 시장 지배력 제고 계획은 제품과 서비스 융합 비즈니스모델 혁신의 좋은 사례이다. 미국 헬스케어기업인 애보트가 발표한 연속 혈당 모니터링 시스템인 프리스타일 리브레3는 기존의 혈액 기반 시스템과 전혀 다른 비침습 시스템으로 CES 2022 최고혁신상을 수상하며 큰 주목을 받았다. 애보트의 프리스타일 리브레 3는 단순한 혈당 측정기를 넘어 클라우드·웨어러블 기기와 연결하여 혈당 관리는 물론이고 종합 건강관리 서비스를 제공할 것으로 기대되는 제품과 서비스 융합 기반의 비즈니스모델 혁신 사례이다. 일본 헬스케어 회사인 오므론[Omron]도 CES 2021에서 혈압계 판매를 넘어 소비자의 혈압계 사용 이력의 클라우드 분석을 통한 종합 혈압관리 서비스를 제공하는 바이탈사이트[VitalSight]를 제시하였는데 이 역시 같은 맥락의 비즈니스모델 혁신이다. LG전자도 앞에서 소개한 PCS를 제시하며 제품의 서비스화 비즈니스모델 혁신을 추구하고 있다.

플랫폼화(ΣP)

플랫폼화는 글로벌 기업들이 지속적으로 추진해온 핵심 비즈니스모델이다. 특히 온라인 디지털 플랫폼화는 4차 산업혁명의 디지털 트랜스포메이션에 따라 시장 지배력의 대세로 자리 잡아 왔다. 그 결과로 GAFAM(구글·아마존·페이스북·애플·마이크로소프트) 또는 FAANG(페이스북·애플·아마존·넷플릭스·구글)이라 불리는 세계적 플랫폼기업들의 글로벌 시장 지배력이 날로 커지고 있다. 온라인 디지털 플랫폼화는 코로나19 팬데믹으로 더욱 가속되고 있어 신규 플랫폼기업의 출현도 예상되나 소비자(고객)와 공급자(협력사)에 대한 데이터 확보 면에서 앞서 있는 기존 글로벌 플랫폼기업의 시장 지배력은 더욱 커질 전망이다.

플랫폼은 여러 형태가 있을 수 있는데, 특히 디지털 플랫폼은 소비자와 공급자를 연결하는 강력한 비즈니스모델로서 향후 디지털 플랫폼의 주도권이 기업은 물론 국가의 미래를 좌우할 것으로 보인다. 현재 구글·아마존·애플 등 미국의 플랫폼 기업이 선도하고 있는 디지털 플랫폼 비즈니스모델에 있어서 우리 기업의 미래 대응 방안 수립이 요원한 실정이다.

CES 2022 주요 참가기업 대부분에서 플랫폼화 동향을 찾아볼 수 있었다. 구글·아마존·페이스북·애플 등 글로벌 플랫폼기업들의 불참으로 이들 기업이 직접 보여 준 것은 제한적이나, 이들 플랫폼기업의 많은 파트너사나 협력사들이 구글·아마존·애플의 음성인식 기반 AI 비서나 UI(User Interface)·AI·클라우드·AR·VR 등 관련 기업의 솔루션을 바탕으로 개발된 제품 및 서비스를 제시하여 여전히 강한 지배력을 간접적으로 보여주었다.

메타버스가 플랫폼화의 새로운 핵심 기술 및 수단으로 부상할 수 있다는 가능성을 제시한 것은 CES 2022에서 눈여겨볼 주요 트렌드 중 하나이다. 메타버스 분야에서 두각을 나타내고 있는 메타는 물론이고 최근 미국 게임 대기업 블리자드^{Blizzard} 인수로 주목받고 있는 마이크로소프트 등 글로벌 플랫폼기업 간의 메타버스 전쟁도 향후 주목해야 할 대목이다.

제품과 금융의 융합(P+F)

제품과 금융의 융합은 새로운 비즈니스모델 창출을 위해 매우 중요하다. 제품과 금융을 융합함으로써 사지 않고 매월 사용료를 내는 구독모델, 사용한 만큼 이용료를 내는 '페이 퍼 유즈', 생산한 부품 수만큼 이용료를 내는 '페이 퍼 파트' 등 고객에 큰 가치를 제공하는 다양한 비즈니스모델 혁신이 가능하다. 앞서 제시한 수익모델의 혁신이나 제품의 서비스화 혁신의 확산을 위해서는 금융의 역할이 필수적이다. CES 2022에서 구독모델은 많은 가전제품이나 스마트홈 분야에서 중요한 비즈니스모델로 자리잡고 있다. 특히, 정수기·공기청정기·프린터 등 유지보수가 필요한 제품의 경우부터 적용이 시작되어 많은 분야로 확대되고 있다. 페이퍼 유즈나 페이 퍼 파트와 같이 사용한 만큼 대금을 지급하는 비즈니스모델도 확산되고 있다.

이 외에도 데이터가 자산이 되고 기반이 되는 데이터 경제 모델, 온라인과 오프라인을 융합하는 O2O$^{Online\ to\ Offline}$ 비즈니스모델, 특허 등 지식재산권 기반의 비즈니스모델 등 다양한 비즈니스모델의 발굴 및 개발이 필요하다.

시대정신이 된 ESG, 앞으로 기업의 대응은?

디지털 트랜스포메이션 기반의 비즈니스모델 혁명과 함께 ESG 기반의 비즈니스모델 혁명이 전 세계적으로 급부상하고 있다. ESG는 환경·사회·지배구조를 의미하는 약어로 ESG경영, ESG투자 등 기업 경영뿐만 아니라 투자 전반을 넘어 국가 경영에 이르기까지 확대되면서 일반인도 꼭 이해해야 하는 시대정신이 되고 있다. 처음에 ESG는 환경적·사회적·지배구조적 측면을 기업 경영의 핵심에 두고 경영하는 기업이 그렇지 않은 기업보다 경영 성과와 지속가능성이 크다는 가설에서 시작되었다. 이제 ESG를 기업 경영의 핵심에 두는 ESG경영은 'ESG경영이 우수한 기업에 투자하겠다'라는 ESG투자와 함께 상승 작용을 일으키며 ESG 열풍을 일으키고 있다.

1년 전 미국 바이든 정부의 출범과 함께 기후 변화 대응을 위한 파리협정 복귀를 발표하면서 전 세계적으로 탄소중립 등 친환경 정책이 강력히 대두되고 있는 것도 ESG 열풍의 주요 동인이다. 미국·유럽 등 선진국을 중심으로 환경 규제가 강화되고 있고 글로벌기업들도 제품 구매 시 ESG 측면을 고려하기 시작하면서 수출 의존도가 높은 우리 경제와 기업이 시급히 대응해야 할 '발등의 불'이 되고 있다.

작년 온라인으로 열린 CES 2021에서도 ESG가 전시회 전체를 관통하는 키워드로 제시되었고 올해 CES 2022에서는 ESG가 개념이나 비전 제시에 그치지 않고 제품 및 서비스에 직접 반영한 결과 및 향후 구체적 계획을 제시하는 기업이 많아졌다. 삼성전자·GM·현대차·SK·퀄컴 등 각 분야 주요 기업이 이구동성으로 탄소중립, 소셜 임팩트 등 ESG경영의 구체적 로

드맵을 제시하였다. 세계 양대 기술전시회 중 하나로 작년 봄 온라인으로 열린 하노버 산업박람회에서도 ESG가 단연 돋보이는 키워드였다. 소비자 기술은 물론 산업기술에서도 순환경제, 탄소중립 등 환경 및 지속가능성 측면이 크게 부각되면서 ESG가 이제 세계적 시대정신으로 자리 잡고 있다는 것을 보여 주었다. 따라서, ESG는 단순히 개념적이거나 보여주기식이 되어서는 안 되고 비즈니스모델의 중심이 되어야 한다.

ESG에 대한 올바른 이해와 대응

현 상황에서 우리 기업과 금융기관은 물론 정부·학계·연구계 등 전 경제 생태계의 ESG에 대한 올바른 이해와 대응이 매우 시급하고 중요하다. 그러나, 우리의 기업 현장은 물론 경제계 전반의 현실은 유감스럽게도 아직 ESG에 대한 정확한 이해와 공감대가 미흡하다. 4차 산업혁명·기술혁명·코로나19 팬데믹·탄소중립 등 급변하는 대내외 경영 환경 변화 대응에도 힘겨운 기업인들에게 ESG는 또 다른 부담으로 인식되고 있다. '왜 갑자기 ESG 열풍인가', 'ESG경영은 어떻게 해야 하는가', '중소기업도 ESG경영이 가능한가', 'ESG 지표는 적절한가', '정부는 ESG에 어떻게 대응해야 하나' 등 많은 질문이 쏟아지고 있다.

ESG를 시대정신으로 인식하고 비즈니스모델의 기본으로 내재시키기 위해서는, ESG가 급부상한 배경과 원인에 대한 이해부터 시작할 필요가 있다. ESG 급부상의 배경과 원인은 크게 자본주의 4.0의 부상·MZ세대의 부상·기후위기 대응을 위한 탄소중립 정책에 있다.

이러한 변화는 2020년 촉발된 코로나19 팬데믹으로 국제사회 전체의 기후위기·사회 양극화 등 환경·사회문제에 대한 인식이 높아짐에 따라

ESG 열풍을 급속도로 확산시키고 있다. 아울러 MZ세대가 소비자와 기업 구성원의 주류로 진입하면서, 이들이 민감하게 주목하는 환경·사회·공정성 이슈가 ESG 열풍을 한층 더 가속시키고 있다. 여기에 기후위기에 대응하기 위해 미국·유럽·일본 등 선진국 주도로 전 세계적으로 확산되고 있는 탄소중립 정책이 가세하고 있는 형국이다.

ESG 기반 비즈니스모델 혁명의 추진 방향

ESG 경영의 핵심은 환경·사회·지배구조를 비즈니스모델의 중심에 두어 '고객의 마음을 얻는 것'이다. ESG 경영을 단순히 환경보호·사회적책임·투명경영 등 수동적 책임으로만 보지 말아야 한다. 기업은 포용적 자본주의의 주체로서 주주만이 아니라 고객·직원·지역사회 등 이해관계자를 배려하고, MZ세대 등 고객이 원하는 친환경, 사회적 가치를 추구하면서 고객의 마음을 얻어 사회적 가치와 경제적 가치를 동시에 얻는 능동적 기회 창출로 보아야 한다. ESG 기반의 비즈니스모델 혁명이 되어야 한다.

구체적으로 ESG 기반 비즈니스모델 혁명에서 환경(E) 측면은 친환경 에너지기술·에너지 절감기술·기후위기 저감기술·순환경제·수소경제 등 친환경 기술개발 및 경영전략을 통하여 환경보호와 함께 새로운 성장동력 및 사업 기회를 만드는 것이다. 동시에 지속가능성과 기업·경제 성장을 동시에 추구하는 접근이 중요하다. 앞서 언급한 대로 CES 2022에서는 대부분의 주요 기업들이 공히 친환경을 최우선 기조로 제시하였다.

사회(S) 측면에서 기업은 건강한 사회·안전한 사회·편리하고 스마트한 사회·지속 가능한 사회·일자리가 늘어나고 성장하는 사회 등 사회가 추구하는 비전 및 가치를 만족시키는 기술개발 중심의 경영을 해야 한다. 이를

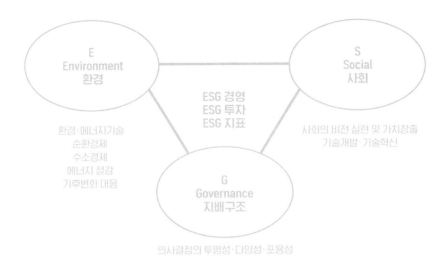

ESG경영의 개념 및 철학.

통하여 기업의 사회적책임과 기업의 성장을 동시에 추구해야 한다.

지배구조(G) 측면에서는 이사회·경영 조직체계·감사 기능 등 기업의 의사결정을 지배하는 소유의 지배구조를 투명하게 만들기 위해 노력해야 한다. 또한 성·나이·인종 등 기업의 의사결정을 지배하는 구조적 요소를 포용적이고 공정하게 관리하여 지배구조 개선과 기업 성장을 동시에 추구하는 것이 핵심이다.

이제는 '착한 기업'보다 '현명한 기업'이 되어야 한다. 우리 기업과 정부가 ESG에 대한 올바른 이해를 바탕으로 ESG경영·정책을 통하여 ESG 지속가능성과 수익성 및 경제성장의 동시 추구·경제적 가치와 사회적 가치의 동시 추구·기업과 사회의 동반성장이라는 두 마리 토끼를 잡는 것을 비즈니스모델에 내재하여 추구해야 한다.

분야나 규모 막론하고 누구와도 협력하는 시대

협력^{Collaboration} 기반의 비즈니스모델 혁명은 광속으로 진행되는 기술 혁명과 시장 변화의 속도에 대응하기 위해서 필연적으로 나타나는 추세이다. 작금의 초변화·대전환 시대에는 모든 면에서 과거와 비교할 수 없는 변화가 일어나고 있다. 어느 기업은 물론 국가도 단독으로는 대응이 어렵다. 기업도 산·학·연 협력은 물론이고, 동종 및 이종 기업 간 협력, 더 나아가 국내외 기업생태계 협력을 통한 비즈니스모델 혁신을 추진해야 한다.

대기업과 중소기업은 컨소시엄을 구성하여 기업 규모별 장점을 살리는 협력이 중요하다. 제품 개발·생산·판매에 있어 혁신 중소·중견기업이나 스타트업의 속도 및 혁신 경쟁력과 대기업의 사업화 역량 및 자원을 결합하여 효과성과 효율성을 극대화할 수 있다. 대기업 간 협력도 이종 기업은 물론 동종 기업 간에도 과거에는 상상하기 어려운 합종연횡이 이루어지고 있다. 중소기업 간 네트워크화 및 집단화를 통한 협업도 효과적인 대안이다. 마케팅·연구개발·생산·구매·관리 등 기업 가치사슬에 있어 중소기업 간 공동협업 사업 추진이 대표적 사례이다. 실행이 용이한 공동구매부터 시작하여 공동생산, 공동R&D로 확대하고 공동브랜드 등 공동마케팅까지 단계적 추진이 바람직하다. 과거 사례를 분석해볼 때 공동협업 사업은 기업 간 신뢰 구축 노력이 가장 중요하며, 이를 지원하는 우대 제도 등 정부의 제도적 뒷받침이 필요하다. 독일·스위스 연삭기기업, 호주 골드코스트 요트기업 등 국내외로 수많은 공동협업 성공 사례를 참조하여 중소기업중앙회 등 주요 민간단체 중심으로 성공 사례를 만들어가면 확산이 가능할 것이다.

기업 간 협력은 늘 있었지만, 최근의 협력은 규모와 건수 면에서 급증하고 있다. 메리 바라 GM회장은 CES 2022에서 이전에 발표한 전기트럭 EV600, 소형 전기구동 컨테이너 EP1 등을 통한 배송 서비스인 브라이트드롭^{BrightDrop}의 협력 성과를 발표하였다. GM과 페덱스는 브라이트드롭 협력으로 불과 1년 만에 서비스를 시작하였으며, 페덱스의 2040년 탄소중립을 위하여 2040년까지 20만 대의 중형 전기트럭 및 배송차량을 공급할 계획이라 밝혔다. 아울러 GM은 미국의 세계 최대 소매유통기업인 월마트^{Walmart}와도 협력하여 5,000대의 전기배송트럭 EV600과 EV410을 공급하여 역시 월마트의 2040년 탄소중립에 기여할 것이라고 발표하였다. 이 외에도 CES 2021에서의 GM과 LG, 마그나와 LG, AMD와 마이크로소프트, HP의 협력 등에 이어 삼성전자와 글로벌 친환경 아웃도어 기업 파타고니아의 미세플라스틱 저감기술 개발 협력, 퀄컴과 르노, 혼다, 볼보 등 자동차 회사와의 반도체 협력 등 다양한 협력이 발표되었다.

비즈니스모델
혁명을 돕는 정책

CES 2022에서도 강조된 바와 같이 세계는 지금 비즈니스모델 혁명 중이다. 4차 산업혁명도 빅데이터·AI 중심의 디지털 트랜스포메이션이 촉발한 비즈니스모델 혁명이다. 4차 산업혁명의 양대 리더인 미국과 독일은 방향은 다르지만, 지향점은 같은 비즈니스모델 혁명을 주도하고 있다. 미국은 GAFAM 등 민간 주도로 세계 최고의 서비스산업에 제조업을 융합하는 방향으로 비즈니스모델 혁명이 전개되고 있다. 반면에, 독일은 독일의 4차 산업혁명 '인더스트리 4.0'을 통하여 표면적으로는 민간 주도이나, 정부의 강력한 지원으로 다양성과 효율성을 동시에 추구하며 세계 최고의 제조업에 서비스산업을 융합하는 방향으로 비즈니스모델 혁명이 전개되고 있다. 미국은 민간 주도, 독일은 정부 주도의 성향이 강하다. 향후 모든 기업과 국가의 미래는 비즈니스모델 혁명에 대한 대응에 달려 있다고 해도 과언이 아니다.

우리나라의 비즈니스모델 혁명은 안타깝게도 아직 방향이 잘 정립되어 있지 않다. 미국과 독일의 추진 방향을 참고하여 우리 여건에 맞는 비즈니스모델 혁명 대응이 시급하다. 이 과정에서는 정부의 정책적 지원이 절실하게 필요하다.

먼저 국가 산업전략 수립에 비즈니스모델의 혁명적 혁신이 포함되어야 한다. 앞서 제시한 바와 같이 제품 및 서비스 혁신·제품과 서비스의 융합·플랫폼화·제품과 금융의 융합 등 비즈니스모델 혁신을 기반으로 한 새로운 산업전략을 수립하여 추진해야 한다. 제조업과 서비스산업의 융합을 통한 신제조업 육성, 농업·제조업·서비스산업 융합을 통한 신농업 육성, EU가 독일·프랑스 주도로 추진하고 있는 가이아-X^{Gaia-X} 프로젝트와 같은 데이터 기반의 디지털 경제 육성 등 다양한 비즈니스모델 혁명을 국가 산업전략 차원에서 지원해야 한다.

둘째, 비즈니스모델 혁명에 필수적인 기술혁신을 촉진할 수 있는 R&D 투자 확대가 중요하다. 특히, 빅데이터·AI·IoT·5G/6G·클라우드·블록체인 등 디지털 트랜스포메이션 핵심 기술에 대한 연구개발 투자를 확대해야 한다. 정부 R&D 투자를 R&D 집약도(GDP 대비 R&D 투자) 기준이 아니라 절대 금액 면에서 일본 수준으로 대폭 증액하고 민간 기업 R&D 투자 역시 대폭 확대하기 위한 세제 지원, R&D 인재 양성 등 강력한 인센티브 정책을 시행해야 한다. 이와 동시에 선택과 집중·R&D 효율 제고·R&D 거버넌스 체계 혁신 등 국가 R&D 정책 혁신도 병행이 필요하다.

셋째, 비즈니스모델 혁명에는 금융 혁신이 중요하다. 기업이 제품의 서비스화·구독 모델·페이 퍼 유즈 등 다양한 혁신적 비즈니스모델을 실현하기 위해서는 이를 가능케 하는 금융 패키지가 필수적이다. 기업 자산을 담보로 한 상업금융 중심에서 탈피하여 비즈니스모델 및 프로젝트 대상의 국내외 프로젝트 금융이 활성화되어야 한다.

넷째, 새로운 비즈니스모델을 막거나 어렵게 하는 규제를 없애거나 선제적으로 개선하는 규제 혁신의 중요성은 아무리 강조해도 지나치지 않다. 글로벌 유니콘기업의 대다수 비즈니스모델이 우리나라에서는 규제로 인해 사업화조차 어렵다는 조사 결과도 있다. 규제 혁신을 가로막고 있는 현실적 문제의 해결을 위한 사회적 합의 기구 신설, 법·제도 혁신 등 강력한 규제 혁신이 요구된다.

다섯째, 비즈니스 혁명을 주도할 수 있는 인재 양성이 시급하다. 4차 산업혁명의 디지털 트랜스포메이션과 기술 혁명을 기반으로 한 디지털 경제 등 비즈니스모델 혁명을 위해서는 시장·기술·금융 등 다학제적이고 융합적 역량을 가진 인재가 필요하다. 이를 위해서는 초중고교생과 대학생은 물론 기업 재직자·공무원·일반 국민까지 전 국민 교육 체계를 전면 개편해야 한다. 특히, 비즈니스모델 혁명을 촉진할 수 있는 정부 정책 혁신을 위한 공무원 재교육이 시급하다.

　여섯째, 비즈니스모델 혁명의 한 축인 우리 기업의 글로벌화를 선제적으로 집중 지원하는 정책 혁신이 이루어져야 한다. 미중 갈등과 코로나19 팬데믹에 따른 탈중국화 중심의 글로벌 공급망재편으로 이어지면서 우리 기업에는 오히려 절호의 글로벌화 기회가 확대되고 있다. 미국·유럽 등 서방국의 제조공장 이전이나 구매선 변경이 중국 밖으로 추진되면서 우리 제조기업에 찾아오는 큰 기회를 잘 활용할 필요가 있다. 예를 들어, 글로벌기업의 공장이나 연구소의 국내 유치를 위한 매력적인 외국인 직접투자 인센티브 제공이 효과적일 것이다. 한편, 자국우선주의 및 보호무역주의가 확산되면서 대외무역 의존도가 높은 우리나라로서는 큰 위기가 되고 있으나, 이에 대한 대응으로 독식 구조의 수출 일변도 전략을 현지 기업과의 동반성장을 추구하는 글로벌 분업 및 동반성장 비즈니스모델로 전환하면 오히려 획기적인 글로벌 시장 지배력 확대를 기대할 수 있을 것이다.

　마지막으로, 융합·통합·플랫폼화 등 다양한 비즈니스모델 혁명을 지원하려면 정부 조직의 혁신이 필요하다. 조직은 전략과 연동되어야 한다. 정부 조직도 전략 및 정책의 변화에 따라 바뀌어야 한다. 4차 산업혁명과 디지털 혁신은 업의 경계를 없애고 있다. 종래의 경계를 고수하는 기존 정부 조직으로는 앞서 제시한 신제조업·신농업·데이터 기반의 디지털 경제 등 업의 경계를 넘나드는 비즈니스 혁명 시대의 변화를 따라가기 어렵다. 제조업과 서비스 산업의 융합을 통한 신제조업 비즈니스모델이 좋은 예이다. 신제조업과 같이 제조업과 서비스산업의 융합은 부처 간 협력이 중요한데, 현재 우리나라는 제조업은 산업통상자원부, 서비스산업은 기획재정부로 소관 부처가 나뉘어져 있어 현실적으로 일사불란한 추진이 쉽지 않다. 신농업, 디지털 경제 등도 마찬가지 상황이다. 새 시대에 맞는 정부 조직 혁신을 위해 많은 고민과 실행이 필요한 시기이다.

저자 약력

손재권

고려대학교 졸업 후 《전자신문》 IT산업부, 《문화일보》 사회부 기자를 거쳐 《매일경제》 산업부 기자와 실리콘밸리 특파원으로 일했다. 삼성전자, LG전자, SK하이닉스, KT 등 국내 기업은 물론이고 구글, 애플, 메타, 퀄컴, 마이크로소프트 등 글로벌 기업 간에 벌어지는 혁신의 전쟁과 최신 트렌드의 흐름을 생생하게 목격했다. 실리콘밸리 전문 온라인 미디어 더밀크를 창업, CEO로 일하고 있다.

최형욱

미국 서던 캘리포니아 대학교에서 석사학위를 받았다. 삼성전자에서 무선네트워크, 센서, 디스플레이 등 신기술 연구·개발에 참여했으며 IoT 플랫폼기업 매직에코 공동대표를 역임했다. IoT, UX, 모바일 디바이스, 무선 통신 및 네트워크 등과 관련해 50여 개의 특허를 출원하기도 했다. 현재 미래 전략 싱크테크 퓨쳐디자이너스와 기업들의 혁신을 디자인하는 혁신기획사 라이프스퀘어 대표이다.

강성지

민족사관고등학교와 연세대학교 의과대학 졸업 후 보건복지부에서 헬스케어-IT 융합 정책 수립을 담당했다. 이후 삼성전자에 스카우트되어 무선사업부 헬스개발그룹에서 헬스케어전략을 담당했다. 포브스코리아 선정 '2030 파워 리더'에 포함되기도 했다. 현재 삼성전자 사내벤처로 스핀오프한 디지털 헬스케어기업인 웰트(주) 대표, 한국무역협회 이사, 한국수면기술산업협회 부회장으로 재임 중이다.

정구민

서울대학교 제어계측공학과에서 학사·석사학위를, 전기컴퓨터공학부에서 박사학위를 받았다. 이후 스타트업 네오엠텔과 SK텔레콤에서 근무했다. 현재 국민대학교 전자공학부 교수로 재직하면서 현대자동차, LG전자, 삼성전자, 네이버 자문교수와 유비벨록스 사외이사를 역임하는 등 업계와 학계를 두루 거친 국내 최고의 모빌리티 전문가로 인정받고 있다. 현재 (주)휴맥스 사외이사, 국가과학기술자문회의 기계소재전문위원회 위원, 한국모빌리티학회 부회장, 한국정보전자통신기술학회 부회장, 대한전기학회 정보및제어부문 이사로 재임 중이다.

이용덕

지난 30여 년 동안 IT 기업 전문 경영인으로 세계적인 반도체 기업에서 근무하며 이들의 혁신과 성장을 주도했다. AI, 자율주행, 빅데이터, 딥러닝 분야의 반도체 시장을 주도하는 엔비디아의 한국 지사장으로 13년간 재직했으며 세계 3대 반도체 팹리스기업 브로드컴, 반도체기업 레저리티의 초대 한국 지사장을 지내기도 했다. 이외에도 에스티마이크로일렉트로닉스, SGS-톰슨, 필립스를 거쳤다. 현재 글로벌 스타트업 액셀러레이터 드림앤퓨쳐랩스 대표, 인공지능 SW·HW 전문 기업인 바로 AI CEO, 서강대학교 지식융합미디어대학 교수이다.

주영섭

서울대학교 졸업 후 카이스트에서 석사학위를, 펜실베이니아주립대학교에서 산업공학 박사 학위를 받았다. 대우자동차, 대우조선, 대우전자를 거쳐 GE써모메트릭스 코리아 대표이사 겸 아태총괄 사장, 현대오토넷 대표이사 사장을 역임했으며 지식경제부 R&D전략기획단 주력산업총괄 MD, 서울대학교 초빙교수와 14대 중소기업청장을 지내면서 '산·학·연·정'을 두루 경험했다. 현재 한국디지털혁신협회 회장, 서울대학교 특임교수이다.

CES 2022 딥리뷰

2022년 3월 23일 초판 1쇄 발행

지은이 손재권, 최형욱, 강성지, 정구민, 이용덕, 주영섭
펴낸이 최세현　**경영고문** 박시형

책임편집 김선도　**디자인** 박선향　**교정교열** 박현조, 강동욱, 류지혜
마케팅 권금숙, 양근모, 양봉호, 이주형, 신하은, 정문희
디지털콘텐츠 김명래　**해외기획** 우정민, 배혜림
경영지원 홍성택, 이진영, 임지윤, 김현우
펴낸곳 (주)쌤앤파커스　**출판신고** 2006년 9월 25일 제406-2006-000210호
주소 서울시 마포구 월드컵북로 396 누리꿈스퀘어 비즈니스타워 18층
전화 02-6712-9800　**팩스** 02-6712-9810　**이메일** info@smpk.kr

ⓒ 손재권, 최형욱, 강성지, 정구민, 이용덕, 주영섭 (저작권자와 맺은 특약에 따라 검인을 생략합니다)
ISBN 979-11-6534-483-2 (03320)

쌤앤파커스(Sam&Parkers)는 독자 여러분의 책에 관한 아이디어와 원고 투고를 설레는 마음으로 기다리고 있습니다. 책으로 엮기를 원하는 아이디어가 있으신 분은 이메일 book@smpk.kr로 간단한 개요와 취지, 연락처 등을 보내주세요. 머뭇거리지 말고 문을 두드리세요. 길이 열립니다.

최고혁신상

FreeStyle Libre 3 system
Abbott

건강 및 웰니스, 웨어러블

팔에 착용한 소형 센서를 통해 1분마다 혈당과 트렌드 화살표 제공. 세계에서 가장 작고 얇은 포도당 센서를 탑재.

Timberline Solar Energy Shingle (ES)
GAF Energy

스마트홈

세계 최초의 태양에너지 지붕널. 쉬운 설치와 깔끔한 미관이 특징.

TestNpass
GRAPHEAL

건강 및 웰니스

체액 내의 생체신호를 감지하고 암호화된 RFID 태그를 제공하는 테스트 스트립. 유동 인구가 많은 곳에서 유용하게 사용될 생체 패스.

Thunderbolt 4 - Truly Universal Cable Connectivity
Intel Corporation

컴퓨터 하드웨어

초당 40Gb의 속도를 제공하고 단일 연결로 전력을 공급하는 데이터 및 비디오용 범용 케이블.

POLYGON
IRSAP SPA

가정용 가전

와이파이 연결이 가능한 라디에이터. 대기오염도와 CO2 수치 측정. 원격조종 앱과 음성인식 기능 제공.

See & Spray
John Deere

로봇, 지능형차량 및 운송

컴퓨터 광학 기술과 머신러닝을 활용해 식물과 잡초의 차이를 감지하고 잡초에만 제초제를 정밀 살포하는 농업용 대형 로봇.

Leica BLK ARC
Leica Geosystems, part of Hexagon

로봇

로봇을 위한 자율 레이저 스캐닝 모듈. 진입이 어렵거나 접근이 어려운 공간 내부를 3D로 스캔하여 시각화.

32 UHD UltraFine Display Ergo AI (32UQ890)
LG Electronics Inc..

컴퓨터 주변기기

사용자의 자세를 자율적으로 감지하고 디스플레이 위치를 조정하는 기술을 세계 최초로 구현한 AI 디스플레이.

Magna ICON Digital Radar
Magna International

지능형차량·운송

업계 최초의 소프트웨어 정의 디지털 이미징 레이더. 자율주행을 꿈꾸게 하는 역대급 성능. 아날로그보다 훨씬 뛰어난 성능으로 차량 주변 스캔.

Ocean Battery
Ocean Grazer

지속가능성·에코디자인, 지능형 에너지

풍력의 간헐적 생산으로 인한 글로벌 해양 전력 산업의 공급 균형을 맞추는 거대한 과제를 해결하고 있는 해양 배터리 시스템.

OtO Lawn
OtO Inc.

스마트홈

잔디에 자동으로 물을 줄 수 있는 정원 관리 스마트 스프링클러. 정확한 모양으로 맞춤형 워터존을 만들어 수도 요금 최대 50% 절감 가능.

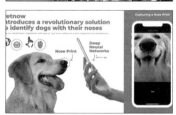

Petnow-The Nose Print Identification App for Dogs
Petnow Inc.

소프트웨어·앱

강아지의 코로 강아지를 식별하는 앱. 코 지문이 등록된 반려견 신원 확인 가능.

RainStick Shower
RainStick

스마트홈

와이파이가 가능한 원형 샤워기. 유량을 2배로 늘리면서 수분 80%, 에너지 최대 80%를 절약.

Galaxy Z Flip3 Bespoke Edition
Samsung Electronics America

모바일

각 부분별로 디자인 사용자 정의 가능. 5가지 독점적인 유리 색상과 최대 49가지 맞춤 조합을 제공하는 2가지 프레임 옵션 중에서 선택..

NFT AGGREGATION PLATFORM
Samsung Electronics America

영상 및 화질처리

세계 최초의 TV 화면 기반 단일 보기 NFT 플랫폼. NFT 마켓을 Samsung TV에서 직접 탐색, 구매 및 즐길 수 있는 원스톱 상점.

SAMSUNG 65" QD-DISPLAY TV
Samsung Electronics America

디스플레이

차세대 홈 엔터테인먼트 TV. 세계 최초 RGB 자체 발광 Quantum Dot OLED 디스플레이. 144Hz, 4개의 HDMI 2.1 포트.

Samsung Odyssey Neo G8 32" Gaming Monitor (2022)
Samsung Electronics America

게임

세계 최초의 4K 240Hz 게임용 모니터. 뛰어난 화질을 제공하는 Mini LED 기술 내장. PC 없이 영상 스트리밍과 클라우드 게임 가능.

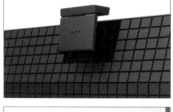

Sony BRAVIA CAM for TV
Sony Electronics Inc.

가정용 오디오 및 비디오

TV 캠으로 사용자를 분석해 골격 추정 및 얼굴 인식. 각 사용자에 알맞게 화질과 음질을 최적화. 제스처 제어 및 근접 경고도 가능.

TCL X9 8K OD Zero Mini-LED TV (X925 PRO)
TCL Electronics

가정용 고성능 오디오 및 비디오

OD Zero™ 디스플레이 기술이 적용된 최초의 TV. 3300만 픽셀 이상의 8K 디스플레이 해상도로 4K TV 선명도의 4배에 달하는 화질.

VideowindoW glare control becomes media platform
VideowindoW

스마트시티

상업 콘텐츠로 즉시 투자 수익을 창출하는 신기술, '서비스로서의 쉐이딩'. 전체 유리 외관을 거대한 투명 비디오 화면으로 변환하는 기술.

WHILL Model F - Foldable Personal EV
WHILL, Inc.

접근성

보행이 불편한 노인과 장애인을 포함한 모든 사람이 사용할 수 있는 접이식 개인용 전기 자동차.

혁신상

일러두기
★ 각 제품은 기업명을 기준으로 알파벳순으로 정렬되어 있습니다.

Motion Pillow 3
10minds co., ltd

건강 및 웰니스

코골이를 감지하고 사용자의 머리 위치를 조정해 증상 완화를 돕는 베개. 음향 센서, 컨트롤 유닛 솔루션박스, 서브 모듈로 구성.

3D-JUN
3djun

영상 및 화질처리

교량·발전소·댐 등의 인프라 구조 결함을 감지하는 매우 정확한 3D 모델링 솔루션. 97.9% 이상의 정확도 구현.

Pivo Pod X
3i INC.

모바일

스마트폰으로 고품질 콘텐츠를 캡처, 제작, 공유할 수 있는 360도 AI 기반 스마트팟. 하드웨어와 소프트웨어 모델 제한 없이 상용.

Abbott I-STAT TBI Plasma
Abbott

건강 및 웰니스

뇌진탕을 포함한 경미한 TBI를 진단하는 제품. 휴대용 i-STAT™ Alinity™ 플랫폼이 15분 이내에 결과값 제공.

BinaxNOW COVID-19 Self Test and NAVICA App
Abbott

건강 및 웰니스

COVID-19 자가진단 앱. 장비 없이 15분 만에 진단 가능한 최초의 휴대용 테스트기. 처방전 없이 구매 가능.

Libre Sense: World's First Glucose Sport Biosensor
Abbott

피트니스 및 스포츠

운동선수들이 포도당 수치와 경기력의 상관관계를 잘 이해할 수 있도록 고안된 바이오센서. 1분마다 자동으로 글루코스 분자 데이터 제공.

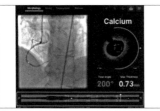

Ultreon™ 1.0 Software
Abbott

건강 및 웰니스

이미징과 AI가 적용된 영상 소프트웨어. 혈류에 대한 향상된 종합적 뷰를 제공.

PYOUR™ Eccellenza AI premium+
Absolute Audio Labs B.V.

접근성

소비자용 오디오 DSP에 적용되어 고유의 피팅과 음성 지능 알고리즘으로 다양한 편의 기능을 제공하는 보청기.

ConceptD 7 SpatialLabs Edition
Acer

가상 및 증강현실

강력한 하드웨어, 시선 추적 카메라, 아름다운 15.6인치 화면으로 렌더링 없이 모니터링을 제공.

Predator X32
Acer

컴퓨터 주변기기

160Hz의 재생 빈도와 미니LED 로컬 조광 기능, 4K UHD 및 G-Sync® Ultimate 기능을 갖춘 모니터.

ActaJet
Actasys

지능형차량 및 운송

액체 스프레이로 발열 작용을 촉진하여 눈과 얼음 제거하는 종합적인 센서 청소 시스템. 전자 제어식 액추에이터 카트리지로 구성.

AMD Radeon™ RX 6800M Mobile Graphics
Advanced Micro Devices Inc. (AMD)

컴퓨터 하드웨어

이전 세대 AMD GPU보다 최대 1.5배 더 높은 게임 성능을 제공. 데스크탑급 에너지 효율을 자랑하는 차세대 프리미엄 노트북..

AMD Ryzen™ 6000 Series Mobile Processors
Advanced Micro Devices, Inc. (AMD)

컴퓨터 하드웨어

RDNA2, DDR5, AI 오디오 프로세서, Microsoft Pluton 프로세서의 종합으로 그래픽 성능이 구현된 최초의 제품.

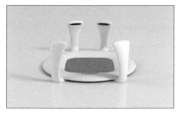

Albert 2 Pro
Aetrex

건강 및 웰니스

정확한 발 데이터를 캡처하고 대화형 솔루션을 제공하는 일체형 발 스캔 솔루션. 프리미엄 압력판 기술 탑재.

4Sight M
AEye, Inc.

지능형차량 및 운송

자율운행 애플리케이션의 성능·기능 요구 사항에 호응하여 설계된 고성능 소프트웨어 호환 라이다 센서

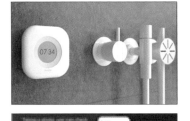

LA PARCELLE
AGROVE

스마트시티

모듈형 수직 재배 AI 시스템. 정원관리자용 모니터링 앱과 시민용 학습 앱과 연계.

Aguardio G2
Aguardio & Xtel Wireless

지속가능성 및 에코디자인, 지능형 에너지

건강한 샤워 패턴을 촉진하고 샤워 시간을 단축시키는 플랫폼. 샤워 및 욕실 건강 데이터에 쉽게 액세스할 수 있는 고유한 QR 코드 부여.

TTcare (smarT Total care)
AI FOR PET

건강 및 웰니스

AI 기반 반려동물 종합 건강 앱. 스마트폰으로 반려동물의 눈이나 신체 일부를 촬영하면 눈·피부 관련 질환 증상 정보를 제공.

FreePower
Aira, Inc.

지능형차량 및 운송

하드웨어, 소프트웨어, 자기장치에 대한 100개 이상의 특허 기술이 적용된 제품. 다중 기기 완전 충전 구현.

Circula
Airlabo Inc.

건강 및 웰니스

오염수가 튀지 않는 기술이 적용되어 공간 위생 상태를 유지하는 데 효과적인 흡입식 핸드 드라이어.

AIR NEO
AirSelfie, Inc.

영상 및 화질처리

클릭 한 번으로 AI가 항공 이미지와 영상을 캡처하는 4세대 에이셀피 에어카메라.

Algocare NaaS
Algocare

가정용 가전, 스마트홈

AI를 기반으로 사용자의 건강 데이터를 분석. 영양제 섭취에 대한 미세 제형을 정확하게 제공.

Eos Embedded Perception Software
Algolux

지능형차량 및 운송

모든 조건에 최대 3배 향상된 정확도를 제공하는 내장형 인식 솔루션. 엔드 투 엔드 딥 러닝 구조로 다중 센서 융합을 실현.

iBabi Smart: The World's Most Intelligent Baby Monitor
Amaryllo Inc.

스마트홈

고성능 CPU로 첨단 생체 인식 기술을 구현한 AI 아기 모니터링 시스템. iBabi 온보드 복합 머신러닝 알고리즘을 활용.

Mind-linked Bathbot
Amorepacific

건강 및 웰니스

사용자의 뇌전도(EEG) 데이터를 기반으로 맞춤형 입욕제를 즉시 생산하는 뷰티 솔루션. 1분 안에 이용자와 적합한 색과 향의 입욕제 매칭.

Myskin Recovery Platform
Amorepacific

건강 및 웰니스

사용자에게 적합한 제품을 추천하고 피부 회복 상태를 모니터링하는 피부관리플랫폼. 핸드헬드 센서로 피부 아래 변화 즉각 감지.

Eufy Security Floodlight Cam 2 Pro
Anker Innovations Limited.

스마트홈

피사체의 예외적인 움직임을 추적하여 침입자를 감지하는 스마트 투광 조명 보안 카메라. 사각지대 없는 360도 전방위 모니터링 시스템.

AnkerWork B600
Anker Innovations LLC

컴퓨터 주변기기

업계 최초 일체형 원격 통신 협업 비디오 바. VoiceRadar™ 및 MagicSight™ 기술로 소음 차단 및 조명 자동 조정.

Anker 735 Charger (Nano II 100W)
Anker Innovations Ltd

모바일

초소형 100W 질화갈륨 벽면 충전기. USB-C 2개, USB-A 포트 1개로 총 3개의 포트 탑재.

Nebula Cosmos Laser 4K
Anker Innovations LTD

가정용 고성능 오디오 및 비디오

2,400 ANSI 루멘 광선속을 구현한 초소형 4K 안드로이드 TV 홈 프로젝터. 스마트 이미지 최적화 엔진으로 설정 시간을 초 단위로 단축.

Soundcore Frames
Anker Innovations LTD

헤드폰 및 개인용 오디오, 이동형 미디어 플레이어

상호 교환 가능한 프레임 디자인을 갖춘 오픈형 서라운드 오디오 시스템. IPX4 방수, 5.5시간 재생, 듀얼 마이크 구현.

Soundcore Liberty 3 Pro
Anker Innovations LTD

헤드폰 및 개인용 오디오

동축 하이브리드 드라이버 ACAA 2.0, 노이즈 제거 ID ANC 적용. 하이 레즈 오디오 무선 인증을 획득한 무선 이어폰.

Anker PowerConf H700
Anker Innovations Ltd.

헤드폰 및 개인용 오디오

비즈니스 통화 및 화상 회의용으로 설계된 무선 UC 헤드셋. 소음 차단 기술, 높은 선명도로 음성을 포착하는 AI 딥러닝 기술 적용.

Anssil Mattress
Anssil Co.,Ltd

스마트홈

특수 제작된 센서 시스템과 3D 스트링 서포트를 갖춘 스마트 스트링 매트리스. 수면 시 신체 압력 및 접촉 부위 정보를 컨트롤러로 전송.

Momentum Niro®2 Wifi Garage Controller and Camera
Apollo Tech USA Inc.

스마트홈

2K wifi 카메라 기능이 추가된 차고 컨트롤러. 앱을 통해 차고 문 개폐. 2K HD 해상도로 라이브 스트리밍 및 모니터링 가능.

Phoenix Perception Radar
Arbe

지능형차량 및 운송

자율운행차량에 발전된 안정성을 제공하는 인식 레이더. 최초로 정지된 물체를 탐지하는 기술 구현.

Arlo Security System
Arlo Technologies, Inc.

스마트홈

올인원 멀티센서가 적용된 보안 시스템. 스마트폰 앱에 대한 간단한 탭만으로 시스템을 빠르게 설정/해제할 수 있는 것이 특징.

ASUS TUF Dash F15
ASUS

게임

서라운드 사운드와 하이레스 오디오 기술로 몰입감 높은 게임 경험을 구현하는 노트북. 19.95mm 얇기에도 MIL-STD 내구성 표준 충족.

ASUS ZenScreen OLED
ASUS

컴퓨터 주변기기

세계 최초 휴대용 OLED 모니터. MQ 시리즈는 3개의 Type-C 및 1개의 미니 HDMI 포트로 다용도 연결 제공.

ASUS ZenWiFi Pro ET12
ASUS

스마트홈

가정용 메쉬 와이파이. Broadcom 칩셋, RangeBoost Plus CPU, ASUS 기술을 활용하여 WiFi 범위를 최대 38% 개선.

ProArt Display
ASUS

컴퓨터 주변기기

Wacom EMR 스타일러스와 호환되는 HDR 400 크리에이티브 모니터. 필바이와캠 드로잉 경험을 제공하는 팬톤 밸리데이트 태블릿.

ROG Cetra TWS Pro
ASUS

헤드폰 및 개인용 오디오

무선 및 유선 연결을 제공하여 다양한 시나리오에서 완벽한 다기능성과 고품질 사운드를 제공하는 인이어 헤드폰.

ROG Ergo Gaming Chair
ASUS

게임

인체공학적 설계로 보다 나은 서포트를 제공하고 자세를 보정하는 게임용 의자. 분리형 음향 패널 적용. 모바일 모드로 조절.

ROG Flow Z13
ASUS

컴퓨터 하드웨어, 게임

태블릿의 휴대성과 게이밍 노트북 성능을 결합한 게임 태블릿. 13인치 디스플레이로 높은 몰입도 구현.

ROG MAXIMUS Z690 EXTREME GLACIAL
ASUS

컴퓨터 하드웨어, 게임

액상 냉각 EATX 마더보드. 오버클럭 기능과 고속 메모리, 종합적인 수냉식 제어의 결합으로 최상의 성능 구현.

ROG Rapture GT-AXE16000
ASUS

게임

와이파이 6E 기술 지원이 가능한 4x4 160MHz 쿼드밴드 게이밍 라우터. ASUS RF 기술 및 RangeBoost Plus 기술 적용.

ROG Strix SCAR 15/17 & ROG Strix G15/17
ASUS

컴퓨터 하드웨어, 게임

최고 사양의 CPU와 GPU. 높은 새로 고침 속도의 디스플레이 탑재. ROG 지능형 냉각 시스템 적용.

ROG Zephyrus Duo 16
ASUS

컴퓨터 하드웨어, 게임

듀얼 통합 디스플레이 게이밍 노트북. 폼 팩터와 최신 하이엔드 부품을 결합하여 최적의 성능을 제공.

ROG Zephyrus G14
ASUS

게임

최신 AMD R9 CPU 및 GPU를 탑재. G14는 AniMe Matrix™ LED 시스템을 발전시켜 보다 생생한 환경 구현.

ROG Zephyrus G14 AW SE
ASUS

컴퓨터 하드웨어, 게임

노트북에 연결되어 18개의 음향 효과와 애니메이션 조명 효과 구현.
전도성 인쇄를 터치해 음악을 혼합.

Zenbook 14 Flip OLED
ASUS

컴퓨터 하드웨어

최대 4K OLED HDR 16:10 화면 비율 나노엣지 터치스크린을 탑재해
딥블랙과 선명한 컬러로 유난히 사실적인 비주얼을 전달하는 노트북.

Zenbook 14X OLED
ASUS

컴퓨터 하드웨어

뛰어난 이동성과 최고의 사용성을 위해 설계된 울트라림 노트북. 4면
반전벽으로 초경량 및 초소형 스펙 구현.

Wave
Atomic Form

가상 및 증강현실

사용자 소유 NFT를 출력할 수 있는 4K LCD IPS 디스플레이. 순수 예
술 작품을 모방하도록 웨이브 설계. 블록체인 기술의 유연성을 활용.

Audeze FILTER
Audeze

컴퓨터 주변기기

최초로 평면 마그네틱 드라이버를 탑재하여 설계된 스피커. 화상 회
의 시스템에 원활하게 연결되며 선명한 오디오 입출력을 제공.

Audio Design Desk 1.8
Audio Design Desk

소프트웨어 및 앱

실시간으로 프로젝트에 필요한 사운드를 제작할 수 있도록 하는 솔루
션. 완전히 새로운 종류의 디지털 오디오 워크스테이션.

Whiz Gambit – 2-in-1 AI-powered cleaning &
disinfection solution / Avalon SteriTech Limited

로봇

2-in-1 AI 구동 세척 및 소독 로봇 솔루션. 미생물 생체부담을 제거하
는 효능을 입증하는 성능 마크를 획득.

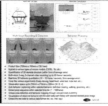

AVATAR 3D system (AVT-2020-700)
AVATAR

건강 및 웰니스

인간중심의 기존 임상 환경을 대체하는 차세대 동물 행동 실험 시스템. 멀티비전 하드웨어와 AI 소프트웨어가 융합된 시스템.

The Essentials; The Ultimate Building Blocks for Mobile Robots / Avular

로봇

모바일 로봇 엔드 투 엔드 솔루션. 특정 애플리케이션에 집중할 수 있도록 모바일 로봇에 필요한 모든 핵심 기능 제공.

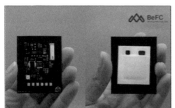

Babysense Cloud
Babysense

건강 및 웰니스, 스마트홈

최초의 스마트 유아 매트리스. 영유아의 미세 움직임과 수면 패턴, 환경 조건 등을 정확하게 감지해 육아에 대한 편의 제공.

BCool
Baracoda

지속가능성 및 에코디자인, 지능형 에너지

배터리 없는 친환경 스마트 온도계. BCool 앱에 연결돼 터치 기능과 노터치 기능 모두로 온도를 측정.

BeFC Sustainable Active Sensor Tag
BeFC

지속가능성 및 에코디자인, 지능형 에너지

종이 바이오 연료 전지 기술로 작동하는 액티브 센서 태그. BeFC 종이 바이오 연료 셀과 초저전력으로 최적화된 디지털 센서 플랫폼을 결합.

Smart Automotive Center Information Display
Behr-Hella Thermocontrol Inc. (BHTC)

차량 엔터테인먼트 및 안전

지능형 적외선(IR) 센서 시스템을 백라이트에 통합. 디스플레이에 접근하는 사용자의 손을 감지하는 자체 기능 탑재.

Magnetic Phone Mount with Face Tracking
Belkin International

모바일

얼굴 추적 기술로 사용자의 얼굴을 따라가며 멀티미디어 콘텐츠를 모든 각도에서 촬영. 콘텐츠를 직접 소셜미디어 채널로 연결 가능.

SOUNDFORM Immerse Noise Cancelling Earbuds
Belkin International

헤드폰 및 개인용 오디오

하이브리드 ANC, 첨단 마이크 기술, 블루투스 LE 오디오, 애플 파인드 마이 및 사운드폼 기능을 갖춘 고품질 이어버드.

Fingerprint Sport Lock
BenjiLock, LLC

접근성, 피트니스 및 스포츠

피트니스와 건강 마니아를 겨냥해 패션 터치로 스타일을 제안하는 차세대 피트니스 보안 제품.

Video-based Contactless Blood Pressure Monitoring
BINAH.AI

건강 및 웰니스

스마트폰, 태블릿, 노트북을 혈압 모니터링 도구로 변환하는 AI 기반의 소프트웨어 전용 솔루션. 1분 이내에 실시간 활력징후 측정치를 추출.

Bird Buddy
Bird Buddy

영상 및 화질처리, 스마트홈, 소프트웨어 및 앱

1,000종이 넘는 새를 인식해 '포켓몬스터 GO 라이크' 컬렉션에 정리하는 등 경험을 게임화할 수 있는 AI 스마트 앱.

Pixicade Plus Mobile Game Maker
BitOGenius Inc.

게임

30초 안에 손으로 그린 그림을 비디오 게임으로 바꿔줄 수 있는 픽시케이드 앱.

AIR 4D
bitsensing Inc.

지능형차량 및 운송

목표물 탐지를 개선하고 주목할 만한 고해상도 4D 이미징을 제공. 멀티칩 캐스케이딩 기술을 적용한 영상레이더.

Bedsore Management Device
BlissTech

건강 및 웰니스

침대에서 생활하는 노약자와 환자를 위한 욕창 관리 장치. 환자 허리의 습도와 온도를 자동으로 측정·조정해 최적의 상태 유지.

Total Air Care Monitor with Automatic Ventilation.
BLUEFEEL

건강 및 웰니스

미세먼지, 온도, 습도, TVOC, CO, CO2를 실시간 모니터링하여 집중력과 숙면을 돕는 실시간 대기 측정기기.

Blues Wireless Notecard Wi-Fi IoT System-on-a-module / Blues Wireless

내장기술

30mm*35mm SOM에서 IoT를 위한 고성능 보안 연결 기능을 제공. 센서 MCU와 연동하며 데이터를 클라우드에 라우팅.

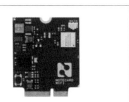

The Pharaoh O2
Bodyfriend

가정용 가전

XD PRO 마사지 모듈, O2 케어 기능을 통해 체력 회복 및 건강 증진 효과를 제공. 노즐 조절을 통해 깨끗한 산소를 공급.

BONA BV351AA Robot Vacuum Cleaner
BONA Robot

가정용 가전

대형주거지에 특화된 레이저 항법 로봇청소기. 인공지능 시각인식과 TOF 기술이 뒷받침된 레이저 헤드 자동 상승 설계가 적용.

NexusTouch
Boréas Technologies

모바일

스마트폰 측면에 설치하여 터치 기반 사용자 인터페이스를 확장하는 가상 버튼 디자인 플랫폼.

Piezo Haptic Trackpad Module
Boréas Technologies

컴퓨터 하드웨어

얇고 가벼운 프리미엄 노트북과 랩톱의 수요를 충족하는 모듈. 더 오래 지속되는 배터리와 뛰어난 반응성.

Bose SoundControl™ Hearing Aids
Bose Corporation

건강 및 웰니스

난청을 가진 성인을 위해 개발된 최초의 FDA 승인 보청기. 이면 귀의 리시버 인 디자인. 자연스러운 사운드를 제공.

Run-up
BPM Inc., HANSEO UNIVERSITY

헤드폰 및 개인용 오디오

스포츠 머리띠 모양의 웨어러블 오디오기기. 직접 사운드 시스템을 갖춘 오픈이어 오디오 기술이 적용.

Mercury Marine's new V12 outboard engine
Brunswick Corporation (Mercury Marine)

지능형차량 및 운송

선외기용 2단 자동 변속기는 작업 부하에 따라 엔진 rpm을 최적화하여 크루즈에서 강력한 가속과 고효율 성능을 실현.

STARcase
buySTARcase.com

모바일

자동 충전이 가능한 앱 제어 휴대폰 케이스. 전화, 문자, 이메일 및 타사 앱에 대한 맞춤형 알림을 LED 디스플레이에 제공.

AutoSec
C2A Security

사이버보안 및 사생활보호

자동차용 CSMS. OEM 및 부품 공급업체에게 스케일업 가시성, 제어 및 보호 기능을 제공.

Connected Health Zone System For Vehicles
CabinAir Sweden AB

지능형차량 및 운송

모든 종류의 차량의 객실 내 공기정화를 위한 첨단 신기술. NAT 솔루션은 Volvo Cars의 AAC의 핵심 요소.

Origo Steering Wheel
Canatu, Siili Auto, TactoTek and Rightware

지능형차량 및 운송

스마트기기 UX를 자율주행에 도입해 안전성과 편의성, 디자인을 강화. 혁신적 디자인의 스티어링 휠, 혁신적인 3D 터치 통합 소프트웨어를 구현.

Canon EOS R3 Full-Frame Mirrorless Camera
Canon

영상 및 화질처리

빠르게 움직이는 피사체에도 뛰어난 AF 성능을 보이고, 가장 까다로운 조건에서도 내구성 요구를 충족하는 신형 카메라.

Canon RF5.2mm F2.8 L Dual Fisheye Lens
Canon

가상 및 증강현실

캐논이 VR180 캡처를 목적으로 만든 교체 가능한 입체 렌즈. 호환 펌웨어와 함께 EOS R5 카메라에 매끄럽게 장착하여 8K 이미지 생산.

Sepura Home
Card79

가정용 가전

특허받은 분리 기술을 사용하여 음식물쓰레기를 싱크대 아래에 있는 수거함으로 모으는 가정용 일체형 쓰레기처리 시스템.

Carewear Light Therapy with Digital Health Ecosystem / CareWear Corp

건강 및 웰니스

일반 FDA 인증 통증, 연조직 손상, 주름 및 여드름 치료를 위한 무선 웨어러블 CE MDD 클래스 IIa 의료 기기.

PIRA
CEARITIS

지속가능 및 에코디자인, 지능형 에너지

자연적 해충 유인 솔루션 유기적 자율 시스템. 농작물을 효율적으로 보호하면서 농업에서 살충제 사용을 억제.

Nova Lidar
Cepton Technologies

지능형차량 및 운송

안전성을 높이고 자율주행이 가능한 소형 광각 근거리 라이다. 근거리 감지 애플리케이션의 판도를 근본적으로 바꾸는 변환 센서.

Cerence Co-Pilot
Cerence Inc.

지능형차량 및 운송

차량 헤드유닛에 장착하는 인공지능(AI) 구동 모빌리티 비서. 진보되고 정확한 코어 AI 엔진 탑재.

Multi EV fast charging station
CHARGEPOLY

지능형차량 및 운송

여러 충전 지점과 제한된 수의 급속 충전기를 포함하는 하드웨어 시스템. 지능형 계획 소프트웨어는 시스템에 충전 시퀀스 정보를 제공.

H2-BPL
Charmcare

건강 및 웰니스

한의사의 맥박 검사를 모티브로 개발된 방사형 동맥 혈압 모니터. 고혈압 환자가 언제 어디서나 혈압을 관리할 수 있도록 설계.

Cipia-FS10
Cipia Vision Ltd.

차량 엔터테인먼트 및 안전

운전자와 차량의 외부 환경을 모니터링하기 위한 비디오 텔레매틱스 플랫폼. 실시간으로 개입이 필요한 사안 발생 시 경보 시스템 발동.

GOAL ll / Cleer, Inc & SHENZHEN GRANDSUN ELECTRONIC CO., LTD.

헤드폰 및 개인용 오디오

보다 가볍고 유연한 Freebit® 기술로 설계된 보안 시스템과 장착 날개 배열을 가진 무선 이어폰.

ALPHA / Cleer, Inc. & SHENZHEN GRANDSUN ELECTRONIC CO., LTD.

헤드폰 및 개인용 오디오

개인 사운드 설정 기능과 노이즈캔슬링 기능을 결합한 무선 AI 헤드폰.

CLMBR Connected
CLMBR

피트니스 및 스포츠

혁신적이고 인체공학적인 수직 등반 기기. 주문형 클래스가 포함된 대형 터치 디스플레이 탑재. 시야 방해 없는 개방형 구조.

DROWay – Intelligent UATM Ground Control Platform
CLROBUR Co., Ltd., HANSEO UNIVERSITY

드론 및 무인시스템

통합 및 확장형 다중 모바일 플랫폼. 실시간 모니터링 제어 시스템, 다중 비행경로 생성 및 비행 시뮬레이션 기능 탑재.

SMART CITIES DIGITAL TWINS ENVIRONMENT
Cognata

스마트시티

현실적인 디지털 트윈 3D 환경을 제공하는 스마트시티 시뮬레이션 플랫폼.

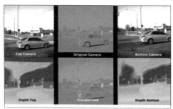

'Real-to-real' - Unique ADAS Technology
Cognata LTD - Ella Shlosberg

지능형차량 및 운송

세계 표준에 일치하는 기술과 독점 AI 기술을 적용한 첨단 운전자 지원 시스템.

Hum by Colgate smart rhythm toothbrush
Colgate Palmolive

건강 및 웰니스, 웨어러블

팔에 착용한 소형 센서를 통해 1분마다 혈당과 트렌드 화살표 제공. 세계에서 가장 작고 얇은 포도당 센서를 탑재.

Etude
Conduction Labs Inc

헤드폰 및 개인용 오디오

방향 오디오 기술을 이용한 TWS 오픈 이어 헤드폰.

Matter
Connectivity Standards Alliance

스마트홈

일관된 설정 프로세스, 상시 업그레이드, 제로 트러스트 보안을 제공하여 상호 운용 과제를 해결하는 스마트홈 디바이스.

Continental ShyTech Displays
Continental

차량 엔터테인먼트 및 안전

온 디멘드 방식으로만 상호작용할 수 있는 차량 디스플레이.

Switchable Privacy Display
Continental

차량 엔터테인먼트 및 안전

승객들에게 멀티미디어 콘텐츠 제공하는 차량 디스플레이. 공용 및 개인 모드 전용 프로필이 있는 두 개의 독특한 백라이트 유닛의 조합.

Transparent Vehicle Technology
Continental

지능형차량 및 운송

운전자에게 차량 주변 시야를 확보해주는 기술. 4개의 카메라가 이미지를 차량의 디스플레이로 전송하는 중앙 컨트롤 유닛.

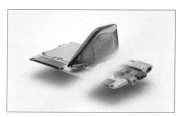

V2X Technology using Collective Perception
Continental

지능형차량 및 운송

커넥티비티 기술을 활용해 '타인의 눈으로 보는' 방식으로 교통안전을 높이는 접근법. 다른 차량의 센서와 스마트시티 AI 인프라 정보를 활용.

Breezm Titanium 3D Custom Eyewear
Coptiq Co., Ltd.

건강 및 웰니스

광학과 친환경 기술을 결합한 미래적인 아이웨어 브랜드. 각 최종 사용자의 얼굴에 최적화된 100% 맞춤 아이웨어.

Cradlewise Smart Crib
Cradlewise Inc

스마트홈

영유아들을 위한 스마트 유아용 침대. 비접촉 모니터가 내장되어 있어 잠에서 깬 초기 징후를 포착하고, 침대를 흔들어 재수면을 유도.

CREAMO AI Algorithm Kit
CREAMO Inc., HANSEO UNIVERSITY

스마트홈

아이들이 논리와 알고리즘을 배우면서 블록 플레이를 할 수 있도록 하는 AI 알고리즘 키트.

Crescent Vision Live
Crescent Medical

웨어러블

계속 증가하는 의료 비용을 제어하고 전 세계 외과 커뮤니티에 수술 영상을 제공할 수 있는 독점 의료 라이브 스트리밍 플랫폼.

ORA-LOG
CURAUM INC

웨어러블

구강 내 장치 및 웹 기반 애플리케이션을 갖춘 방해 수면 무호흡 모니터링 및 관리 플랫폼.

CygLiDAR_H2 (2D/3D Dual Solid State LiDAR)
CYGBOT CO,. LTD.

로봇

로봇이 사용되는 센서 수를 줄이고 설계와 비용 면에서 경쟁력 있는 로봇을 생산할 수 있도록 하는 솔리드 스테이트 LiDAR 제품.

Eartheye – reading and interpreting the earth
Dabeeo Inc., HANSEO UNIVERSITY

소프트웨어 및 앱

지구 관측·감시 솔루션과 위성·항공 이미지를 기반으로 하는 플랫폼.
AI 기술을 활용해 사회·경제·환경 동향에 대한 객관적인 답변을 제공.

HyperDrive
Damon Motors

지능형차량 및 운송

모노코크 구조 100% 전기식 다목적 파워트레인. 모터사이클의 배터
리를 위해 만들어진 구조용 발전소.

AI Studios
DeepBrain AI

스트리밍

스크립트를 입력하는 것만으로 AI 앵커가 실제 발표자처럼 자연스러
운 몸짓과 발표를 진행하는 AI 스튜디오.

StyleAR, Virtual Try-on Technology for AR-commerce
Deepixel

소프트웨어 및 앱

주얼리·뷰티·패션·AR커머스를 위한 가상 트라이온 기술과 AI 중심 추
천 서비스가 결합된 증강현실 솔루션. 모든 전자상거래 플랫폼에서
사용.

Alienware 34 Curved OLED Gaming Monitor
Dell Technologies

컴퓨터 주변기기

삼성의 퀀텀닷 기술이 적용된 OLED 모니터. 매우 높은 프레임률을
구현.

Alienware Aurora Gaming Desktop R13 / R14
Dell Technologies

게임

완벽한 업그레이드와 함께 최고의 게임 파워를 제공. 레전드 에볼루
션 디자인 언어를 갖추고 있어 즉시 인식이 가능.

Alienware Tri-Mode Wireless Gaming Headset
Dell Technologies

헤드폰 및 개인용 오디오

3D 사운드에 몰입할 수 있도록 설계된 헤드셋. 돌비 애트모스, 40mm
하이레스 인증 드라이버, ANC 등이 탑재.

Dell UltraSharp Webcam
Dell Technologies

컴퓨터 주변기기

대형 4K Sony STARVIS™ 센서가 탑재된 웹캠. 디지털 오버랩 HDR
을 통해 극한의 조명 환경에서 우수한 화질을 보장.

D

UltraSharp 32 4K Video Conferencing Monitor
U3223QZ / Dell Technologies

컴퓨터 주변기기

뛰어난 대비와 색상에 혁신적인 IPS 블랙 패널 기술을 사용된, 세계에
서 가장 지능적인 웹캠. Microsoft 팀용 모니터로도 상용.

Luminate, a DermTech Wellness Product
DermTech

건강 및 웰니스

DNA 차원에서 피부에 대한 자외선의 영향을 분석하고 객관적이고
정확한 정보를 제공.

DexMap™ & Dex3D™
Dexelion

소프트웨어 및 앱

스마트폰, PC 및 임베디드 시스템용으로 출시된 빠르고 정확한
depth map과 3D 모델 소프트웨어 솔루션재.

Digi TX64 5G/LTE-Advanced Cellular Router
Digi International

스마트시티

복잡한 모바일 배치를 위한 고성능 5G 라우터. 2개의 셀룰러 모듈과
2개의 Wi-Fi 라디오로 2개의 셀룰러 연결을 동시에 지원.

3D Spatializer App
DIGISONIC

소프트웨어 및 앱, 스트리밍

이어폰·헤드폰 사용자를 위해 스테레오 음악, 무비 사운드, 게임 사운
드를 7.1채널 서라운드 형태로 실시간 변환하는 앱.

X3D Audio Headphone
DIGISONIC Co.,Ltd.

헤드폰 및 개인용 오디오

HRTF로 즉시 보정하는 Hifi 헤드폰. Mastering Quality Loundness
Limiter가 내장되어 과도한 음압을 방지.

SR Pro Display
Dimenco

가상 및 증강현실

시뮬레이션 리얼리티 3D 기술은 정적 이미지와 평면 이미지를 자연스럽게 구현. 스크린에 손을 뻗어 이미지를 터치하고 상호작용이 가능하게 함.

Dirac Opteo ™
Dirac

내장기술, 헤드폰 및 개인용 오디오

헤드폰의 음질을 향상시키기 위한 내장형 소프트웨어 솔루션.

HUGgy
DolbomDream Co., Ltd.

건강 및 웰니스

환자에게 간병인의 자동 도움을 제공하는 공기 팽창형 스마트 조끼. 생리학적 지표를 시스템에 통합해 사용자의 스트레스와 감정 상태를 추론.

ADRIANO
Domethics srl

스마트홈

서로 다른 무선 프로토콜을 통해 여러 개의 연결된 기기를 관리할 수 있는 스마트 캠. 모바일 앱과 사용자의 음성을 인터페이스로 사용.

Hydrogen production through pyrolysis of waste plastics / Doosan

지속가능성 및 에코디자인, 지능형 에너지

폐기된 비닐과 플라스틱을 열분해해 발생하는 가스를 처리하여 수소를 완제품으로 생산하는 기술.

Bobcat T7X -- Redefining the Construction Work Machine
Doosan Bobcat (a division of Doosan Corporation)

스마트시티, 지능형차량 및 운송

세계 최초의 전기식 소형 건설 장비.

PFC (Patterned Flat Cable)
Doosan corporation

지능형차량 및 운송

모바일과 전자기기에 널리 사용되는 와이어 케이블과 플렉시블 PCB의 장점을 결합한 세계 최초의 차세대 평면 케이블.

DJ25 - Fuel cell powered VTOL (with JOUAV)
Doosan Mobility Innovation

드론 및 무인시스템

세계 최초 수소연료전지 VTOL 상용 드론 솔루션. PEMFC 기술을 VTOL 공기 프레임에 성공적으로 통합.

E

Solar inspection solution by hydrogen fuel cell drone
Doosan Mobility Innovation

지속가능성 및 에코디자인, 지능형 에너지

재생에너지 인프라 점검을 위한 최적의 일체형 솔루션. 수소교환막연료전지 기술이 핵심.

Doosan NINA (New Inspiration New Angle)
Doosan Robotics

로봇

직관적 UI로 소프트웨어를 혁신한 카메라 로봇 시스템. 로봇이 360도를 촬영하고 촬영 물체를 추적.

DOTSTAND V1
DOTHEAL Co.,Ltd.

컴퓨터 주변기기, 피트니스 및 스포츠, 로봇

특허 출원 중인 스마트 모니터 스탠드. AI 센서를 사용하여 사용자를 분석하고 모니터의 위치를 자동으로 조정.

Dr.Tail
Dr.Tail Inc.

소프트웨어 및 앱

온라인 수의사가 24시간 무료로 상담하는 '예비 케어'를 제공. 반려동물의 의료기록 동기화로 더 빠르고 정확한 상담 구현.

EarlySense InSight+
EarlySense

건강 및 웰니스

비접촉식 언더슬레이저 센서와 환자 데이터를 EarlySense 클라우드로 안전하게 전송하는 셀룰러 허브를 사용하는 가상 진료 솔루션.

DEEBOT X1 OMNI
ECOVACS

가정용 가전

스스로 진공청소, 걸레질, 먼지 비우기, 세척을 수행하는 홈로봇. 네비게이션 기술을 활용하여 자율운행. 자연어 처리로 음성명령 인식.

MC500 Live Streaming Sound Equiopment
Edifier International LTD

가정용 오디오 및 비디오

라이브스트리밍 플랫폼에서의 사운드제어 문제를 해결한 음향 장비. 뛰어난 성능에 아름다운 디자인 요소까지 갖추어 다층적인 만족감을 제공.

MP100 Plus Portable Bluetooth Speaker
Edifier Inernational LTD

이동형 미디어 플레이어

세심하게 디자인된 바디와 측면 곡선을 자랑하는 스피커. 경량 케이스는 방수 원단과 TPU소재로 제작되어 PX7 방수등급 획득.

MP230 Portable Bluetooth Speaker
Edifier Inernational LTD

이동형 미디어 플레이어

휴대용 블루투스 스피커. 당사의 25년 오디오 기술로 클래식한 디자인과 현대적인 오디오 기능을 결합. 높은 휴대성과 범용성을 자랑하는 제품.

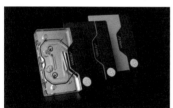

NeoBuds Pro True Wireless Stereo Earbuds with
ANCEdifier International LTD

헤드폰 및 개인용 오디오

최초의 Hi-Res 오디오 인증 무선 ANC 헤드폰. 최대 42dB 음질과 노이즈캔슬링. 24시간 재생시간. 먼지·땀 방지 IP54 기능 탑재.

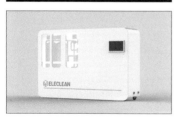

EK-Quantum Velocity^2
EKWB

컴퓨터 하드웨어

고성능 데스크톱 PC 액상 냉각 솔루션. 마더보드에 탑재되는 CPU 워터 블락. 액체를 순환시키는 기술로 냉각 시 소음 최소화.

ELECLEAN Water
ELECLEAN Co.,Ltd

지속가능성 및 에코디자인, 지능형 에너지

통합 AI와 산화제 자체 생산 기술로 수처리 시 화학 처리 없는 자율 정화를 구현하고, 예측 정비로 운영을 최적화. 정수처리 장비 수명 연장.

Elgato Facecam
By Elgato

컴퓨터 주변기기

Sony ® STARVIS™ DSLR과 같은 제이 기능을 갖춘 1080p60 웹캠. 최적화된 고정 포커스로 어떤 환경에서든 고화질 화면을 제공.

Immerse Gaming
Embody

소프트웨어 및 앱

모든 PC게임 및 헤드셋과 호환되는 AI 개인화 360도 전방위 오디오 소프트웨어.

Bebelucy: AI Based Smart Baby Crib
Emma Healthcare Co.,Ltd.

건강 및 웰니스

머신러닝으로 아기의 생체정보와 주변 환경을 분석, 어플리케이션과 연계한 스마트 육아용품. 수면유도, 소대변 감지, 음성인식 기능 탑재.

Energous Technology
Energous Corporation

내장기술, 지속가능성 및 에코디자인, 지능형 에너지

WattUp 기술로 장치를 무선으로 충전할 수 있게 하여 지속적이고 중단 없이 전력을 공급. 비환경적인 일회용 배터리 사용 억제.

3D Silicon™ Lithium-ion Battery
Enovix Corporation ("Enovix")

내장기술

100% 활성화 실리콘 양극을 수용할 수 있는 배터리. 현재 사용되는 가전제품의 배터리보다 최대 두 배의 에너지 밀도를 제공.

Automatic Metadata Extraction from Live & VOD
Videos / Eon Media Corp.

스트리밍

생방송 경기 중 방송사가 실시간으로 로고를 감지하고 브랜드 노출 데이터를 생성할 수 있는 기술. ROI를 정확히 예측하는 데 기여.

MyShield
Essence Group

스마트홈

세계 최초의 5G 지원 올인원 보안 솔루션. 보안업체가 도착할 때까지 기다리지 않고, 침입자에게 혼란을 야기하는 방식으로 즉각 대응.

VitalOn
Essence Group

건강 및 웰니스

노인 및 만성 질환자를 위한 종합 원격 환자 모니터링 플랫폼. 하나의 연계플랫폼에 원격 케어·헬스 기능을 적용하여 지속적인 모니터링 환경을 제공.

Load-Balancing Smart EV Charger
EVAR

스마트시티, 지속가능성 및 에코디자인, 지능형 에너지

역동적인 부하분산과 AI 딥러닝 기술로 비약적으로 발전시킨 전기차 충전기기. 단일 EV를 최대 11kw까지 충전.

Powerfoyle
Exeger Operations Sweden AB

지속가능성 및 에코디자인, 지능형 에너지

어떤 제품에도 심 없이 원활하게 연결되어 동력을 공급하는 태양열 셀. 친환경적이며 실내외 모든 종류의 빛을 에너지로 변환 가능.

DermPACS System (Dermatology Image Management System) / F&D PARTNERS Inc.

소프트웨어 및 앱

AI 기반 피부 이미지 관리 시스템. 피부 영상 캡처, 저장, 문서화를 돕고 진단 영상의 시스템적 왜곡 및 화질 저하 문제를 개선.

LINKLET
Fairy Devices Inc.

영상 및 화질처리, 스트리밍, 웨어러블

5개의 멀티마이크를 탑재한 LTE 내장 웨어러블 초광각 카메라. Zoom/Teams에 연결되어 100명 이상의 친구가 서로 원격 소통 가능.

SelfCare1
Family Self Care Inc.

건강 및 웰니스

세계 최초 자동화·개인 맞춤 자연 관리 시스템. 사용자 프로필과 루틴을 파악하여 보다 효과적인 피부 관리 솔루션을 제안.

FerSol, Ferrate(VI) solution for (waste)watertreatment
Ferr-Tech

지속가능성 및 에코디자인, 지능형 에너지

전통적으로 산업용수에 쓰이던 유해 화학물질을 대체할 수 있는 수자원 처리 물질. 산업용수 재활용을 유도하는 솔루션.

Flic Twist
Flic

스마트홈

스마트홈 주인이 아니더라도 직관적으로 스마트홈 구성요소를 조작할 수 있도록 접근성을 높인 리모트 시스템.

LOOX
Fujitsu Client Computing Limited

컴퓨터 하드웨어

세계에서 가장 얇고 가벼운 윈도우즈 타블렛.

Garmin Approach R10
Garmin

피트니스 및 스포츠

골프 런치모니터. 클럽 헤드 속도, 볼 속도, 스핀 등을 포함한 12개 이상의 수치를 추적. 42,000 코스 시뮬레이터에 탑재.

Garmin Forerunner 945 LTE
Garmin

피트니스 및 스포츠

스마트폰 없이도 움직임을 추적하고 관중과 소통하며 라이브를 공유하는 프리미엄 스마트워치. 훈련 데이터, 모니터링과 같은 훈련 툴 제공.

Garmin Tread XL Overland Edition
Garmin

지능형차량 및 운송

10인치 초광량 디스플레이가 적용된 특대형의 견고한 육로 탐험 네비게이션. 미리 로드된 지형 정보로 길에서 불안정한 신호에 의지할 필요 없음.

Garmin Venu 2 Plus, GPS smartwatch
Garmin

건강 및 웰니스

스마트폰에 수신된 전화와 문자에 원격으로 대응하는 스마트워치. 25개 이상의 기본 스포츠 앱 탑재. 9일 이상의 배터리 수명.

Autonomous Box Truck
Gatik

지능형차량 및 운송

단거리, B2B 대상 물류 산업에 활용되는 자율주행 트럭. 텍사스, 아칸소, 루이지애나, 온타리오주에서 상용 중.

OMO Smart Trash Can
GD International Inc.

가정용 가전

쓰레기가 차면 자체 밀폐 후 버리고 백을 교체하는 자율 쓰레기통. 음성 비서와 호환되는 모션센서 탑재.

Cync App, powered by Savant
GE Lighting, a Savant company

소프트웨어 및 앱

GE 라이트닝을 원격으로 조종하는 서번트의 싱크 앱. 서번트의 스마트홈 제품군을 통합적으로 관리할 수 있는 시스템.

Geoflex Safe-PPP
Geoflex

지능형차량 및 운송

완전 표준화된 고정밀 GPS-GNSS 보정 서비스. 사고와 같은 위급 상황에 대상의 위치를 정밀하게 추적 가능.

AORUS P1200W 80+ Platinum Modular Power Supply
GIGABYTE Technology

컴퓨터 하드웨어

모듈식 설계, 일본식 콘덴서, 140mm 스마트 더블 볼 베어링 팬, 단일 +12V 레일 설계 및 다중 회로 보호 기능을 갖춘 전원공급기.

Swasher
GONGGONG Co.,Ltd.

가정용 가전

물을 회전시켜 미세먼지를 분리하는 기능으로 소음 최소화. 먼지 수집 및 탈취 기능을 향상하고 정화 실패 가능성을 줄인 공기 정화 기술.

10-in-1 Multifuntion rotating base for iMac 2021
Gopod Group Holding Limted

컴퓨터 주변기기

아이맥을 위한 다목적 도킹스테이션. 아이맥 USB 포트에 기기를 꽂으면 4개의 USB3.2 Gen2 10G 포트로 확장.

Life-Ready GrAI VIP
GrAI Matter Labs

내장기술

인간의 일상 활동을 돕는 로봇에 최적화된 AI 프로세서. 에너지를 최적화하고 비용과 자원을 절약하며 인간과 상호작용하도록 설계.

GRAID SupremeRAID™
GRAID Technology

컴퓨터 주변기기

데이터센터의 데이터 보안이나 업무 연속성의 저하 없이 SSD이 퍼포먼스를 최대한으로 끌어내는 NVMeo 및 NVMeoF RAID 카드.

GSA Marine
Green Systems Automotives

지속가능성 및 에코디자인, 지능형 에너지

선박에 가스 대신 바이오 연료를 사용할 수 있도록 변환하는 연료변환 장치.

Calera® - Core Body Temperature Monitoring Technology / greenTEG AG

건강 및 웰니스

일련의 열 센서와 머신러닝으로 정확하게 중심 체온을 측정하고 분석하는 모니터링 웨어러블 기술.

CORE - Body Temperature Monitor
greenTEG AG

피트니스 및 스포츠, 웨어러블

흉부 스트랩에 소형 클립을 부착하여 몸의 중심 온도를 측정하는 장치. 스마트폰, 스마트워치, 컴퓨터 앱으로 정보 확인.

Grell TWS/1
Grell Audio

헤드폰 및 개인용 오디오

첨단 기술이 적용된 부품과 독일의 디자인 특유의 세심한 디테일의 조화가 특징인 인이어 헤드폰. 음질 수준만을 반영한 가격이 특징.

Mini GUSS
GUSS Automation

드론 및 무인시스템

세계 최초이자 유일한 포도밭, 홉, 베리 등의 고밀도 과수원 자율 분무기.

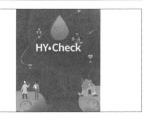

rebless
H ROBOTICS INC.

헬스 및 웰니스

팔꿈치, 손목, 발목, 무릎 관절 등에 효과적인 재활치료로봇. 환자의 재활 능력에 따라 지속수동운동 및 조건부 보조 모드 변경 가능.

HY·CHECK
Hancom Intelligence Inc.

스마트시티

AI와 IoT 기술을 활용한 스마트 수도계량 솔루션. 카메라와 AI 딥러닝 분석을 통해 기존 아날로그 계량기에도 적용 가능.

JBL LIVE FREE 2 TWS
Harman International

헤드폰 및 개인용 오디오

전면 터치 컨트롤, 듀얼 커넥트 +싱크 및 Google Far Pair 기술이 적용된 이어폰. 40시간의 재생 시간과 무선 고속 충전 제공.

JBL Quantum610 Wireless
Harman International

헤드폰 및 개인용 오디오

서라운드 사운드와 게임챗 밸런스 기능을 제공하는 오버이어 헤드셋. 프리미엄 가죽과 메모리폼이 적용된 이어쿠션으로 장기간 착용에 특화.

Harman Kardon Flow Component Speakers
Harman International inc.

차량 엔터테인먼트 및 안전

플러스 원™ 기술과 결합된 알루미늄 딥 세라믹 복합체가 자연스럽고 세밀한 사운드 환경 제공. 6-1/2 구성을 완전 3방향으로 작동하도록 구현.

JBL Stadium Speakers
Harman International inc.

차량 엔터테인먼트 및 안전

앰프나 헤드 유닛에서 최대 전력을 뽑아내어 플러스 원™ 우퍼가 인상적인 타격감을 표현할 수 있도록 만드는 고출력 디자인 앰프.

JBL Wind 3
Harman International inc.

이동형 미디어 플레이어

자전거, 스쿠터 등의 이륜차에 사용할 수 있게 만든 블루투스 스피커. 빠르고 손쉽게 설치할 수 있는 포터블 디자인.

Harman Kardon Citation AMP
Harman International Industries

가정용 오디오 및 비디오

모든 확성 스피커로 HD 스트리밍이 가능한 멀티채널 무선 서라운드 사운드시스템. 빌트인 크롬캐스트, 에어플레이, HDMI 등을 통해 음악 재생.

Harman Kardon Citation MultiBeam 1100
Harman International Industries

가정용 오디오 및 비디오

서라운드 사운드와 상향 스피커가 함께 적용된 최초의 3D 서라운드 빔포밍 사운드바. 고성능 LCD 터치스크린으로 다양한 기능 구현.

Harman Kardon Radiance 2400
Harman International Industries

가정용 오디오 및 비디오

콘서트홀의 음향 환경을 가정에 재현한 무선 홈오디오 시스템. 높은 품질의 라이브 음향을 구현하기 위해 특별 설계된 기술 적용.

JBL Partybox 710
Harman International Industries

가정용 오디오 및 비디오

기존 JBL Original Pro 사운드에 깊은 베이스, 조명, 방수기능이 추가된 모델. 파티박스 앱을 사용하여 쉽게 조작이 가능.

HARMAN Ignite Store Developers Portal
HARMAN, a Samsung company

차량 엔터테인먼트 및 안전

구글의 차량용 운영체제인 '안드로이드 오토모티브' 전용 개방형 클라우드 플랫폼. 차량 내 사물인터넷과 연계한 앱 시장을 본격적으로 겨냥.

MINE ALNU
HDT Co., Ltd.

헬스 및 웰니스

휴대용 엑스레이. 급성장 중인 의료 화상 장비 시장에서 마인올뉴는 실외 공간에서 작동시킬 수 있는 유일한 엑스레이 장비.

V Board
HDVISION

컴퓨터 하드웨어

어떤 디스플레이도 스마트스크린으로 변환시키는 상호 화이트보드 시스템. 적외선 감지 기능이 탑재된 카메라와 전용 소프트웨어로 구성.

Healium Brings Wearable Data to Life
Healium

헬스 및 웰니스

웨어러블기기 사용자와 디지털 환경 사이에서 생체 데이터 수치를 간단하고 가시적인 증강·가상·혼합 현실 데이터로 변환하는 소프트웨어.

re:Vive™ by Heru™
Heru

가상 및 증강현실

웨어러블기기를 통해 어디서든 실시간으로 눈 상태를 진단하고 즉각적인 시각 교정을 목적으로 개발된 플랫폼.

Bio-signal processing safety management system(LERTS) / HHS Co., Ltd

헬스 및 웰니스

산업현장에서 근로자의 생체신호를 측정하고 위험 상황을 실시간으로 통보하는 안전관리 시스템.

Hey-Bot(AI-based, Smart Disinfection&Guide Robot) Hills Engineering co.,ltd., HANSEO UNIVERSITY

로봇

컨벤션 센터, 병원, 음압병동과 같이 감염이 취약한 공간에서 운용되는 인공지능 기반 자율운행 가이드로봇.

AttnKare
HIPPO T&C Inc.

헬스 및 웰니스, 가상 및 증강현실

ADHD 진단제인 AttnKare-D와 AttnKare-T로 구성된 디지털 치료법. VR로 수행한 미션에 대한 반응을 진단 데이터로 활용.

15A, Micro-Size - BM50 Series -
Hirose Electric Co., Ltd.

모바일

전력 애플리케이션을 위한 보드 투 보드 커넥터. 소형 휴대장치에 고전류를 연결하여 배터리 용량 확대, 신속한 충전 구현.

Hisense 85U9H 8K TV
Hisense Visual Technology Co., Ltd

가정용 오디오 및 비디오

독점 8K PQ 프로세스 칩셋을 사용한 8K Mini-LED로 영화관 같은 경험을 제공. 4,000개의 백라이트 존과 120Hz의 재생 빈도 구현.

HomeCera Mini Dryer Aero-Daisy
Home-Cera

가정용 가전

동급 건조기 중 가장 작고 가벼운 제품. 저소음인 DC 기어 모터, UV 살균기, 3중 먼지 필터, 스테인리스 통으로 구성.

HP 11 Tablet PC
HP Inc.

컴퓨터 하드웨어

알루미늄 바디와 섬세한 디스플레이, AI 내장 카메라가 완벽한 사용 환경을 구현. 화상통화, 한손 타이핑, 잉킹에 최적화된 모델.

HP DreamColor Z27x Studio Display
HP Inc.

컴퓨터 주변기기

최적화 기능이 빌트인된 딥블랙 27인치 프레임레스 모니터. 색을 십억 개 이상 표현할 수 있는 IPS 모델 패널 적용.

HP OMEN 16
HP Inc.

컴퓨터 하드웨어

고사양 게이밍에 최적화된 제품. 데스크탑 수준의 GPU와 고성능 디스플레이, 발열에 강한 디자인으로 최고의 게이밍 환경을 구현.

HP OMEN 17
HP Inc.

컴퓨터 하드웨어

데스크톱 수준의 출력을 어디서나 구현할 수 있는 게이밍 노트북. 원활한 멀티태스킹. 가장 최신 NVIDIA 그래픽카드를 적용.

HP Smart Tank 7600 Series Printers
HP Inc.

컴퓨터 주변기기

세계 최초로 발광 잉크통과 innovative 3" 터치 인터페이스가 적용된 프린터. 재활용 플라스틱을 25% 사용한 친환경 설계 제품.

HP U32 4K HDR Monitor
HP Inc.

컴퓨터 주변기기

아름답고 얇은 디자인, 넓은 화면에 개선된 색조와 콘트라스트를 구현한 32인치 디스플레이. 미학적으로 아름다운 영상 제작에 최적화.

OMEN 27u 4K Gaming Monitor
HP Inc.

컴퓨터 하드웨어

부드럽고 빠른 게임 프레이밍, 선명한 그래픽, 눈에 부담이 적은 출력 패턴을 구현한 모니터. 은은한 백라이트닝으로 흡입감 넘치는 그래픽 표현.

OMEN by HP 45L Gaming Desktop PC
HP Inc.

컴퓨터 하드웨어

우월한 냉각 시스템, 첨단 부품, 전면 ATX 마더보드, SLI기반 듀얼 그래픽카드로 구성된 미래형 데스크톱.

VIVE Pro 2
HTC

가상 및 증강현실

섬세하고 정확한 성능으로 사용자의 상상력과 가상현실 체험 범위를 다른 차원으로 이끌 PC-VR 제품.

KAI Massage Chair with SONIC WAVE
HUTECH INDUSTRY Co., Ltd

스마트홈

저주파·저속 마사지로 몸과 마음의 깊은 안정을 유도하는 안마의자. 유니버설 스튜디오와 공동 개발한 음악 마사지 기능 탑재.

Hyperdrive iMac Turntable Dock
Hyper

컴퓨터 주변기기

10개의 포트와 SSD M.2 SATA/NVME로 아이맥의 용량을 2TB까지 늘리면서 빠른 데이터 전송 속도, 4K 영상 재생 환경을 구현.

HyperDrive Thunderbolt 4 Power Hub
Hyper

컴퓨터 주변기기

통합 GaN 전원으로 휴대성을 높인 세계 최초 고센 리지 썬더볼트 4 허브. 듀얼 4K60Hz 또는 8K 디스플레이 연결 가능.

IBM Telum Processor
IBM

사이버보안 및 사생활보호

온라인 거래 시 소비자 사기 상황을 AI 예측 기술로 모니터링하는 프로세서. 하드웨어에 직접 설치되어 후속 대응보다 방지에 집중하는 처리기.

Watson Orchestrate
IBM

소프트웨어 및 앱

AI가 메일이나 슬랙 등의 툴을 활용하여 전문가들의 잔업을 자율 처리하도록 설계한 업무 자동화 프로그램.

SOUND MIRROR™ arch
ICON AI INC.

가정용 오디오 및 비디오

오브제나 기구의 기능까지 겸비한 홈 인테리어 아치형 고음질 스피커. 스마트홈 기능과 음성인식 기능을 탑재.

SOUND MIRROR™ round
ICON AI INC.

헤드폰 및 개인용 오디오, 가정용 오디오 및 비디오

오브제나 가구의 기능까지 겸비한 홈 인테리어 원형 고음질 스피커.
스마트홈 기능과 음성인식 기능을 탑재.

Retrofit Lock
igloocompany

세계 최초로 포고 핀 기술이 적용된 스마트 락. 앱을 통해 어디서든
제어. 독자적인 algoPIN™ 기술로 오프라인 연결도 가능.

All-in-One Thermal Sensing System
Industrial Technology Research Institute (ITRI)

헬스 및 웰니스

언택트 환경에 특화된 간호로봇. 체온, 심장박동, 호흡수 등을 원격으
로 측정하여 관리자 앱으로 실시간 송출하는 시스템 내장.

iPetWeaR
Industrial Technology Research Institute (ITRI)

웨어러블

미세한 생체반응을 감지하는 레이더 센서 기능이 탑재된 반려동물 모
니터링 시스템. 심장박동, 호흡, 행동 패턴 등을 바탕으로 건강 이상
을 감지.

RGB-D AI Robot
Industrial Technology Research Institute (ITRI)

로봇

고정밀 사물 인식이 가능한 스마트 3D 카메라를 탑재한 로봇. 빠른
비주얼 정보 습득으로 효율적인 작업 환경 구현.

XENSIV™ PAS CO2 Sensor
Infineon

스마트시티

작은 크기로 높은 수준의 성능 구현. 광음향분광기(PAS)를 기반으로
한 CO_2 센서 적용.

SEMPER™ Secure
Infineon Technologies

사이버보안 및 사생활보호

단일 NOR 플래시 장치에 보안 및 기능 안정성을 더하여 자율운행차,
산업 및 통신시스템에 필요한 메모리 솔루션을 제공.

AI COUNTER
INFINIQ

스마트시티, 소프트웨어 및 앱

리테일 업체에서 활용할 수 있는 셀프 계산 솔루션. 3개의 카메라와 1개의 모션 인식 장치, 17인치 터치스크린으로 스마트쇼핑 환경 구현.

InHand Watch
InHandPlus

웨어러블

모션 센서, 카메라 모듈, AI 기능으로 사용자의 의료약물 복용 일정을 관리하는 스마트워치.

Innerbottle
innerbottle. co., ltd

지속가능성 및 에코디자인, 지능형 에너지

형태적 한계로 34.6%가량 내용물이 낭비되던 기존 액체용기를 보완하여 최대 99%까지 액체를 뽑아낼 수 있도록 제작한 액체용기.

PHOC 1
InPhocal

내장기술

차세대 레이저 기술. 기존보다 400배 높은 심도의 InPhocial Optics를 활용한 인쇄 공정으로 화학 잉크의 환경파괴 리스크를 제거.

Inseego 5G MiFi M2000 Mobile Hotspot
Inseego Corp.

모바일

차세대 독립형 5G 모바일 핫스팟.

Omnipod 5 - tubeless, automated insulin delivery system / Insulet

헬스 및 웰니스, 웨어러블

튜브를 없애고 방수기능 겸비한 웨어러블 인슐린 패치. 모바일앱과 무료 컨트롤러로 전면 조작.

Oview Multi Respiratory Health Diagnosis and Treatment System / INTIN Inc.

헬스 및 웰니스

하나의 메인 장치에 여러 부가 기기를 연결하여 사용지 수요에 맞춰 사용할 수 있는 의료 진단 모듈. 알고리즘, 빅데이터, AI로 건강을 관리.

Smart Dog Collar
Invoxia

헬스 및 웰니스, 웨어러블

반려견 생체 모니터링 목걸이. 긴 배터리 수명과 정밀 GPS 추적 기능 탑재. 첨단 경량 저전력 센서가 심층신경망 진단 및 분석.

INVZI MagHub Pop Up SSD USB-C Docking Station
INVZI

컴퓨터 주변기기

맥북용 팝업 SSD USB-C 도킹스테이션. 맥북을 활용하는 데 필요한 모든 기능을 탑재하여 워크스테이션으로 활용 가능케 하는 부가 장치.

Drone Charging Station "ON STATION"
ISON

드론 및 무인시스템

길이 조절이 가능한 지지대, 최대 15미터까지 적재 가능한 드론 격납고, 조종 장비로 구성된 드론 스테이션.

360° All Around Webcam with Speaker
j5create

컴퓨터 주변기기

내장 마이크, 스피커, 카메라로 360도 HD 분할 촬영과 음성 송출이 가능한 올인원 사무용 미팅 장비.

ScreenCast USB-C® Wireless Display HDMI™ Extender
j5create

컴퓨터 주변기기

오디오와 비디오 신호를 HDMI 기능을 가진 TV·프로젝터·모니터로 송출하는 USB-C 무선 확장기.

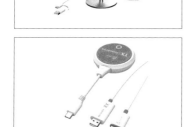

Jasper
Jasper Health

헬스 및 웰니스

암 환자를 위한 관리 플랫폼. 증상, 약물 복용, 치료 기록, 개인 일정 등을 추적하여 이용자에게 특화된 암 대응 지침을 제공.

A Smart Planner for
Your Cancer Care.

KanDao Meeting S
KanDao Technology Co.,Ltd.

컴퓨터 주변기기

작은 회의실에 최적화된 180도 회전 단독 화상기기. 외부 컴퓨터 연결 없이 AI 알고리즘과 내장 안드로이드 시스템으로 실시간 회의 구현.

J

K

KEEPSER COLD WALLET
KEEPSER GROUP

사이버보안 및 사생활보호

보안 앱과 페어링해서 쓰는 NFC 장비. 실수에 의한 정보 유출과 의도적인 해킹을 완벽하게 차단하는 암호화폐 지갑.

The Kinoo App
Kinoo

가상 및 증강현실

거리 제한 없이 핸드폰이나 태블릿에 인터넷으로 동기화하여 가상활동을 가능하게 하는 앱. 키누 컨트롤러를 이용하여 최적화.

KAMELO
KLleon Co., Ltd., HANSEO UNIVERSITY

소프트웨어 및 앱

영상 공유 SNS. 클릭 한 번으로 별도의 재촬영 없이 얼굴, 색조, 목소리, 배경 등을 변환할 수 있는 필터링 기능 제공.

KLling
KLleon Co., Ltd., HANSEO UNIVERSITY

소프트웨어 및 앱

영상의 언어를 한국어, 일본어, 중국어, 영어로 더빙하는 솔루션.

Knowles IA8201 DSP & AITransparency+ by Chatable
Knowles Corporation

내장기술

실시간 오디오 처리 대기 시간이 없는 최초의 AI. IA8201 칩을 탑재하고 초당 1억 번 이상의 계산을 수행하여 대화 능력 향상.

Tri-gen
KOGAS and Doosan Fuel Cell

스마트시티, 지속가능성 및 에코디자인, 지능형 에너지, 지능형차량 및 운송

전기와 열에너지만 생산했던 기존 연료전시와 달리 수소연료까지 함께 생산하여 전기차량, 수소차량을 동시에 충전시키는 연료전지.

KOHLER PerfectFill Smart Bath Filler and Drain
Kohler Co.

스마트홈

디지털/앱 컨트롤러와 욕조 급수대와 연계된 스마트 배수시스템. 원하는 물 온도와 깊이를 미리 설정해놓으면 자동으로 급수량 및 배수량을 조절.

Kura AR Gallium
Kura AR

가상 및 증강현실

80g 증강현실 헤드글래스. 통합 고성능 모바일 SoC와 교체 가능한 배터리로 독립 운용. IPD 자동조정 기능 탑재.

GaN2GO
L Lab Corporation

컴퓨터 주변기기

이중 충전이 가능한 60W 휴대용 고출력밀도 배터리. AC/DC+DC/DC 기술로 2가지 기기를 동시에 충전 가능하도록 구현.

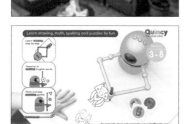

GaN2GO 30
L Lab Corporation

모바일

세계에서 가장 작고 전례가 없는 에너지 출력밀도를 구현한 30W PD 충전기. 20V 전원을 연결하는 대부분 PC와 PPS 스마트폰에 충전 가능.

L

TIKI Brand® BiteFighter™ LED String Lights
Lamplight Farms, LLC

가정용 가전

2,200K LED로 효과적으로 모기를 퇴치.

Quincy Drawing Robot
Landzo Technology Co., Ltd.

게임

3세에서 8세 아이들을 위한 그림, 놀이, 글자, 퍼즐 교육로봇. 6개 언어로 서비스.

Lattice sensAI solution stack for Edge AI/ML applications / Lattice Semiconductor

내장기술

모듈식 하드웨어 플랫폼을 포함한 FPGA 기반 ML/AI 솔루션을 최적화하는 기술. 작고 개방적이고 직관적이며 높은 에너지 효율을 자랑.

Early Evidence Collection Kit + Platform
Leda Health

헬스 및 웰니스

성범죄 피해자들을 위한 모바일앱 기록 및 DNA 채취 보조 키트. 24시간 트라우마 법의학 치료팀이 지원하는 서비스.

Posture Motion Sensor
LEEDARSON IoT Technology Inc.

스마트홈

Millimeter-Wave Radar를 사용하여 웨어러블 장비 없이 장기적으로 신체 변화를 감지. 앱을 통해 대상의 위험을 즉각 알림.

Lenovo Smart Privacy Services
Lenovo

사이버보안 및 사생활보호

온라인 프라이버시와 온라인 보안 위협으로부터 사용자를 보호하는 SaaS 툴. 통합 앱을 통해 보안 수준 설정 및 커스터마이징 가능.

Lenovo ThinkReality A3
Lenovo

가상 및 증강현실

가볍지만 견고한 디자인, 넓은 시야와 고해상도 디스플레이를 제공하는 증강현실 안경 세트. 주변 환경 정보를 통합하여 사용자에게 제공.

Lenovo Yoga Tab 13
Lenovo

컴퓨터 하드웨어

포터블TV·포터블모니터·미디어허브로 기능하는 타블렛. 음향과 디자인을 크게 개선한 레노보의 다섯 번째 요가 타블렛.

ThinkBook Plus Gen 3
Lenovo

컴퓨터 하드웨어

17.3인치 초광각 디스플레이와 8인치 보조 디스플레이를 새롭게 적용한 레노보 SMB 노트북.

T-Glasses : AR Smartglasses for Everyday
LetinAR

컴퓨터 주변기기

독자적인 핀미러 기술과 OLED 마이크로디스플레이가 렌즈에 적용된 스마트 글래스. 실사에 가까운 선명한 이미지를 착용자에게 제공.

Lexilight 3.0
Lexilife

헬스 및 웰니스

난독증 환자가 문자를 읽을 때 시야에 중첩되는 이물 이미지를 걷어내는 조명. 보조 앱과 함께 제공.

32 UHD UltraFine Display Nano IPS Black (32UQ85R)
LG Electronics Inc.

건강 및 웰니스, 웨어러블

팔에 착용한 소형 센서를 통해 1분마다 혈당과 트렌드 화살표 제공.
세계에서 가장 작고 얇은 포도당 센서를 탑재.

All LG TV Models - Better features for accessibility
LG Electronics Inc.

접근성

시각 장애를 가진 LG TV 이용자에게 편의를 제공하는 솔루션. 리모
컨에 점자, 열점 버튼과 음성 안내 내장.

LG 42-inch OLED 4K TV (Model OLED 42C2)
LG Electronics Inc.

게임

고해상도 OLED 디스플레이, 정밀 오디오, 높은 감도로 숨막히는 게
이밍 환경을 제공하는 42인치 TV.

LG 48-inch OLED 4K TV (Model OLED 48C2)
LG Electronics Inc.

게임

작은 사이즈에도 불구하고 실사에 가까운 이미지, 선명한 오디오 환
경을 구현한 게이밍 최적화 TV.

LG 83-inch OLED 4K TV (Model OLED 83C2)
LG Electronics Inc.

게임

3차원의 입체적인 경험을 제공하는 리얼한 디스플레이를 탑재. 다른
차원의 몰입감을 선사하는 거대한 83인치 화면.

LG 83-inch OLED 4K TV (Model OLED 83G2)
LG Electronics Inc.

디스플레이

대형 화면, 실사에 가까운 화질, 청량한 음향, 앞선 AI 처리 기술로 구
현한 차세대 가전.

LG 86-inch 8K QNED Mini LED TV (Model 86QNED99)
LG Electronics Inc.

게임, 디스플레이

Mini LED 기술과 Quantum Dot NanoCell Color 기술을 적용하여
게이밍 환경에서 차원이 다른 색 표현력을 구현.

LG 88-inch OLED 8K TV (Model OLED88Z2)
LG Electronics Inc.

영상 및 화질처리

최첨단의 Alpha9 Gen5 8K AI 프로세서와 딥러닝 AI 기술을 적용하여 차원이 다른 몰입도와 시각 경험을 제공.

LG 97-inch 4K OLED Audio & Video TV
LG Electronics Inc.

디스플레이

세계에서 가장 큰 4K OLED TV. 100W 4.2채널 오디오를 탑재. 전원이 꺼진 상태에서 디지털 캔버스로 사용 가능.

LG DualUp Monitor Ergo
LG Electronics Inc.

컴퓨터 주변기기

세계 최초로 16:18 화면비 제공. 멀티태스킹 환경에 적합한 스퀘어 더블 QHD(2560*2880) 모니터.

LG InstaView® Double Range with Air Fry/ Air Sous Vide / LG Electronics Inc.

가정 가전

30인치 슬라이드인 레인지. 급속 에어프라이어, 프로베이크 컨벡션, 에어 수비드 기능 올인원 탑재. 인스타뷰 디자인 확대 적용.

LG InstaView® French-Door Refrigerator Objet Collection / LG Electronics Inc.

가정 가전

아름다운 디자인과 함께 인스타뷰, UV나노, 크래프트아이스 메이커가 내장된 29 cu. ft. 스마트 냉장고.

LG Microwave with Scan to Cook & Extendavent™ 2.0
LG Electronics Inc.

가정 가전

2.2 cu. ft. 용량에 와이파이 기능 탑재. Scan to Cook & Extendavent™ 2.0으로 요리에 발생하는 연기 및 냄새 경감.

LG One:Quick Flex (Model 43HT3WJ)
LG Electronics Inc.

가정용 오디오·비디오

이동식 스텐드를 갖춘 다목적 43인치 터치 디스플레이. 스트리밍 서비스 콘텐츠나 원격 학습 등에 적절.

LG PuriCare 360 Air Purifier Pet 2-Stage
LG Electronics Inc.

가정용 가전

공기 청정과 탈취 기능을 제공하는 반려동물 공기청정기. 먼지와 알레르기를 유발하는 털들을 강력하게 처리하는 반려동물 모드가 특징.

LG STUDIO InstaView® Range with Air Sous Vide & Fry
LG Electronics Inc.

가정용 가전

다기능 조리에 최적인 30인치 슬라이드형 레인지. 빠른 속도의 에어 프라이어 기능과 에어 수비드 기능.

LG Tiiun
LG Electronics Inc.

가정용 가전

실내 정원을 손쉽게 재배할 수 있도록 설계된 자립형 실내 원예 가전.

LG Tiiun Mini
LG Electronics Inc.

가정용 가전

실내 정원을 손쉽게 재배할 수 있도록 설립된 자립형 소형 실내 원예 가전.

LG TONE Free
LG Electronics Inc.

헤드폰·개인용 오디오

사용자 환경에 상관없이 풍부한 음질을 제공하는 무선 이어폰. 플러그 앤 와이어리스 기능으로 유선 오디오 기기와 연동 가능.

LG WashTower with Heat Pump Dryer
LG Electronics Inc.

가정용 가전

히트펌프 기술로 에너지 효율이 최대 50% 향상된 건조기. 의류를 보호하기 위해 낮은 온도에서 건조.

The α9 Gen5 AI 8K Processor
LG Electronics Inc.

내장기술

LG전자 2022년형 프리미엄 OLED TV와 8K QNED 전용 시스템온칩(SoC). 좋은 화질과 풍부한 음질을 위한 첨단 칩.

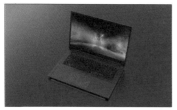

UltraGear PC (17G90Q)
LG Electronics Inc.

컴퓨터 하드웨어

IPS 패널과 1ms의 속도를 가진 게임용 노트북. RTX 3080 그래픽 카드, 93Wh 배터리, Per Key RGB 키보드 탑재.

iHome PowerReach Pro
Lifeworks Technology Group

모바일

세계 최초 USB 허브 확장 기능을 내장한 벽면 탭. 내구성이 뛰어난 나일론 코드로 어디서든 편리하게 충전 가능.

Monster DNA Fit True Wireless Earbuds
Lifeworks Technology Group LLC

헤드폰·개인용 오디오

QCC 칩이 내장된 이어훅 디자인의 무선 이어폰. 패브릭 무선 충전 케이스 포함. 방수 가능.

Monster DNA Portable Speakers
Lifeworks Technology Group LLC

헤드폰·개인용 오디오

iP67 등급의 휴대용 블루투스 스피커. 함께 제공되는 주문 제작 충전 패드로 무선 충전 가능. 세 가지 버전의 크기로 출시.

Monster Power Grid
Lifeworks Technology Group LLC

모바일

296와트시가 내장된 휴대용 배터리. 모든 장치를 충전할 수 있으며, 소형 가전제품 구동 가능,

Non-invasive blood glucose sensor
Light Touch Technology Inc.

건강·웰니스

첨단 레이저 기술을 활용한 세계 최초 무혈당 센서.

Lightyear One
Lightyear

지속가능성·에코디자인, 지능형 에너지

최초의 장거리 태양열 자동차. 충전 의존성을 줄여 전기차 운전을 시작하려는 모든 사용자에게 높은 접근성. 충전 인프라 활용도 5배 향상.

DearBuds
Linkface Co., Ltd.

헤드폰·개인용 오디오

사용자의 귀 온도와 습도를 지능적으로 관리하는 귀 관리 제품.

Smart-Bottle
Littleone Inc

건강·웰니스

영양소 섭취 통계, 급여량 제안, 자동 급식 기록, 권장 급식량 도달을
알려주는 스마트 젖병.

Looking Glass 8K Gen2
Looking Glass Factory

가상·증강현실

3D 홀로그램이 실물보다 커야 할 때 사용하는 유일한 디스플레이.
플랫폼과의 통합을 활용하여 VR 및 AR 헤드셋 없이 3D 콘텐츠 사용
가능.

LUCY
Looxid Labs

건강·웰니스

치매, 알츠하이머 등 인지 장애의 초기 징후를 감지하는 훈련 시스템,
VR 센서 헤드셋이 생체 신호를 측정하고 분석.

Colorsonic
L'Oréal

건강·웰니스

가정에서 간단한 염색을 가능하게 하는 헤어 기계. 인체공학적 디자
인으로 사용자가 손닿기 어려운 곳까지 색상 도포 가능.

Rouge Sur Mesure
L'Oréal

건강·웰니스

AI로 작동되는 가정용 립 메이크업 기계. 사용자들은 집에서 몇 분 안
에 수천 개의 맞춤형 입생로랑 립스틱 색조 제조 가능.

L'Oréal Water Saver
L'Oréal and Gjosa

지속가능성·에코디자인, 지능형 에너지

강력한 물 최적화 기술과 물줄기로 직접 들어가게 설계된 제품을 결
합한 머리 세척기. 모발 손상 방지, 빠른 흡수, 헹굼을 돕는 클라우드
폼 기술.

Lucid QuickScreen
Lucid Hearing

건강·웰니스

이음향방사 감지 기술 사용. 앱 기반의 빠른 방법으로 개인의 난청 가능성을 진단.

Lumini App
lululab Inc.

소프트웨어·앱

휴대폰 전용 AI 방식의 피부관리 서비스. 카메라 액세서리 형태. 피부 타입을 16가지 중 하나로 분류하고 8가지 피부 트러블 진단 가능.

Lumini Scalp Pro
lululab Inc.

건강·웰니스

이미지 처리 알고리즘을 활용해 두피의 상태를 분석, 탈모를 예측하는 헤어케어 제품. 알고리즘이 위치별로 바늘 길이와 앰플 양을 자동 설정.

Lumotive Meta-Lidar™ Platform
Lumotive

로봇, 지능형차량·운송

빔 스티어링 기술이 적용된 소형 라이더 센서. 실시간 제어 소프트웨어·시스템 설계로 구성된 업계에서 가장 작고 효율적인 3D 감지 솔루션.

Smart Sleep Solution, Olly S
LUPLE Inc.

건강·웰니스

수면장애의 원인을 파악, 대처하는 스마트 수면 솔루션. Olly 앱은 모든 기기 사용 가능. 올리 디바이스 제품을 이용하여 광 치료 가능.

SonicFit (Soundwave fitness boost up mat)
LUX Lab

피트니스·스포츠

압전필름 기술을 이용한 피트니스 관리 매트. PVDF 음파모듈로 운동에 가장 적합한 10~20Hz의 지주파 신동 발생, 운동 효율 30% 향상.

Maicat
Macroact Inc.

스마트홈

로봇공학에 AI를 접목해 귀엽고 매력적인 반려동물의 이로운 특성과 AI의 지능을 결합한 소셜로봇. 사용자에게 공감과 개인화된 경험을 제공.

ZEREMA Smart Pillow
MAETEL CO., LTD.

건강·웰니스

숙면을 도와주는 스마트 베개. 사용자에게 맞게 베게 높이 자동 조절. 코골이 방지, 수면의 질 향상. 앱을 통한 수면 상태 확인 가능.

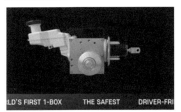

1-box Brake System for Highly Autonomous Driving
Mando Corporation

지능형차량·운송

여러 구성 요소를 하나의 장치로 대체하고 통합하는 전자유압식 브레이크 시스템. 별도의 부품이 필요 없는 세계 최초 제품.

Indoor Air Quality (IAQ) Purification System
Marelli

차량 엔터테인먼트·안전

이산화티타늄 필터와 UV-A, UV-C 광원을 통합. 빛 에너지가 필터와 화학 반응을 일으켜 공기 중 오염을 중화. 반도체 광투석 공정 활용.

MG20 Wireless Gaming Headphones
Master & Dynamic

헤드폰·개인용 오디오

현대적인 디자인과 최적의 성능을 결합한 럭셔리 게이밍 헤드폰. 분리형 붐 마이크와 추가 내장 마이크를 갖추고 있어 훌륭한 음질.

MW08 Sport True Wireless Earphones
Master & Dynamic

헤드폰·개인용 오디오

고성능 운동 기능을 가진 무선 이어폰. 사파이어 유리 본체와 섬유 케이스의 고급스러운 외관. 어떤 운동도 견딜 수 있도록 제작.

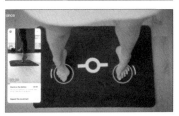

BBalance
Mateo

건강·웰니스

최초의 가정용 밸런스 모니터링 시스템. 모든 연령대, 가족을 위한 앱. 사람들의 균형 추구를 지도하기 위해 의료 전문가와 함께 개발.

The Smallest Thumb-like Portable Water filter
MBRAN FILTRA CO., LTD.

피트니스·스포츠

박테리아와 미세 플라스틱을 차단하는 엄지손가락 모양의 휴대용 필터. 따로 전기가 필요 없어 여행용으로 사용 가능.

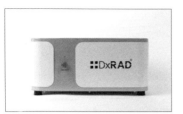

DxRAD Digital X-ray Radiography Auto Decipher based on AI / Medical Innovation Developer Co.,Ltd.

컴퓨터 하드웨어

인공지능을 기반으로 흉부 영상을 진단하는 디지털 엑스레이 방사선 자동 해독기.

DFG-aided outdoor monitoring camera Microsystems, Inc.

스마트시티

광학 센서용 전자식 자가 세척 기술을 사용하는 실외 모니터링 카메라. EWOD 원리의 첨단 미세유체 기술을 사용하여 센서 표면의 오염 물질 제거.

CARE4EAR MIJ Co., Ltd

건강·웰니스

언제 어디서나 사용할 수 있는 이명 치료·예방 솔루션. 모바일 앱과 전용 헤드셋으로 구성. 정확한 이명 검사·치료·모니터링 가능.

Mila Halo Mila

가정용 가전

건강한 가정을 위해 재해석된 가습기. 공기 여과 시스템으로 유해 에어로졸 제거.

Mimiq Track Mimiq, Inc.

모바일

물건을 보호하고 찾을 수 있도록 설계된 소비자용 추적기. 신용카드 크기의 패키지에 LoRaWAN 및 블루투스 기술을 결합.

Robot Express for Smart Transportation and Logistics Mindtronic AI

스마트시티

대중교통 네트워크를 활용하여 상품을 배송하는 스마트 물류 서비스. 발신자와 수신지가 버스정류장을 통해 이용 가능.

PureRide™ - Touchless Control Mitsubishi Electric US Inc

스마트시티

터치 없이 센서 위에 손이나 손가락을 올려놓으면 엘리베이터가 층을 지정하도록 호출 가능한 컨트롤러.

Moen Smart Faucet with Gesture Control
Moen

스마트홈

핸즈프리 웨이브 센서를 강화한 터치리스 스마트 수도꼭지 제스처 컨트롤러. 터치 없이 간단한 손놀림으로도 물의 흐름 조절 가능.

Monarch Tractor, MK-5
Monarch Tractor

로봇

세계 최초의 완전한 전기 스마트 트랙터. 농부의 기존 작업을 향상, 노동력 부족 완화, 수확량 극대화.

Aurora 1100
Morphotonics B.V.

가상·증강현실

대량 생산을 위한 완전히 통합된 최첨단 나노임프린트 생산 라인. 매우 넓은 영역에 걸쳐 나노 크기의 표면 구조를 높은 정밀도로 복제 가능.

BeamXR 5G Smart Repeater Technology
Movandi

내장기술

실제 5G 구축 과제를 해결하고, 도시 환경의 물리적 장벽을 뚫고 대규모 5G 상용화를 가속하기 위해 설계된 업계 최초의 스마트 중계기 기술.

CLUTCH GM41 LIGHTWEIGHT WIRELESS
MSI Computer Corp

컴퓨터 주변기기

무게가 74g밖에 되지 않는 가볍고 빠른 게이밍 무선 마우스

Creator Z17
MSI Computer Corp

컴퓨터 하드웨어

스마트 펜과 터치가 호환되는 미니 LED 디스플레이가 특징인 17인치 노트북.

GeForce RTX 3080 Ti SEA HAWK X 12G
MSI Computer Corp

컴퓨터 하드웨어

하이브리드 액체·공기 냉각 시스템의 새로운 개발로 최대 성능을 유지하는 그래픽 카드.

RadiX AXE6600
MSI Computer Corp

컴퓨터 하드웨어

가장 빠른 최신 와이파이 표준을 지원하는 게이밍 와이파이 라우터.

MEG 551U OLED
MSI Computer Corp.

게임, 가정용 고성능 오디오·비디오

55인치 OLED 울트라 패널을 가진 게이밍 모니터. OLED는 독특한 발광 매커니즘을 갖춰 트루 블랙 표시 가능. 유해한 청색광을 낮게 표시.

MEG ARTYMIS 341 MiniLED
MSI Computer Corp.

게임, 가정용 고성능 오디오·비디오

800R 곡률을 지원하는 세계 최초 미니 LED 디스플레이. 이미지 왜곡이 적고, 인체공학적인 곡률로 눈의 피로가 적음.

MEG Prospect
MSI Computer Corp.

게임

4.3인치 터치 스크린 디스플레이가 전면 I/O 포트 근처에 구현된 혁신적 섀시. 배포판은 내부에 장착되어 시스템에 대한 최적의 냉각을 제공.

MEG Treble
MSI Computer Corp.

컴퓨터 하드웨어

모든 면에 스타일화된 통풍구가 있는 매끄러운 디자인의 케이스. 최적의 냉각 솔루션과 미적 매력을 구현.

MEG Z690 GODLIKE
MSI Computer Corp.

컴퓨터 하드웨어, 게임

최고의 성능을 위해 독점적인 기능을 갖춘 마더보드.

MEG Z690 UNIFY-X
MSI Computer Corp.

컴퓨터 하드웨어

뛰어난 오바클럭과 최적화 기능을 가진 마더보드.

Modern DM10
MSI Computer Corp.

가정용 오디오·비디오

놀라운 속도의 전문가용 데스크톱 PC. 잡음 억제, 오디오 배경 흐림, 비디오 초해상도 지원, 최신 비디오 코덱 기술 제공.

MPG321UR-QD Xbox Edition
MSI Computer Corp.

컴퓨터 주변기기

PC 및 콘솔용 크로스 플랫폼 디스플레이. 기존 무기고의 강점에서 영감을 얻어 최신 스마트 기술과 결합.

Stealth GS77
MSI Computer Corp.

컴퓨터 하드웨어

최신 액체 금속 냉각 솔루션과 NVIDIA의 실시간 레이트레이싱 그래픽. 4K 120Hz 디스플레이가 결합된 VR 지원 노트북.

mui platform
mui Lab, Inc.

스마트홈

IoT 장치와 시스템을 조용히 하는 플랫폼. mui의 독점 기술을 사용해 훨씬 더 인간다운 삶을 지향하는 플랫폼. 나무와 같은 천연 소재 중점.

Jooki
MuuseLabs SA

헤드폰·개인용 오디오

음악·오디오북 기능을 갖춘 어린이용 음악 플레이어. NFC 지원 ToyTouch® 기술을 통해 아이들이 화면이나 부모의 관리 없이 조작 가능.

MyEli, the connected lifesaving jewels
MyEli

웨어러블

긴급 상황 발생하면 긴급 비상 연락망에 연락이 가는 쥬얼리. 블루투스로 스마트폰에 연결. 100% 커스터마이징 가능.

N.THING CUBE: the decentralized farm solution
N.THING Inc.

지속가능성·에코디자인, 지능형 에너지

에너지를 절약하고 지속 가능한 유기농 생태계를 조성해 농작물을 생산하는 농장. 수입과 물류에 의존하지 않고 어느 도시에서나 설치 가능.

Uniti Atom Headphone Edition
Naim Audio

헤드폰·개인용 오디오

탁월한 스트리밍 헤드폰 앰프. 아름다운 디자인과 훌륭한 파워, 특징, 연결성으로 헤드폰을 한 단계 더 높은 음질로 청취 가능.

Ted
Naio technologies

로봇

로봇과 AI 첨단 기술을 결합해 지속 가능한 서비스를 제공하는 와인 재배 솔루션. 사용자의 토양을 존중, 작업 환경을 개선하는 로봇.

Separator-free Lithium-Ion Battery / Nano and Advanced Materials Institute; Amperex Technology Limited

지속가능성·에코디자인, 지능형 에너지

기존 폴리올레핀 분리기를 대체하기 위해 전극 표면에 나노섬유 등각 코팅된 리튬이온전지 기술. 높은 다공성, 우수한 전해질 습윤성, 강한 밀착력.

Nanotech Energy Non-flammable Organolyte Battery
Nanotech Energy

지속가능성·에코디자인, 지능형 에너지

불연성 그래핀 기반 배터리. 더 안전하고 효율적인 비용, 환경친화적인 재생에너지를 활용.

Narwal World First Self-Cleaning Robot Mop and Vacuum / Narwal Robotics Corporation

가정용 가전

자동 걸레 청소 스테이션이 있는 로봇 청소기. 진공 또는 걸레 모듈 중에서 선택 가능. Lidar·SLAM 기술 활용.

GaNFast ICs with GaNSense™: NV613X, NV615x families / Navitas Semiconductor

내장기술

차세대 질화갈륨을 사용, 기존 실리콘 칩을 대체. 모바일 고속 충전기, 전자제품, 태양열을 위해 절반이 크기와 무게로 최대 3배 빠른 충선.

NearthWIND Mobile
Nearthlab

소프트웨어·앱

자율 드론 검사 솔루션 모바일 앱. 드론 구동 데이터라는 비전 아래 두 명의 항공우주 엔지니어가 생동감을 부여한 제품. 드론 비행 단순화 가능.

NepShuttle
NepTech

지속가능성·에코디자인, 지능형 에너지

배출가스 없고, 환경친화적인 운송을 제공하는 최초의 스마트 셔틀.
최대 150명의 승객 탑승 가능.

Business VPN
NETGEAR

소프트웨어·앱

재택근무 직원, 지사를 위한 비즈니스 장치의 데이터 트래픽 보호. 다
른 VPN과 달리 SSID로 확장. 기존 사무실 SSID로 자동 연결 가능.

NETGEAR Nighthawk Tri-band WiFi 6E Router RAXE300
NETGEAR

컴퓨터 주변기기

저렴한 가격으로 대용량, 짧은 대기 시간, 최신 WPA3 보안으로 빠른
와이파이 속도를 제공.

NETGEAR Orbi 5G WiFi6 Mesh System NBK752
NETGEAR

컴퓨터 주변기기

5G의 이점과 가용성을 활용하여 광대역 서비스에 접근 불가한 가정
에 와이파이를 제공하는 공유기.

NETGEAR Orbi Quad-band WiFi 6E System (RBKE960 Series) / NETGEAR

컴퓨터 주변기기

세계 최초의 쿼드밴드 와이파이 기술을 가정에 전달하여 최신
WiFi6E 기술, 전례 없는 속도, 기능 및 용량을 제공.

Orbi Pro WiFi 6 Series SXK50 Small Business Mesh System / NETGEAR

컴퓨터 주변기기

중소기업이 여러 개의 고유한 IP Layer 3 LAN을 쉽게 생성, 네트워크
보안을 쉽고 빠르게 달성할 수 있도록 지원.

NexiGo Air T2 True Wireless Earbuds
Nexight INC

헤드폰·개인용 오디오

얇고 가벼운 무선 이어폰. 충전 시 최대 7시간 지속되는 긴 배터리, 안
정적인 연결·지원을 위한 블루투스 5.2 포함.

NexiGo Iris 4K AI Tracking Conference Camera
Nexight INC

컴퓨터 주변기기

전문가용 AI 기반 회의용 웹캠. 4K 해상도 화상 통화 제공, 고급 AI 프레이밍·추적을 위한 인상적인 AI 얼굴 인식 알고리즘을 제공.

NexiGo N4000 4K Conference All-in-one Camera
Nexight INC

컴퓨터 주변기기

중소형 객실과 홈오피스를 위해 설계된 일체형 화상회의 카메라. 초고화질 4K 카메라, 강력한 스피커, 휴대성이 좋은 몸체.

Automated Steering Actuator
Nexteer Automotive

지능형차량·운송

자동 스티어링 작동기. 공유 자율주행 차량의 광범위한 채택 촉진, 시장에 나와 있는 차량과 비교하여 더 빠르도록 광범위한 채택 촉진.

Steer-by-Wire with Stowable Steering Column
Nexteer Automotive

지능형차량·운송

자율주행·기존 주행을 위한 고급 안전 및 성능 기능의 미개척 영역 발굴.

Nikon Z fc
Nikon Inc.

영상·화질처리

최신 미러리스 기술과 클래식한 심미성을 결합한 미러리스 카메라. 소형이지만 뛰어난 기능.

Hammerhead™
NODAR

지능형차량·운송

ADAS와 자율주행차 개발에 있어 안전성, 고급 성능, 비용 효율성을 제공하는 중요한 구성 요소.

Perception Neuron 3
Noitom International, Inc.

웨어러블

사용지가 무료 소프트웨어, 플러그인, SDK에 액세스할 수 있는 휴머노이드 모션 캡처 시스템. 업계 최고의 소프트웨어와 파이프라인과 호환.

Blue Tiger Solare - Solar Powered Communications Headset
North American Blue Tiger Company dba Blue Tiger USA

차량 엔터테인먼트·안전

태양광 통신, 운전용 블루투스 헤드셋. 거의 충전 없이 사용할 수 있는 지속 가능 에너지 Powerfoyle™ 태양 전지 헤드밴드 통합.

Nowi NH2D0245 Energy Harvesting PMIC
Nowi B.V.

내장기술

청정 주변 에너지로 광범위한 가전과 IoT 기기에 전력을 공급할 수 있는 획기적인 에너지 하베스팅 전력 관리 솔루션.

gosleep
NYX Inc.

건강·웰니스

세계 최초 이산화탄소를 이용한 수면 유도 장치. 서울삼성병원 임상 시험을 통해 안전성 확인. 수면 환경 분석, 기상 유도, 수면 주기 관리 가능.

Oasense Reva
Oasense

지속가능성·에코디자인, 지능형 에너지

지속 가능한 샤워를 제공하는 지능형 자체 동력 샤워 헤드. 일반 샤워기보다 물 사용량을 50% 이상 줄일 수 있음.

FITTO
Olive Healthcare Inc.

건강·웰니스

근적외선 기술을 사용하여 신체 각 부분의 근육 발달을 측정하고 분석하는 디지털 의료 기기. 근육 발달 관리, 근감소증 예방, 사용자화 추천.

StoryPhones
ONANOFF

헤드폰·개인용 오디오, 건강·웰니스

재생을 위해 장치 연결할 필요가 없는 무선 스토리텔링 헤드폰. 모든 연령대의 청취자를 위한 새로운 양방향 오디오.

AR0820AT
Onsemi

지능형차량·운송

까다로운 조건에서 고품질 이미지를 제공하는 디지털 이미지 센서. 차량 경로에 있는 물체를 감지하는 자동 운전자 지원 시스템 장착.

OrCam MyEye PRO
OrCam Technologies

접근성, 건강·웰니스

맹인, 시각 장애인들을 위한 웨어러블 보조 기술 장치. 안경테에 자석으로 장착. 대화형 스마트 읽기 기능으로 핸즈프리 사용 가능.

OSIM Smart DIY Massage Chair
OSIM International Pte Ltd

스마트홈

공간 활용에 유용한 스마트 DIY 마사지 의자. 집, 사무실 어디든 유연하게 사용자화 가능.

Cota® Power Table
Ossia, Inc.

모바일

무선으로 전력을 수신 및 분배하는 세계 최초의 충전 표면. 커피숍이나 공항과 같은 빠른 서비스를 염두에 두고 설계.

Oticon MyMusic
Oticon, Inc

소프트웨어·앱

청각 장애가 있는 사람들이 음악을 즐길 수 있는 앱. 보청기의 가장 어려운 문제 중 하나를 극복, 라이브·스트리밍 탁월한 음악 음질을 제공.

OWO Game
OWO

가상·증강현실

사용자가 가상 세계에서 실시간으로 30가지 이상의 감각을 느낄 수 있는 무선 햅틱 조끼. PC, 모바일, 콘솔·VR과 호환.

Panasonic SoundSlayer WIGSS (SC-GN01)
Panasonic

게임, 헤드폰·개인용 오디오

몰입감 있는 게임 플레이를 위한 스피커 시스템. 어깨에 착용하는 독특한 인체공학적 디자인. 게이머의 머리를 감싸며 고음질 사운드 제공.

Panthronics NFC Wireless charging solution
Panthronics AG

내장기술

가전제품, 스마트워치, 스마트안경, 이어폰 등 소형 휴대용 기기에 빠르게 통합하기 위한 판트로닉스 NFC 무선충전 레퍼런스 시스템 구현.

PanzerGlass™ GraphicPaper®
PanzerGlass

컴퓨터 주변기기

용지 질감을 재현하여 iPad에서 최대한 원활하고 정확하게 그림을 그리고 쓸 수 있도록 설계된 화면 보호기. 스크래치, 번짐, 지문 방지.

E/Smart™ Ecosystem
Piana Technology, LLC

지속가능성·에코디자인, 지능형 에너지

모든 소비자 제품에서 최종적으로 거품을 제거하는 것을 목표로 하는 Piana Technology의 특허 출원 고유 제품 엔지니어링 프로세스.

Delivery AMR : Mighty-D3
Piezo Sonic Corporation

드론·무인시스템

일본 달 탐사 로봇 기술을 기반으로 설계된 로봇. 도심, 병원, 상업시설, 대형 아파트 등의 교통지원 로봇으로 활용.

Lexip Ar18 Cloud Gaming Mouse
Pixminds

모바일

경량화, 픽스마인드의 마찰·대기 시간 단축 특허 기술이 결합된 게이밍마우스.

Plott App (LiDAR)
Plott

영상·화질처리, 소프트웨어·앱

실제 치수로 공간 스캔·캡처한 뒤 정확한 지점을 안내하여 못을 박거나 구멍을 뚫거나 절단할 수 있는 디지털 디자인 앱.

PORTL Epic 2
PORTL Inc.

디스플레이

4K 터치스크린과 고화질 스피커를 갖춘 사람 크기의 부스 모양 장치. 라이브 스트리밍이나 사전 녹화된 콘텐츠 표시하도록 설계.

PORTL Mini
PORTL Inc.

스트리밍, 디스플레이

대기 시간이 매우 낮고 대역폭 요구 사항이 매우 낮은 라이브 또는 미리 녹음된 콘텐츠를 스트리밍하는 장치.

Nailbot
Preemadonna Inc.

가정용 가전

사진, 이모티콘, 이미지 또는 자체 제작된 디자인이 손톱에 즉시 인쇄되는 가정용 장치.

Prinker M
Prinker Korea Inc.

모바일

비누로 간단하게 세척 가능한 문신을 쉽게 만들고 적용할 수 있는 모바일 디지털 가정용 문신 장치. 방수 가능.

Oral-B iO Series 10
Procter & Gamble

건강·웰니스

구두-B의 iO 제품 라인(CES 2020에서 발표)의 최신 전동 칫솔.

Synchrony T600 Premium Tower Speakers
PSB Speakers

가정용 고성능 오디오·비디오

유명한 PSB 스피커 설립자 폴 바튼에게 지도받은 음향 전문가에 의해 설계된 스피커.

Qualcomm Snapdragon XR1 AR Smart Viewer
Reference Design / Qualcomm

가상·증강현실

OEM이 제품을 만드는 데 걸리는 시간을 줄이도록 지원하는 스마트 뷰어. 구동되는 기기에 최적화. 스마트폰, 윈도우 PC에 연결 가능.

Snapdragon® X65 5G Modem RF System
Qualcomm Incorporated

내장기술

세계 최초의 10기가비트 5G 및 3GPP 릴리즈 16(Rel-16) 모뎀-안테나 솔루션. 업그레이드 가능한 아키텍처로 설계

non-invasive continuous wearable glucometer
Quantum Operation Inc.

건강·웰니스

바늘 없이 혈당을 지속적 모니터링할 수 있는 웨어러블 기기.

WasteShark
RanMarine Technology BV

드론·무인시스템

해양 플라스틱 쓰레기를 치우기 위해 설계된 세계 최초의 자율 아쿠아드론. 다른 해양 폐기물 제거 솔루션의 20%의 운영비와 배출가스 제로로 작동.

Connext Drive with ISO 26262 ASIL D Certification
Real-Time Innovations (RTI)

지능형차량·운송

DDS(Data Distribution Service™) 표준을 기반으로 제작된 자율 차량 개발을 위한 자동차용 소프트웨어 프레임워크.

Redux Pro - The Professional Hearing Device Drying System / Redux

접근성

버튼 한 번만 누르면 보청기, 임플란트 등에 묻은 습기를 완전히 제거해 주는 기기. 동시에 습기가 묻었는지 확인도 가능.

Reflect
Reflect Innovation

건강·웰니스

바이오피드백 기술을 활용해 사용자의 스트레스와 전반적인 건강 상태를 알려주는 기구. 기구의 표면에 박힌 전극을 통해 사용자의 상태 파악.

ResMed's AirSense 11
ResMed

건강·웰니스

수면무호흡증 치료를 위한 클라우드 연결(양압) PAP 기기.

Texnic®
Right Route

웨어러블

재활용 폐배터리 분리기로 만든 친환경 직물 재료. 폐배터리 분리기를 재활용하여 고기능성 직물 소재 제작.

Ring Alarm Pro
Ring

스마트홈

전문적으로 모니터링되는 가정 보안, 인터넷 연결, 네트워크 보안을 결합한 전 가정 보안 시스템.

Q

R

Ring Always Home Cam
Ring

스마트홈

실내 전용 자율 비행 카메라. 사용자는 카메라가 날아갈 수 있는 경로를 미리 설정 가능.

Bosch eBike Systems: The smart system
Robert Bosch LLC

지능형차량·운송

eBike Flow 앱, 컨트롤 유닛, 디스플레이, 충전식 배터리 및 구동 유닛으로 구성된 스마트 시스템. 높은 수준의 주행 환경 제공.

Roborock Auto-Empty Dock
Roborock (HK) Limited

스마트홈

최대 99.9%의 입자를 포착하는 다단계 여과 시스템을 통해 자동 먼지 제거 가능한 스마트 홈 클리닝 제품.

V-02HD MK II Streaming Video Mixer
Roland

스트리밍

쉬운 투 카메라 라이브 스트리밍 장치. 직관적인 레이아웃으로 방송 경험이 없어도 조작 가능.

Roseman Labs Virtual Data Lake
Roseman Labs

사이버보안·사생활보호

확장 가능과 전략적 데이터 협업 파트너십을 위한 도구. 데이터를 중앙 집중화하지 않고도 여러 조직이 결합된 데이터에 대한 분석 실행 가능.

Royole F3
Royole Corporation

모바일

최신 폴더형 스마트폰. 7.2인치로 큰 화면을 자랑히지만, 주머니에 쉽게 들어가는 폴더형. 둥글고 친근한 인체공학적 디자인 구성.

F series® & MERS®
RT Stream International Co., Ltd

웨어러블

오디오, 비디오, 데이터를 포함하는 일체형 장치. 전 세계 독점인 4-in-1 기능 제공. 원격 협업, 재해 방지, 에이전트 복제 기능 제공.

Happy Mama
RTL Innovation

건강·웰니스

임산부 건강 플랫폼 앱. 여성의 출산과 산모 건강 관리를 위한 정보 제공.

Safety 1st Connected Nursery
Safety 1st

스마트홈

유아용 기기를 제어할 수 있는 앱. 부모들에게 유치원 내부와 주변의 통제권 부여.

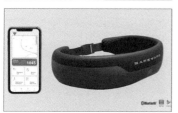

Hip Protection Airbag Belt
Safeware Inc.

접근성

환자, 노인, 장애인 등 거동이 불편한 사람의 낙상 사고를 대비한 고관절 보호 에어백 벨트. 사고 발생 시 에어백이 0.2초 이내에 팽창.

Samsung 512GB DDR5 RDIMM
Samsung Electronics

컴퓨터 하드웨어

업계 최초로 512GB DDR5가 고성능 컴퓨팅, 클라우드, 데이터센터 서버에 AI를 아우르는 차세대 가전 앱용 듀얼 인라인메모리 모듈을 등록.

Samsung ISOCELL HP1
Samsung Electronics

내장기술

200MP 0.64μm 모바일 이미지센서. HP1은 1/1.22" 광학 포맷과 일치하는 유효 픽셀을 제공. 8K 30fps의 초고화질.

S

Samsung PCIe Gen5 NVMe SSD - PM1743 2/4/8/16TB
Samsung Electronics

컴퓨터 하드웨어

업계 최고 속도와 최대 용량, 가장 신뢰할 수 있는 U.2 SSD. PCIe 5세대 인터페이스를 기반으로 한 제품.

Samsung U.2 ZNS NVMe SSD 2/4TB (PM1731a)
Samsung Electronics

컴퓨터 하드웨어

ZNS(Zoneed Namespace) 기술을 지원하는 엔터프라이즈·대규모 데이터 센터를 위한 최첨단 솔리드 스테이트 드라이브(SSD).

89in. MICROLED FLEX
Samsung Electronics America

디스플레이

고정형 접이식 스크린으로 3가지로 분해할 수 있어 설치가 간편한 디스플레이.

Bespoke Double Wall Oven
Samsung Electronics America

가정용 가전

각 요리에 따른 모드 추천 AI 카메라 장착. 스팀 및 스팀 쿡 기능. 추가 기기 필요없음. 비스포크만의 사용자 정의 디자인 제공.

Eco Remote Control
Samsung Electronics America

지속가능성 및 에코디자인, 지능형 에너지

공기 중의 RF 신호에서 전기 에너지를 생성. 충전식 배터리도 필요치 않은 완전히 새로운 RF(무선 주파수) 에너지 수확 기술 적용.

Galaxy A Series
Samsung Electronics America

모바일

적합한 가격에 인상적인 기능, 5개의 스마트폰 장치 제품군. 강력한 멀티 카메라 시스템, 생생한 디스플레이, 오래 지속되는 고속 충전 배터리.

Galaxy Book Pro 360
Samsung Electronics America

컴퓨터 하드웨어

Galaxy 스마트폰의 모바일 DNA 내장. 미국 최초 5G PC. 업그레이드 S펜. Super AMOLED 디스플레이와 초고속 충전 배터리.

Galaxy SmartTag+
Samsung Electronics America

모바일

초광대역 기술로 동급 최고의 정확도. 어디든 부착해 Galaxy 스마트폰의 카메라와 연동해 SmartThings Find 서비스로 추적 가능.

Galaxy Z Flip3
Samsung Electronics America

영상 및 화질처리, 모바일

Z Flip 5G 4배의 커버 스크린. 주 화면의 120Hz 재생 빈도, 카메라 및 Flex 모드 기능으로 캡처, 공유 및 멀티태스킹 가능.

Galaxy Z Fold3
Samsung Electronics America

영상 및 화질처리, 모바일

IPX8 방수, Under Display Camera, 최초의 접이식 S Pen 지원. 7.6 인치 화면 앱 최적화 가능.

Game Screen
Samsung Electronics America

게임

240Hz/144Hz의 4K 화면. 세계 최초의 55인치 회전 스크린으로 1000R 곡률로 완벽한 몰입 경험 제공.

MIMO (MIRROR SCREEN)
Samsung Electronics America

디스플레이

터치, 음성 및 제스처 제어가 가능한 세계 최초 전신 피트니스 미러.

Multi View Platform
Samsung Electronics America

소프트웨어 및 앱

최적화된 레이아웃을 제공, 콘텐츠 시청 및 청취 방식 제어 가능. Multi View로 삼성의 모든 화면 폼 팩터에 멀티태스킹 경험을 제공.

Q950B SOUNDBAR
Samsung Electronics America

가정용 오디오 및 비디오

Q-Symphony 2.0 기술을 도입하여 이전에는 볼 수 없었던 TV와의 조화를 실현. TV 연결로 주변 환경을 분석하고 방에 최적화 가능.

Samsung 30" Smart Induction Built-In Cooktop
Samsung Electronics America

가정용 가전

뛰어난 성능을 유지하면서 에너지 사용을 줄이고, 요리 시 배출 가스를 감축.

SAMSUNG 50" QN90B Gaming TV
Samsung Electronics America

게임

세계 최초의 144Hz 4K TV. GameBar2.0을 통해 설정을 모니터링하고 디스플레이를 사용자 정의 가능. 게이머 중심의 UI를 제공.

SAMSUNG 75" QN95B TV
Samsung Electronics America

디스플레이

플래그십 4K Neo QLED 모델. Shape Adaptive Light Control 백라이트 제어 기술, 새로운 AI 업스케일링 기능.

SAMSUNG 85" QN900B NEO QLED 8K TV
Samsung Electronics America

디스플레이

적응형 조명 제어, 14비트 밝기 및 4K 144Hz(8K TV의 세계 최초)로 매끄럽고 생생한 영상 제공.

Samsung Bespoke Combination Oven
Samsung Electronics America

가정용 가전

7인치 LCD 터치 디스플레이, Wi-Fi 호환성 및 음성 제어 기능. AI 카메라가 요리에 가장 적합한 설정을 추천.

Samsung Bespoke Family Hub™ for 2022 4DR
Refrigerator / Samsung Electronics America

가정용 가전

더욱 개인화되고 연결되고 스마트하고 유연한 기능으로 포장되어 식품 보관 및 스마트 홈을 쉽고 편리하게 관리.

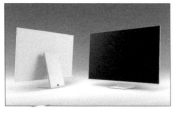

Samsung Home Hub
Samsung Electronics America

스마트홈

유연한 터치 스크린 장치로 집안일을 간소화 가능. 요리, 빨래 개기, 다른 곳에서 낮잠을 자는 자녀를 주시해야 하는 경우 등에 사용 가능.

Samsung M80B
Samsung Electronics America

컴퓨터 주변기기

세상에서 가장 얇은 스마트 모니터. 초슬림 광학 기술과 소형 부품을 적용히여 슬림한 베젤 화면을 유지하면서 초슬림 디자인 구현.

Samsung Odyssey G8QNB 34" Gaming Monitor (2022)
Samsung Electronics America

컴퓨터 주변기기, 게임

QLED와 OLED 화면 기술의 장점을 모두 제공하는 세계 최초의 QD-OLED(Quantum Dot OLED) 게이밍 모니터.

Samsung S80B
Samsung Electronics America

컴퓨터 주변기기

UHD 해상도, 넓은 색 영역, 놀라운 색상 정확도, VESA 인증 HDR600 디스플레이를 결합. 눈부심 방지 패널인 sAGAR 탑재.

Smart Calibration
Samsung Electronics America

내장기술

세계 최초의 올인원 이미지 최적화 솔루션. 주변 조명 조건과 사용 습관을 감지하여 언제 어디서나 정확한 영상을 위해 화질을 조정하는 최초의 앱.

The Bespoke Station
Samsung Electronics America

스마트홈

주방을 정리하고 가전 제품을 최대한 활용할 수 있도록 최신 기술을 제공. 자기 기술로 모든 Rx-coil 호환 기기에 자동으로 전원을 공급.

TV TOGETHER
Samsung Electronics America

소프트웨어 및 앱

TV 화면을 영상 채팅에 동기화 가능. 떨어져 있어도 함께 엔터테인먼트를 스트리밍할 수 있는 홈 엔터테인먼트 플랫폼.

WA7700A Top Load Washer with Auto Dispense
Samsung Electronics America

가정용 가전

Auto Dispense로 세탁 시 세제와 유연제의 양을 최적화. Active WaterJet로 예비 세탁 및 세탁시간 최대 50% 절감.

Galaxy Buds2
Samsung Electronics America, Inc.

헤드폰 및 개인용 오디오

능동형 소음 제거, 다이내믹한 양방향 스피커 및 향상된 주변 사운드 모드를 통해 놀라운 사운드와 몰입형 오디오를 제공.

Galaxy Watch4 Series
Samsung Electronics America, Inc.

건강 및 웰니스, 웨어러블

새롭게 재해석된 OS와 UX, 세련된 디자인, 최첨단 건강 기능을 갖춘 혁신적인 스마트 워치. ECG 판독값과 심장 리듬 모니터링을 제공.

Samsung Odyssey Neo G9 Gaming Monitor 2022 (G95NB) / Samsung Electronics Americs

컴퓨터 주변기기, 게임

1000R 곡면 디스플레이로 주변 시야를 채우고 몰입감을 극대화. 고급 Mini LED 기술로 향상된 로컬 디밍 성능과 우수한 화질을 제공.

SberBox Top
SberDevices

가정용 오디오 및 비디오

가상 비서가 통합된 TV 미디어 센터. 120° AI 카메라와 6개의 마이크. 음성, 얼굴 및 제스처 인식, 화상 통화 및 AR 앱에 적합.

SmartBadge
SberDevices

웨어러블

원거리에서 직원-고객 커뮤니케이션을 분석하기 위한 기기. 녹음과 녹음 데이터를 다운로드할 수 있는 도킹 스테이션, 기록 및 데이터 교환 가능.

Merten switch made out of Recycled Ocean Material
Schneider Electric

지속가능성 및 에코디자인, 지능형 에너지

바다 어망으로 만든 가정용 에너지 솔루션. 어망 폐기물을 수집 및 변환하여 가정을 위한 지속 가능한 순환 경제솔루션으로 변환하는 기술.

Odace Sustainable Switch
Schneider Electric

지속가능성 및 에코디자인, 지능형 에너지

스마트 스위치 및 플러그 솔루션 컬렉션. 폐 플라스틱을 WEEE(폐전기 및 전자 장비 재활용) 시스템을 사용하여 순환 경제화.

Wiser Energy Center
Schneider Electric

스마트홈, 지속가능성 및 에코디자인, 지능형 에너지

가정의 에너지 생산, 저장 및 사용을 완전 제어할 수 있음. 에니지 할당을 최적하하고 재생 가능한 에너지원을 감지하여 최적시에 사용.

PowerVolt AC-DC 30W Travel Charger
Scosche Industries

모바일

차량의 12V DC 콘센트 또는 110 AC 벽면(또는 멀티탭) 콘센트에 연결하여 모든 휴대용 장치를 빠르게 충전 가능.

Smart Multi-Color A19 Bulb with Health Monitoring Radar / Sengled

스마트홈

수면, 심박수, 체온 및 기타 활력 징후 등 생체 측정이 가능한 스마트 전구. FMCW(주파수 변조 연속파) 레이더로 건강 통계 모니터링.

SENSORIUM
SENSORIUM

가상 및 증강현실

새로운 가상 현실 세계인 PRISM에서 공연을 위해 Mubert와 제휴하여 세계 최초의 AI 기반 DJ JAI:N을 개발.

Hi-Fi Go
Shenzhen Airsmart Technology Co., Ltd

헤드폰 및 개인용 오디오

하이파이 스피커 스테레오 사운드 효과와 유사한 스테레오 음장을 헤드셋으로 구현.

Raythink Augmented Reality HUD
Shenzhen Raythink Technology Co. Ltd

지능형차량 및 운송

대시보드, 내비게이션 시스템, 카메라, ADAS 시스템, 인포테인먼트, 통신에서 정보를 수신, 실시간으로 증강 현실 그래픽을 렌더링.

HaritoraX
Shiftall

가상 및 증강현실

내장 배터리로 10시간 동안 작동하며 Oculus Quest 2와 같은 무선 VR 고글과 완전 무선으로 결합하여 전신 동작을 추적.

Signia Augmented Xperience
Signia

접근성

난청을 위한 보청기. 소음을 줄이면서 중요한 음성을 구분하는 분할 처리 아키텍처 Augmented Focus™로 난청을 해소.

Signia Insio Charge&Go AX
Signia

웨어러블

블루투스를 지원하는 충전식 맞춤형 보청기. 각 착용자에게 맞춤 제작되어 눈에 띄지 않고 편안한 착용감. 각 착용자에 맞게 사운드를 최적화.

NCM9 Battery
SK Innovation

내장기술, 차량 엔터테인먼트 및 안전

NCM9 니켈 비율 최대 88% 세계 최고의 하이니켈 기술의 EV 배터리 셀. Ford의 주력 EV 픽업 트럭 F-150 조명에 장착 예정.

CART-I
Sky Labs.

건강 및 웰니스

ECG 및 PPG 데이터를 활용하여 비정상적인 맥파를 지속적으로 감지. 독점 알고리즘으로 99.6%의 정확도를 자랑.

SKYWORTH W82
SKYWORTH Group Co Ltd

게임, 디스플레이

세계 최초의 양산형 Transformable OLED TV. 4K 120Hz OLED 화면을 탑재해 최대 1000R까지 화면 곡률 조절 가능.

New Sleep Number 360 smart bed Technology
Platform / Sleep Number

건강 및 웰니스

최적화 알고리즘으로 건강 및 수면 무호흡증 등의 건강 위험 평가를 집에서 모니터링해, 수면이 건강에 미치는 영향을 체크하는 스마트 침대.

Sleep Number smart furniture
Sleep Number

가정용 가전

수면 및 기상 루틴, 주변 일주기 조명, 소음 감소 및 이동 보조 장치 등을 활용하여 수면에 이상적인 환경 제공.

Dock Pro + Chilipad Pro Sleep System
Sleepme Inc.

가정용 가전

깊은 수면 및 REM 수면 단계 달성을 위해 개인화된 온도 조절 및 수면 프로그램으로, 각 신체에 최적화된 환경 제공.

Sleepme InsightTM
Sleepme Inc.

피트니스 및 스포츠

Wi-Fi에 연결해 모바일 디바이스로 수면 및 건강 데이터를 제공하는 매트리스 기반 수면 모니터링 장치.

Smart Eye Interior Sensing
Smart Eye AB

지능형차량 및 운송

시선 추적 및 운전자 감지 소프트웨어와 최첨단 인간 지각 및 감정 AI 를 결합, 안전과 함께 개인화되고 보다 편안한 이동 경험을 제공.

SmartWitness AP1 Camera
SmartWitness

지능형차량 및 운송

비디오 및 텔레매틱스 데이터를 하나의 장치에 결합, 교통사고를 예방하고 사고조사를 용이하게 돕고 보조해 차량 안전성을 향상.

SmileShade
SmileShade

소프트웨어 및 앱

치과용 쉐이드 식별을 위한 간단하고 정확하며 효율적이고 체계적인 접근 방식을 제공하기 위해 개발된 IOS 소프트웨어 응용 프로그램.

SCPS Bluetooth® Ambient Sensor
SMK Electronics Corp.

스마트홈, 지속가능성 및 에코디자인, 지능형 에너지

PV(태양광) 셀 및 원거리 무선 전력 전송(WPT)으로 베터리가 필요 없는 업계 최초의 하이브리드 전원 공급 리모컨.

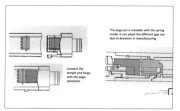

"Grid Independent" Solar Tree, SOLTRIA
SOFTPV Inc.

지속가능성 및 에코디자인, 지능형 에너지

초소형 태양전지가 SMD로 내장된 플렉서블 PCB '인공 트리 리프'. 기존의 평평한 "강성" PV 패널보다 100배 더 많은 전력을 생산.

SmartHinge™
Solos Technology Company

웨어러블

AirGo 모듈형 스마트글래스의 핵심 제품 및 설계 기술. 기존 안경테 와 전자 안경테 사이의 다리 역할을 맡는 독점 커넥터.

AirGo2 Smartglasses
Solos Technology Company

웨어러블

95dB 소음 환경에서 주변 소음을 상쇄, 45dB 감소, 93%의 정확도 를 유지해 선명한 통화 및 음성 품질을 제공. 최초의 모듈식 디자인.

sona
sona

건강 및 웰니스

불안을 줄일 수 있는 연구 기반 음악 치료 앱. AI로 과학적으로 검증된 증상 완화 및 긴장 완화에 도움이 되는 회복 음악을 추천.

SoundID 2 from Sonarworks
Sonarworks

헤드폰 및 개인용 오디오

파라메트릭 EQ, 동일 음량 보정 기술 및 각 개인에 맞는 오디오 선명도의 혁신을 제공하는 많은 UX 개선을 통해 개인화된 오디오 경험을 제공.

Sonatus Digital Dynamics™ Vehicle Platform
Sonatus

지능형차량 및 운송

차량 동작 조정 장치 및 클라우드 소프트웨어로 구성, 소프트웨어 업데이트 없이 차량 데이터를 활용해 차량을 제어 및 보호.

Sony SRS-NB10
Sony Electronics

웨어러블

음소거, 볼륨 및 전원을 위한 단순화된 전용 버튼을 사용하여 주변에서 무슨 일이 일어나더라도 빠르고 직관적으로 작동.

Sony WF-1000XM4
Sony Electronics

헤드폰 및 개인용 오디오

업계 최고의 노이즈 캔슬링 및 오디오 품질. 모든 상황에 적응하는 스마트 기술을 사용하여 개인화된 경험을 제공.

BRAVIA CORE
Sony Electronics Inc.

스트리밍

북미, 유럽, 일본 등에서 시판 중인 BRAVIA TV에 내장된 비디오 스트리밍 애플리케이션.

Sony XR-65A95K Master Series 65" TV with New OLED device / Sony Electronics Inc.

디스플레이

Cognitive Processor XR을 탑재한 OLED로 순수한 검정색을 유지하며 색상 볼륨을 크게 확장한 Sony의 새로운 플래그십 TV.

SPAN Smart Panel
SPAN.IO

스마트홈

가정의 에너지 관리 시스템 역할의 스마트 전기 패널. 전례 없는 통찰력과 회로 제어를 통해 여러 계층의 스마트 에너지 관리 기술을 추가.

NetCrypt Mini
ST Engineering Info-Security Pte. Ltd.

사이버보안 및 사행활보호

USB 동글 크기에 불과한 휴대성과 이동성. 백엔드 NetCrypt 게이트웨이를 통해 기업 네트워크에 연결할 때 데이터를 보호하면서 접근 가능.

STPayBio (Biometric System-on-Card Platform)
STMicroelectronics

사이버보안 및 사행활보호

생체 인식 시스템 온 카드 플랫폼. 로컬 스토리지를 보호해 결재, 건강, 액세스 제어 및 생체 인식 데이터 유출의 위험을 감소.

Streamlabs Studio
Streamlabs

스트리밍

채팅, 라이브 스트림 알림 및 오버레이와 같은 시청자 참여 도구를 사용하여 게임플레이를 매력적인 라이브 스트림으로 변환.

NUVO
Supertone Inc.

소프트웨어 및 앱

실시간 음성 변환 소프트웨어. 콘텐츠 제작자 1인이 모든 목소리를 쉽게 연출. 동시 통역, 스트리밍, 더빙 등에서 사용 가능.

Felaqua Connect
Sure Petcare

스마트홈

고양이용 물 공급 및 식수 모니터링 시스템. 고양이의 일일 물 섭취량을 추적할 수 있으며 고양이에게 신선한 물을 제공.

SureCall Fusion4Home Max Cell Signal Booster
SureCall

모바일

혁신적 휴대전화 신호 부스팅 기술. 동급 최고의 시스템으로 최대 실내 범위와, 최고 품질의 신호를 제공. 모바일 데이터 및 스트리밍 경험 개선.

SVS Prime Wireless Pro Powered Speaker Pair
SVS

가정용 고성능 오디오 및 비디오

HiFi 시스템으로 놀라운 역동성, 깨끗한 선명도와 함께 무선 스마트 스피커의 모든 이점도 함께 누릴 수 있는 스피커.

SPIDER-GO ; Warehouse Inventory Automation System
TACTRACER CO., LTD.

드론 및 무인시스템

재고 상태를 실시간으로 스캔하고 업데이트하는 자동 창고 재고 시스템. 창고 레이아웃의 자동화 모델링, 3D 지도에 재고 표시, 원격 제어 가능.

Heyday Sound Bar
Target

가정용 오디오 및 비디오

Bluetooth, RCA 및 광 포트, 태블릿 슬롯, 8시간 재생 배터리, 원격 제어, 다중 사운드 프로필 및 마이크 내장의 사운드바.

Cypress Hero Backpack with Find My Capabilities
Targus

컴퓨터 주변기기

iPhone과 배낭을 연결해 각 물품의 위치 확인 가능. 재활용 물병으로 제작한 친환경 제품.

TCL 20 Pro 5G
TCL Communication

모바일

Qualcomm Snapdragon 프로세서로 혁신적인 속도, 더 빠른 스트리밍, 더 빠른 다운로드 및 향상된 AI 기능을 제공하는 스마트폰.

TCL Sweeva 6500 Smart Robot Vacuum
TCL Electronics

가정용 가전

TCL 주력 로봇 청소기. LiDAR 탐색 기술로 집 전체를 매핑, 최첨단 UVC LED로 박테리아와 바이러스 박멸. 쓰레기통 자동 비움 기능.

KangaLock HSM
TEEware Inc.

사이버보안 및 사행활보호

클라우드 환경에서 대규모 키 관리 기능. 암호화된 키를 저장할 안전한 장소, 궁극적인 볼트(Root of Trust)가 되어주는 기능.

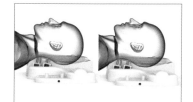

T-Pillow
TEGWAY CO LTD

건강 및 웰니스

더 나은 수면을 위해 조절 가능한 온도로 머리를 마사지하기 위한 마사지, 냉각 및 가열 베개.

POM Tellus
Tellus You Care, Inc.

접근성

밀리미터파(mmWave) 레이더 기술과, 원격 건강 및 안전 모니터링을 위한 독점적인 기계 학습(ML) 알고리즘을 기반으로 하는 비접촉식 장치.

Engagement Cloud
TEXEL

스트리밍

TEXEL의 클라우드 기반 비디오 기술 플랫폼고도로 사회적인 대화형 멀티 스트림 시청 경험을 통해 시청자와 소통할 수 있는 새로운 방법을 제공.

Gameboard
The Last Gameboard, Inc

게임

오프라인 탁상용 게임의 촉각 및 대인 관계 경험과 디지털 콘텐츠 및 온라인 커뮤니티의 광범위한 연결을 연결하는 차세대 탁상용 게임 시스템.

THX Onyx™
THX Ltd.

가정용 오디오 및 비디오

노트북, 스마트폰 및 데스크탑 스피커를 통해 즐기는 음악, 영화 및 게임을 위해 맑고 깨끗한 오디오를 제공하는 앰프.

TINECO FLOOR ONE S5 PRO Smart Floor Washer
Tineco Intelligent Technology Co., Ltd.

스마트홈

스마트 습식 건식 진공 청소기. 자동으로 최적화된 흡입력, 물의 흐름 및 롤러 속도로 가장 깊은 곳까지 감지, 진공 청소 및 세척.

Archer AXE11000 Omni Tri Band Wi-Fi 6E Router
TP-Link Corporation Limited

컴퓨터 주변기기

6GHz 대역을 특징으로 하는 Tri-band Wi-Fi. 10Gbps 이상의 속도와 최상의 커버리지 경험을 제공하는 안테나.

Philips Brilliance 27" Mini LED Monitor (27B1U7903) TPV (Philips Monitors)

컴퓨터 주변기기

Mini LED 조명 2304개 이상의 디밍 영역을 통해 색상과 정확성 증대. VESA 인증 DisplayHDR™ 1400로 밝고 정확한 색상.

Philips Momentum 55 Designed for Xbox Gaming Display 559M1 / TPV (Philips Monitors)

게임

세계 최초의 55인치 콘솔 게임용 디스플레이. Ambiglow 조명으로 레벨을 높여 더 깊은 몰입감과 전반적인 게임 성능을 제공.

Philips Two-in-One EasyRead Monitor 24B1D5600 TPV (Philips Monitors)

컴퓨터 주변기기

고품질 콘텐츠를 제공하는 메인 LCD 화면과 대용량 텍스트 또는 데이터 정보에 적합한 저전력 사용 e-ink 보조 화면의 결합.

TriEye SEDAR
TriEye

지능형차량 및 운송

자동 운전 애플리케이션을 위한 궁극적인 이미징 및 거리 측정 솔루션. 모든 가시성 조건 내에서 도로의 이미징 및 3D 매핑을 가능.

TRIPP PsyAssist
TRIPP

건강 및 웰니스

치료 전, 치료 중 또는 치료 후에 환자의 불안을 줄이는 데 도움을 주는 것이 목표로, 환각 환자의 심리적 치유를 지원하는 최초의 상용 제품.

Typewise AI Keyboard
Typewise

소프트웨어 및 앱

생산성을 높이고 개인 정보를 보호하는 스마트폰용 키보드 앱. 데이터 개인 정보를 100% 보호, 입력 내용은 클라우드로 전송되지 않음.

UbiHub APAI - Access Point with Edge AI
Ubicquia

스마트시티

노시에서 고속 무선 인터넷 액세스 및 조명 제어 기능을 확장하는 애플리케이션을 갖춘 가로등 오디오-비디오 AI.

UbiSmart AQM+ (Air Quality Monitor + Noise)
Ubicquia

스마트시티

기존 가로등 인프라에 눈에 띄지 않게 부착, 도시의 환경 데이터를 수집, 측정 및 분석하여 미립자 물질, 일산화탄소, 오존 등을 제어하게 도움.

ADIBOT-A
UBTECH Robotics

로봇

유해 병원체, 박테리아 및 바이러스(COVID-19 포함)를 소독하기 위해 하나 이상의 평면도를 독립적으로 탐색하는 소독 로봇 솔루션.

Unistellar eVscope 2
Unistellar

영상 및 화질처리

소비자를 위한 세계에서 가장 강력한 디지털 망원경. 초보자와 전문가 모두 빛으로 오염된 환경에서도 몇 분 안에 우주를 발견할 수 있도록 지원.

Zero Emission conversion kit for construction equipment / Urban Mobility Systems BV

지속가능성 및 에코디자인, 지능형 에너지

디젤 엔진을 무공해로 전환하는 솔루션을 제공. 기성 굴착기, 크레인 등에도 사용할 수 있어 공배 배출 0, 엔진 수명 연장 가능.

Ultraloq U-Bolt Ultra Facial ID WiFi Smart Lock
U-tec Group Inc.

스마트홈

얼굴 ID, 내장 WiFi 및 도어 센서를 갖춘 최초의 스마트 잠금 장치. 스마트폰으로 언제 어디서나 원격으로 도어 관리 가능.

Valeo UV Purifier
Valeo

U
V

차량 엔터테인먼트 및 안전

버스를 위한 세계에서 가장 강력한 공기 살균 시스템. 모든 유형 및 크기의 버스 및 객차와 호환되도록 설계, 기존 버스에도 설치 가능.

velavu asset management ecosystem
Velavu

스마트시티

차량 등 장거리 이동 자산의 위치 추적을 모니터링 기능과, 영역 내 자산의 위치를 추적 제공하는 메시 네트워크를 결합한 자산 추적 시스템.

Interactive Music Single App SUMIN's 'Fightman'
Verses, Inc.

소프트웨어 및 앱

K-Pop 아티스트 수민의 가상 음악 세계로 통하는 관문인 인터랙티브 뮤직 앱. 양방향으로 작용하는 유기적인 사용자 인터페이스.

Vibe Air with One Microphone Beam TechnologyTM
Vibe Hearing

건강 및 웰니스

특정 방향에서 나는 소리를 구분해서 증폭시켜주는 보청기.

Revolution GO Portable Record Player
Victrola

이동형 미디어 플레이어

최초의 충전식 블루투스 레코드 플레이어. 스테레오 사운드와 베이스 라디에이터, 딥 베이스와 크리스탈 클리어 오디오, 진동 방지 인클로저 기능.

Victrola Premiere V1 Music System
Victrola

가정용 오디오 및 비디오

프리미엄 턴테이블과 내부 파워 스테레오 스피커, 무선으로 연결된 붐 서브우퍼 등이 결합된 간편한 설정 및 운영 시스템의 레코드 플레이어.

Digital Iris Inside: The ESM 22 Eye Sensor Module
Viewpointsystem

가상 및 증강현실

AR·MR·VR에서 전문적인 아이 트래킹&아이 데이터 기능을 지원하는 최초의 아이센서 모듈. 홍채 인식, 디지털 오버레이 표시, 포브 랜더링.

SeeSo
VisualCamp

소프트웨어 및 앱

앱 및 웹 사이트와 상호 작용하는 방법에 대한 통찰력을 제공하는 아이 트래킹 솔루션. 모바일 기기와 컴퓨터를 눈으로 스크롤 및 클릭 제어 가능.

VIZIO M-Series Elevate Sound Bar
VIZIO, Inc.

가정용 오디오 및 비디오

DolAtmos, DTS:X 디코딩과 함께 DTS Virtual:X, DTS TruVolume HD 후처리 기능의 크리스탈 클리어 사운드 바.

VIZIO M-Series Quantum 4K HDR Gaming Smart TV
VIZIO, Inc.

게임

4K에서 48-120Hz, 1080p에서 48-240Hz VRR 지원. 240fps 프레임으로 현재 TV 최고 프레임률을 두 배로 높임.

VIZIO SmartCast
VIZIO, Inc.

스트리밍

넷플릭스, 디즈니플러스, 애플TV, HBO 맥스 등 필수 앱과 VIZ를 통해 수백 개의 무료 채널을 이용할 수 있는 홈 스크린을 제공.

VM-Fi, Smart 5G Blazing Fast AI Speech Translation System / VMFi Inc

스마트시티

5G 및 AI를 사용하여 10분 안에 같은 장소의 100여 명에게 모바일로 놀라운 음성 번역을 제공하는 기술.

SpatialTouch™ Home
Vtouch, Inc.

가정용 가전, 스마트홈, 가상 및 증강현실

사용자의 신체 움직임을 TOF 센서로 분석하여 사용자가 가리키는 위치를 정확히 파악하고 그 정확한 지점을 선택할 수 있도록 하는 기술.

Vuzix Shield
Vuzix Corporation

컴퓨터 주변기기, 이동형 미디어 플레이어

세계 최초의 소형 uLED 스테레오 디스플레이를 통해 인력과 AR 시스템을 연결하여 성능, 안전 및 운영 효율성을 최적화하는 기기.

AI Cloud Spatial Awareness Platform
WATA Inc.

소프트웨어 및 앱, 가상 및 증강현실

스마트폰으로 즉석 실내 지도를 생성, 수집된 위치 데이터를 통해 프로모션 제공, 경보, 작업 모니터링, 출석 관리, 유동인구 파악 가능.

W

Waycare, a subsidiary of Rekor Systems
Waycare Tech

스마트시티

내비게이션 앱, 도시 인프라, 커넥티드 차량, 일기 예보, 교통 감지기 등 데이터를 통합한 교통 관리 클라우드 플랫폼.

WAYMED Endo
WAYCEN Inc.

건강 및 웰니스

내시경 영상을 실시간으로 분석하여 잠재적인 암 병변 및 악성 종양을 탐지하는 의료 AI 솔루션. 조기 암 치료 계획을 수립 가능.

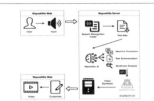

STV(Speech to Video)
Waynehills Ventures

소프트웨어 및 앱

음성 데이터를 자동으로 영상 콘텐츠로 생성/변환해주는 AI 소프트웨어 서비스.

InfiniBrush - Wirelessly Powered Toothbrush
Wi-Charge - The Wireless Power Company

건강 및 웰니스

전동 칫솔의 배터리가 방전되지 않도록 해주는 무선 충전기.

WNC 5G ODU
Wistron NeWeb Corp.

스마트홈

방수 및 방진 외부 인클로저, 고속 인터넷 연결 제공. 사이버 보안 모범 사례를 충족하는 보안 메커니즘을 갖춘 실외 5G CPE.

Body Scan
Withings

피트니스 및 스포츠, 건강 및 웰니스, 스마트홈

체성분을 모니터링, 신경 활동 평가. 6-리드 ECG, 심박수 및 혈관 연령을 포함한 다양한 심혈관 측정 기능을 갖춘 건강 관리 기기.

WHEELSWING VOLT-SPECIAL
WITHUS&EARTH CO., LTD., HANSEO UNIVERSITY

지속가능성 및 에코디자인, 지능형 에너지

스마트폰 및 보조 배터리 충전에 필수적인 장비, 자기장을 구동하는 비접촉식 자가발전기.

Wondercise Studio
Wondercise Technology Corp.

소프트웨어 및 앱

라이브 모션 매칭 및 지원되는 웨어러블 대화형 공간을 통해 글로벌 커뮤니티이자 피트니스 테마의 소셜 미디어 플랫폼.

ARpedia
Woongjin Thinkbig

소프트웨어 및 앱

증강현실과 AR, 애니메이션, 2D & 3D 효과 등 다양한 기술을 사용한 인터랙티브한 교육 콘텐츠. 종이책의 생생한 이미지를 극대화함.

Gatorade Gx App
Work & Co

소프트웨어 및 앱

선수들이 최고의 성과를 낼 수 있도록 도와주는 제품. 선수의 땀과 나트륨 농도를 전문가 수준으로 측정 및 진단하는 최초의 시장용 웨어러블.

XK300-H CFCM Home Health Monitoring
Xandar Kardian

건강 및 웰니스

사용자의 안정 시 심박수, 호흡수, 동작 및 존재를 비접촉 방식으로 지속적으로 자율적으로 모니터링. 웨어러블과 달리 100% 자동이며 비접촉식.

XK300-LTC CFCM Health Monitoring for LTC residents / Xandar Kardian

건강 및 웰니스

레이더 기술을 독점적으로 사용해 수동, 자동, 비접촉, 연속 건강 모니터링 하여 마음의 평화를 얻을 수 있는 시스템.

XK-CT500 Cleantech Building Automation Sensors
Xandar Kardian

지속가능성 및 에코디자인, 지능형 에너지

레이더 기술을 활용하여 인간의 생체 신호(즉, 호흡 동작)를 감지하여 정확한 실시간 공석 감지로 건물 내의 공간 활용을 극대화.

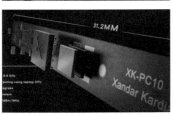

XK-PC10: Continuous & Autonomous Stress/Fatigue Monitor / Xandar Kardian

컴퓨터 하드웨어

트레스/피로 징후에 대한 PC 사용자의 바이탈 사인을 지속적이고 자율적으로 모니터링.

XK-RDMS22: Radar CFCM driver & passenger vital sign sensor / Xandar Kardian

지능형차량 및 운송

모든 의복을 감지. 탁월한 신뢰성과 정확도로 모든 환경에서 작동. 세계 최초, 유일의 FDA 510(k) 승인 레이더 센서.

XenoLidar-X
XenomatiX – True-Solid-State-LiDAR

지능형차량 및 운송

고해상도와 차량 주변의 분석을 위해 설계된 고체 상태의 LiDAR. 자율 및 산업용 애플리케이션을 위해 설계, 동적 부품 없는 독립형 솔루션.

DTS Play-Fi
XPERI

소프트웨어 및 앱

대중에게 무선 서라운드 사운드를 제공. 전선, 동글 및 애드온 박스 등의 추가 하드웨어 없이 TV에 무선 서라운드 사운드를 추가 가능.

DTS Play-Fi Home Theater
XPERI

스마트홈

대중에게 무선 서라운드 사운드를 제공. 전선, 동글 및 애드온 박스 등의 추가 하드웨어 없이 TV에 무선 서라운드 사운드를 추가 가능.

POLA
Ybrain.inc, HANSEO UNIVERSITY

건강 및 웰니스

Total Care (Mental Care + Body Care)가 가능한 초소형 전자기기. 멘탈 및 바디 케어 가능.

Solar Cow Sustaining Education During the Pandemic
YOLK

지속가능성 및 에코디자인, 지능형 에너지

배터리이자 라디오인 장치를 포함하는 충전 시스템. 교육을 위한 에너지 분배를 지원 및 프로젝트 모니터링을 위한 데이터를 수집.

YubiKey Bio - FIDO Edition
Yubico

사이버보안 및 사행활보호

사용자 계정이 해킹당하지 않도록 설계된 물리적 키. 암호 없는 다단계 인증과 강력한 2단계 인증을 제공하는 FIDO 전용 보안 키.

Cubo AI Sleep Sensor Pad
Yunyun

건강 및 웰니스

수면 안전을 위해 아기의 호흡 속도를 감지. 인공 지능 컴퓨터 비전과 호흡 운동을 결합한 최초의 건강 및 웰빙 장치.

Magnetic Bluetooth Camera Shutter/Zoom for iPhone 12/13 / Zeos Global

영상 및 화질처리

마그네틱 블루투스 카메라 셔터 및 Zoom MagSafe 호환 장치. 아이폰에 직접 자석으로 부착되거나 MagSafe 케이스에 부착되어 호환.

ZEOS Smart Battery Module for SmartPhones Zeos Global

모바일

MagSafe 충전 자석 어레이에 전자기로 고정된 전화기를 무선으로 충전하거나, 안드로이드에서 Qi 프로토콜을 사용하는 가능한 모듈의 베터리.

Amazfit PowerBuds Pro Zepp Health

건강 및 웰니스

최대 40dB의 강력한 다중 소음 제거, 최첨단 6 마이크 통화 소음 감소 기술 및 뛰어난 음질을 제공하는 무선 스테레오(TWS) 이어버드.

ZF ProAI ZF Group

지능형차량 및 운송

ADAS에서 AD까지 모든 자동화를 위한 자동차용 슈퍼 컴퓨터.

Cost effective, high performance, single-use endoscopes / Zsquare Ltd.

건강 및 웰니스

다양한 의료 분야에서 오염된 내시경을 재사용하여 감염 위험을 제거한 고성능 일회용 마이크로 내시경 플랫폼.

Zuvi Halo Hair Dryer Zuvi

건강 및 웰니스, 가정용 가전, 지속가능성 및 에코디자인, 지능형 에너지

효율적이고 자연스러운 건조 과정을 위해 태양과 바람을 복제하는 안정적인 최초의 무선 헤어드라이어.